INTERMÉDIALITÉS
HISTOIRE ET THÉORIE DES ARTS, DES LETTRES ET DES TECHNIQUES
NUMÉRO 10

INTERMEDIALITIES
HISTORY AND THEORY OF THE ARTS, LITERATURE AND TECHNIQUES
NUMBER 10

Disparaître

sous la direction de
GEORGE VARSOS
et VALERIA WAGNER

centre de recherche
sur l'intermédialité

Intermédialités est publiée avec le soutien du Centre de recherche sur l'intermédialité de l'Université de Montréal (CRI), du Conseil de recherches en sciences humaines du Canada (CRSH) et du Fonds québécois de la recherche sur la société et la culture (FQRSC).

Intermédialités publie deux « numéros papier » et un « numéro électronique » par année (disponible sur le site de la revue : www.intermedialites.ca).

Intermédialités est membre de la Société de développement des périodiques culturels québécois (SODEP).

Prière d'adresser toute correspondance concernant la revue (manuscrits, abonnements, publicité, etc.) à :

Revue *Intermédialités*,
CRI, Université de Montréal
C.P. 6128, succursale Centre-ville,
Montréal (Québec) Canada H3C 3J7
Tél. (514) 343-2438 • Téléc. (514) 343-2393

Courrier électronique : intermedialites@umontreal.ca
Site : http://www.intermedialites.ca

Image en couverture :
© Maria Papadimitriou, *Hotel Plug-Inn : Double Room*, 2006.

Imprimeur
AGMV Marquis

Dépôt légal :
Bibliothèque et Archives nationales du Québec
Bibliothèque et Archives nationales du Canada

ISSN 1705-8546
ISBN-10 2-923144-09-0
ISBN-13 978-2-923144-09-2
EAN 9782923144092

Abonnement
Fides – Service des abonnements
306, rue Saint-Zotique Est
Montréal, (Québec)
H2S 1L6 Canada
Tél. : 514-745-4290
Téléc. : 514-745-4299
Courrier électronique : andres@fides.qc.ca

Abonnement en ligne
www.sodep.qc.ca

Vente en librairie
Distribution Fides
Site Web : www.fides.qc.ca

Sommaire/Contents

Disparaître/*Disappearing*

Disparaître
Disappearing

Disparaître à présent

Introduction

George Varsos
Valeria Wagner

Une disparition célèbre ouvre les histoires de la littérature occidentale : celle d'Ulysse dans l'*Odyssée*. Nous nous reconnaîtrons, contemporains du XXIe siècle, dans la détresse que l'absence inexpliquée du héros suscite parmi ses proches. Au début du récit, Télémaque entreprend un voyage auprès des anciens combattants de la guerre de Troie pour les interroger à propos de son père, dont il n'a pas de nouvelles. Il est encouragé par la déesse Athéna qui arrive à Ithaque sous la forme d'un étranger, ami d'Ulysse, et qui essaye d'assurer Télémaque que son père est encore vivant et sera bientôt de retour suivant la volonté des dieux. Mais ce n'est pas de songer à la mort de son père qui chagrine tant Télémaque ; plutôt, ce qui le désespère — le laisse sans perspective d'avenir — c'est l'incertitude quant à son sort. C'est ainsi qu'il élabore une distinction nette entre la condition de mort et celle de disparu, qui prévaut jusqu'à nos jours (I, 236-243) :

> en effet, je ne serais pas si triste de sa mort
> si du moins il était tombé parmi les gens à Troie,
> ou dans les bras des siens, une fois la guerre achevée :
> là les Panachéens lui eussent élevé un tertre
> et à son fils, il eût encore légué sa haute gloire
> Maintenant les Harpyes l'ont emporté sans gloire ;
> il est parti obscur, ignoré il ne m'a laissé
> que les pleurs et les plaintes[1] ;

En tant que disparu, Ulysse a été privé non pas tellement de sa vie comme de la raison d'être du héros homérique, de sa « gloire » (*kleos*) ou, plus concrètement, de sa réputation ou renommée, voire de la possibilité de raconter les faits saillants

1. Homère, *L'Odyssée*, trad. Philippe Jacottet, Paris, Éditions La Découverte et Syros, coll. « La Découverte/Poche », 2000, p. 20.

de sa vie. Il est parti « obscur » (*aïstos*)et « ignoré » (*apystos*) regrette Télémaque, personne ne l'a vu ni ne saurait dire quelque chose de certain sur son départ[2]. Impossible, alors, de soulager la douleur en marquant l'accomplissement de sa vie et la certitude de sa mort en érigeant un tertre.

L'éminence élevée et bien visible du tombeau est étroitement liée, chez Homère, à la configuration des faits et des expériences qui composent une vie humaine accomplie, à la construction et à la transmission de leur récit raconté à la postérité, aux « hommes à venir[3] ». La mort certaine devient ainsi une condition pour la formation de la mémoire des survivants. Saisissant ce lien entre mort, transmission d'expériences et narration, Walter Benjamin dira même au sujet du conteur traditionnel, que « la mort est la sanction de tout ce qu'il peut raconter » et que « c'est de la mort qu'il tient son autorité[4] ». C'est la présence de la figure du mourant dans la société traditionnelle qui attribuerait ainsi à la vie humaine la forme communicable qui soutient la vérité du récit de son histoire, et donc sa place dans la mémoire humaine :

> Or c'est surtout chez le mourant que prend forme communicable non seulement le savoir ou la sagesse d'un homme, mais au premier chef la vie qu'il a vécue, c'est-à-dire la matière dont sont faites les histoires. De même qu'au terme de son existence,

2. *Aïstos* est étymologiquement lié au verbe *eido* (proche du latin *video*) dont les formes multiples et très variées dénotent la faculté de la vue ou la capacité de voir, donc d'être témoin des faits et de savoir ou d'être bien informé à cet égard, mais aussi la capacité d'être vu et d'émerger ou d'apparaître ou de se présenter, ainsi que de ressembler ou de sembler ou de paraître. *Historia* qui implique, plus spécifiquement, connaissance à base de questions et de quête, est très probablement lié au même mot. *Apystos* a le sens de celui dont on n'entend pas parler ou à propos duquel on ne peut nullement se renseigner ou on ne sait comment enquêter.

3. Le tombeau peut être humble, tel que Elpénor, le compagnon disparu sur l'île de Circé, le demande à Ulysse, lorsque ce dernier rencontre son âme dans le pays des morts (XI, 75-78 : *L'Odyssée*, p. 180) :

> dresse-moi un tombeau sur les rives de la mer grise
> pour qu'il rappelle un malheureux aux hommes à venir.
> Fais ces choses pour moi, sur mon tertre plante la rame
> avec quoi je ramais parmi mes compagnons, quand je vivais !

Le tombeau d'Achille, par contre, tel qu'Agamemnon le décrit dans la deuxième descente au pays des morts, est un monticule « sans défaut » dont la grandeur et situation permettent que « par la mer, il fût visible de très loin / aux hommes d'aujourd'hui et aux hommes de l'avenir » (XXIV, 80-84 : *L'Odyssée*, p. 382).

4. Walter Benjamin, « Le conteur. Réflexions sur l'œuvre de Nicolas Leskov » [1936], dans *Œuvres III*, trad. Maurice de Gandillac, Rainer Rochlitz et Pierre Rusch, Paris. Éditions Gallimard, coll. « Folio essais », 2000, p. 130.

> il voit défiler intérieurement une série d'images — visions de sa propre personne, dans lesquelles, sans s'en rendre compte, il s'est lui-même rencontré —, ainsi, dans ses expressions et dans ses regards, surgit soudain l'inoubliable, qui confère à tout ce qui a touché cet homme l'autorité que revêt aux yeux des vivants qui l'entourent, à l'heure de sa mort, même le dernier des misérables. C'est cette autorité qui est à l'origine du récit[5].

Rappelons que Benjamin distingue, d'une part, entre la mort en tant qu'événement présent dans la vie commune d'une société traditionnelle, qui déclenche le récit du conteur (représenté dans son argument par Nicolas Leskov) et, d'autre part, entre la mort exclue des lieux de la vie quotidienne bourgeoise, qui coïncide, dans le roman moderne, avec le terme de la narration, son dernier mot. Dans un cas, la mort donne du relief aux faits, tristes ou heureux, d'une vie accomplie, lesquels pourront être évoqués et reconfigurés par des récits multiples et variés. Dans l'autre, il n'y a qu'un seul récit d'autorité, qui se confond avec le déroulement et le sens global de la vie terminée et se ferme sur lui-même au terme de la narration. Dans un cas, donc, la mort ouvre sur des récits, dans l'autre, elle en est la clôture. Mais dans un cas comme dans l'autre, l'incertitude que génère la disparition entrave de manière distincte la possibilité même de donner forme à « la matière dont sont faites les histoires », comme dit Benjamin, affectant par là la possibilité de tout récit.

Plus proches de nos jours, les plaintes suscitées par la disparition des êtres chers expriment avec acuité l'aporie du récit quasiment impossible : « C'est quelque chose qui n'a pas de fin… il n'y pas de fin et c'est le plus douloureux, cela ne peut finir de… de clore, disons », témoigne, par exemple, une femme dans un film de la réalisatrice argentine Albertina Carri — elle-même fille de parents disparus, et aux prises avec le paradoxe de vouloir maintenir la mémoire de leur disparition et de devoir continuer à vivre dans l'irrésolution qu'elle entraîne[6]. Ce paradoxe ne concerne pas seulement les proches de personnes disparues, et ne

5. Walter Benjamin, « Le conteur », p. 130.

6. « Es una cosa como que no tiene fin… no hay un final que eso es lo más doloroso, que no puede terminar de… de cerrar digamos. » Tiré de *Los Rubios* (*Les blonds*, 2003), Albertina Carri, Argentine. Ce témoignage porte sur les disparitions massives en Argentine pendant la dictature militaire de 1976-83. Mais des témoignages dans ce sens abondent, ces mots auraient pu être dits dans maintes autres contextes. Voir à ce sujet Alain Brossat et Jean-Louis Déotte (dirs.), *L'époque de la disparition. Politique et esthétique*, Paris, L'Harmattan, coll. « Esthétiques », 2000. Pour une discussion du film de Carri, voir Valeria Wagner, « Unhostly Historical Discourses in Ariel Dorfman's Heading South, Looking North. A Bilingual Journey and Albertina Carri's film *The Blonds* », Discourse 27.2 & 27.3, spring and fall 2005, p. 155-178.

découle pas uniquement de la disparition de personnes. En effet, aujourd'hui la question de la disparition acquiert un poids d'autant plus paradigmatique que les technologies de la domination politique, de la guerre ou de la coercition, ainsi que l'intensité et la rapidité des changements socio-économiques, communicationnels et techniques propres aux sociétés occidentales et au processus de mondialisation, entraînent des disparitions en tout genres : de personnes et de collectivités humaines ; de modes de vie, de production, de communication ; d'objets rendus obsolètes ou mis hors circulation ; d'espèces, de paysages, d'écosystèmes entiers. Dans tous ces cas, ce qui disparaît persiste dans son absence, de manière irrésolue, certes, mais incitant aussi l'émergence des nouvelles modalités de présence ou de vie.

Nous parlerons de disparition pour autant qu'il y ait suspension ou interruption plutôt que clôture ou accomplissement et qu'il manque la certitude de la fin qui aurait permis d'identifier et articuler une finalité. Ce qui est ainsi suspendu serait la capacité d'une chose ou personne quelconque de se manifester à la conscience humaine en tant que phénomène — objet d'expérience possible impliquant la liaison entre données des sens, situées dans le temps et dans l'espace, et catégories de pensée. S'ensuit presque inévitablement une problématique d'ordre ontologique, déjà présente, sinon dans l'étymologie latine du mot « disparaître » (*pareo*), du moins dans la définition ambiguë que le dictionnaire français nous en propose : ne plus être vu ou visible, donc devenir introuvable ou, plus simplement, s'en aller ; mais aussi cesser d'être ou d'exister. La combinaison des deux sens nous rappelle la vieille question : dans quelle mesure différents degrés et manières de se manifester équivalent à différents modes et genres d'existence et aux tensions entre émergence et obscurcissement, repli et dévoilement, qui en seraient corrélatives ? Le renversement opéré par rapport à la perspective usuelle de la quête phénoménologique n'est d'ailleurs pas sans importance : face à une disparition, ne serait-ce que celle dans un jeu de prestidigitation ou d'un tour d'illusionnisme, on n'interroge pas le phénomène mais son effacement et absence, tout en postulant la persistance éventuelle de la chose qui aurait disparu. De surcroît, on interroge de telles absences en des termes qui confinent aux impasses de la métaphysique et problématisent les outils conventionnels d'observation concrète, de connaissance positive et de communication discursive. L'idée et l'événement de la disparition mettent ainsi en relief la tournure aporétique qui marque toute problématique concernant les relations entre être et paraître.

Lorsque la disparition acquiert, comme nous croyons que c'est le cas dans notre époque, une dimension paradigmatique, elle affecte en tant que figure de pensée, notre manière de comprendre, de représenter et de faire l'expérience de la transformation et la constance, le changement et le devenir dans le temps et l'espace. Dans la mesure où ce qui disparaît n'est pas anéanti, il est possible d'associer au disparaître des modes particuliers d'existence soutenue ou de survie. La disparition fonctionne même, selon les contextes politiques et économiques, comme la figure qui cache des modes de persistance et signale aussi les conversions, déplacements et différentes opérations de matérialisation (ou d'immatérialisation) qui les maintiennent en vigueur. Pour ce qui est de l'observateur, ces modes d'existence sont toujours marqués, de manière plus ou moins aiguë et problématique, par le registre de l'incertitude — du possible, de l'éventuel, du probable. C'est ainsi que la disparition affecte toute forme de constitution et de transmission de connaissance, d'évaluation ou de critique et de mémoire de ce qui a ou qui aura eu lieu, en modifiant la matière même de ce dont il s'agit, devenue en quelque sorte informe, sans résolution, crucialement ouverte sur le temps et l'espace. C'est pourquoi, qu'elle soit perçue comme une donnée insaisissable ou comme un fait accompli, comme une libération ou comme une menace, la disparition met radicalement en question, non seulement les récits, mais bien les expériences et les structures de perception et modèles de représentation que ceux-ci devaient transmettre. Fin, forme, continuité, temporalité linéaire, ordre de séquences événementielles, projection dans l'avenir, l'idée même des personnes, événements ou objets jadis « sensibles » : tout doit être revu lorsque la langue ou tout autre moyen de configuration, de représentation, de transmission de matériaux ou de figures de vie se confrontent au disparaître, et aux modalités qu'il convoque.

La question de la disparition touche en effet de manière singulière celle des médias, du passage d'un médium à l'autre, des relations ou lacunes entre eux, pour autant que la production ou la reproduction de matériel ou de discours relevant de ce qui disparaît et de sa persistance, ou mémoire, soit entreprise par différents types de médias (oralité, écriture, image...) ou différents types de discours médiatiques (documentaire, fiction, poésie, mythe...). La quête à propos de ce qui disparaît nous confronte aux modes d'existence liminale qui semblent caractériser l'expérience contemporaine du réel, tissé par des liens et des creux intermédiaux — ces entre-deux où se jouent des tensions multiples non seulement de transformations, mais aussi de trans-matérialisations. Ces jeux et ces tensions entre présence et absence, disparition et réapparition, se déroulant dans et par la multiplicité et la variance actuelle de médias, font que l'idée ou le sentiment d'une substance ou même d'une existence certaine et compacte ou homogène deviennent particulièrement problématiques, et ce d'autant plus que ce qui disparaît le plus ou le plus crucialement, est, justement, l'entité matérielle par rapport à laquelle les signes médiatiques acquièrent le statut de « représentations ».

Voilà donc quelques perspectives sur la notion de disparaître que nous avons essayé de combiner et de développer dans le présent numéro de la revue *Intermédialités*. Nous avons souhaité y inclure, pour ce faire, des contributions qui couvrent des domaines de recherche assez divergents dans le but d'explorer, de manière indicative, certes, et sans aucune prétention d'exhaustivité ou de globalité, un certain nombre d'incidences variées du problème de la disparition tant sur les catégories qui organisent la pensée et la connaissance que sur les manières contemporaine de vivre et de reconstruire l'expérience des relations humaines et de leur histoire.

Les articles de Valeria Wagner et de Sylvano Santini, ainsi que celui de Nicolas Zufferey, situent la notion de la disparition dans le cadre de différentes traditions philosophiques. C'est la perspective épistémologique qui prime dans le cas du rapprochement comparatif que Wagner opère entre Marx et Wittgenstein, pour interroger les manières dont leur discours théoriques impliquent une critique de la disparition que subissent les relations ou pratiques humaines sous le poids de conceptions sociales ou de conceptualisations linguistiques qui tendent à en effacer la portée. De son côté, Santini interroge systématiquement les relations de la pensée poétique, notamment mallarméenne, et philosophique, notamment bergsonienne, du point de vue de la manière dont elles relient la notion de la disparition avec les changements qui marquent, à leur époque, la conception occidentale du langage et de la technique, voire, plus généralement, de la médiation. C'est ce cadre de la culture occidentale que Zufferey met en relief, en le comparant, à travers des exemples tirés de la tradition chinoise, à une autre manière de concevoir les relations entre l'idée de la disparition et la question ontologique.

Différentes configurations du problème de la disparition dans le champ de la littérature et des arts constituent l'objet des articles d'Alain Brossat, Susan Bruce, Jean-Louis Déotte, David Guimond et Corinne Fassbinden. A travers l'exemple de la nouvelle *Le Colonel Chabert*, Brossat analyse l'histoire d'un disparu qui revient de la guerre et épuise tous les moyens pour faire reconnaître son droit à exister contre les mécanismes d'occultation et d'anéantissement mis en place par le système juridique — histoire avec laquelle Balzac aurait contribué « à l'histoire des vaincus », qui serait toujours, en un sens, « une histoire de la disparition ». La difficulté de reconnaître et de gérer les implications de la disparition est aussi en jeu dans le cas des textes littéraires que Bruce analyse. Il est question, ici, de la disparition de personnages de fiction, qui peut ouvrir sur des questions d'éthique et de responsabilité pour autant que les lecteurs (ou le public) interpellés interrogent l'économie narrative et sa politique au-delà de la question narrative du sort des personnages. Ce type de lacunes textuelles évoque les limites du discours narratif quant à la représentation d'un événement qui, selon Déotte, est à la fois un non-événement, et un « archi-événement ». Résistant à tout enchaînement temporel et précédant « tout événement possible », la disparition entrave la séquence narrative, puisqu'elle marque une événementialité qui ne peut être saisie ou « accueillie » sous forme d'événement. Ce serait alors l'appareil vidéo, l'image vidéo, qui serait la plus apte à capter l'événement du disparaître, tout en protégeant vidéaste et spectateur de la suspension temporelle et spatiale qui lui est corrélative. Nous retrouvons un écho de ces propos dans les réflexions de Guimond sur les « sons », dont la disparition s'avère être un aspect constitutif d'un flux musical se déroulant à travers des apparitions et disparitions sonores simultanées. Mais ici, au lieu de suspendre le temps et de placer l'auditeur entre les moments inconcevables de l'avant et de l'après de la disparition, la musique devient plutôt le médium qui permet, par sa matérialité tenue et spécifique, que l'événement et le non-événement se confondent en déconstruisant la distinction visuelle entre l'apparaître et le disparaître. Dans le cas de l'artiste présenté dans l'article de Fassbinden, nous avons une modalité assez singulière du rapport d'autorité qui lie la présence de l'auteur à celle de ses créations, puisque c'est en disparaissant sous sa fausse identité que l'artiste en question confère de l'originalité à ses œuvres d'escroquerie et met en avant ses stratégies de fraude artistique. Ce faisant, le support économique, immatériel et discursif de la production artistique, longtemps occulté par la matérialité de l'œuvre et par son soutien autorial, est aussi mis de l'avant de manière incontournable.

Les articles d'Anita Starosta et de George Varsos portent sur des cas dans lesquels la question de la disparition se pose au sujet d'entités théoriquement problématiques d'ordre social ou institutionnel, interrogeant les présupposés et le modèles qui leur servent de fondement. Dans sa discussion du phénomène, autant matériel que conceptuel ou culturel, de la disparition de l'Union soviétique, Starosta analyse, à travers la « lunette » de la notion de la disparition, les modalités de changement historique que les modèles historiques en cours ne permettent pas de discerner, identifiant, d'une part, les médiations, et de l'autre, les tropes et les discours qui les occultent. Varsos interroge, de sa part, les implications éventuelles, pour l'écriture de la traduction littéraire, de la disparition de la langue de l'original, ce qui nécessite l'examen critique des présupposés théoriques qui postulent des relations étroites entre langues nationales et cultures historiques. Ainsi la figure de la disparition, pour autant que ses implications soient confrontées, acquiert encore une fois de la force critique.

En clôture de notre numéro, Maria-Thalia Carras nous présente l'œuvre de Maria Papadimitriou : dans des lieux où les schèmes et les pratiques des conventions sociales dominantes disparaissent ou ont déjà disparu, l'artiste trace des voies et des figures qui permettent de percevoir aussi bien l'émergence de relations inédites que l'éruption de souvenirs persistants. Son œuvre met ainsi en relief un point sur lequel tous les articles de ce numéro convergent, chacun à leur manière ; à savoir, qu'au-delà de sa fonction déconstructive, qui révèle les liens problématiques entre les structures d'expérience, les catégories de la pensée et de la représentation ainsi que les médias qui les déploient, la figure de la disparition a aussi une fonction productive, en ce qu'elle laisse entrevoir des expériences et des critères de perception inattendus.

Marx, Wittgenstein et l'amante du mage : remarques sur la disparition, l'évidence et le pouvoir

VALERIA WAGNER

Miguel Quiroga[1], protagoniste désœuvré et sans argent du film *El acto en cuestión* (*L'acte en question*[2], Alejandro Agresti, Argentine, 1993), a la curieuse habitude de voler au hasard des livres dans des librairies d'occasion, qu'il lit ensuite minutieusement d'un bout à l'autre. Selon une amante perspicace, il suit ainsi, inconsciemment, le conseil de son père, qui lui aurait assuré qu'il trouverait dans les livres tout ce dont il aurait besoin dans la vie. Cette foi parentale dans l'utilité des livres se confirme de manière inattendue lorsque Quiroga s'empare, toujours par hasard, du texte qui changera sa vie : *Magie et occultisme.* Il y apprend un tour de disparition si réussi qu'aucune médiation corporelle ne semble y intervenir, aucune ruse n'y est détectable, et ce même à ses propres yeux. Le premier objet qu'il fait disparaître est, d'ailleurs, un télescope, signe de l'effet que sa magie aura sur les regards.

Engagé d'abord dans un cirque, son spectacle est un succès. Bientôt Quiroga parcourt les quatre continents, devenant riche et célèbre. Mais le pouvoir singulier sur lequel repose désormais son existence le tracasse. D'une part, il est d'autant plus affecté par le mystère des disparitions qu'il ne sait pas comment fonctionne sa propre ruse — comment les choses et les êtres disparaissent-ils ? Qu'est-ce qui se passe ? D'autre part, il vit dans la crainte que d'autres exemplaires du livre de magie (il a déjà brûlé le « sien ») existent et soient lus, et que « son »

1. Le nom est un composite de Miguel de Cervantes, auteur du Don Quichotte, et de Horacio Quiroga, auteur argentin connu pour ses contes fantastiques.

2. Mes remerciements à Andreas Fontana, qui m'a procuré une copie du film, très difficile à trouver.

acte devienne public[3]. Il décide alors d'arrêter ses spectacles afin de retrouver son calme, mais accepte de se produire pour une dernière fois à Paris, où il fait disparaître la tour Eiffel devant les yeux étonnés d'une foule. Là, au sommet de sa gloire, ses doutes et ses craintes se concrétisent lorsque son amante du moment, Sylvie, reste insensible au charme de sa magie. Elle ne voit pas de disparition, elle continue à voir ce que les autres ne voient plus. Sûre de sa vision, elle est effrayée par la crédulité du public, craignant que le pouvoir que son amant met au service du divertissement ne soit utilisé par d'autres à des fins bien plus nocive[4].

À la suite de ce questionnement, des fondements et de la sphère d'application de son pouvoir, le mage est hanté par la peur que son amante ne révèle ce qu'elle a vu (ou n'a pas vu), et il en fait sa prisonnière. S'ensuit une relation sadomasochiste complexe qui ne prend fin que lorsque son gérant, ex-directeur du cirque, lui apprend que c'est lui qui avait sorti de la circulation le livre *Magie et occultisme*, et qu'il va désormais en faire réimprimer des milliers d'exemplaires. Accusé alors de violer les droits d'auteur, Quiroga redevient face à la loi le simple voleur qu'il était au début. Pouvoir, fortune, gloire et amante disparaissent. À la fin du film, l'ex-mage est réduit à travailler dans l'atelier de jouets et de poupées d'un vieil ami, où il continue en quelque sorte à exercer un métier d'illusionniste, cette fois sans tour de magie interposé.

Le film pourrait être lu comme une fable moralisante sur la nature illusoire et éphémère du pouvoir et de la gloire, s'il ne laissait pas ouverte la question de la nature de l'acte de disparition. Pour une mentalité contemporaine, la disparition physique est relative à un point de vue et peut en principe être expliquée scientifiquement et ramenée à une modalité du paraître. La disparition,

3. Il fouille dans les bibliothèques, soupçonne tous les lecteurs de chercher à découvrir « son » acte, dénigre les « intellectuels », qui croiraient que la vérité se trouve dans les livres.

4. Pour un public renseigné, les tours de disparition du mage ne manquent pas de rappeler ceux ayant rendu mondialement célèbres les militaires argentins pendant la dictature de 1976-83, pendant laquelle quelques 30 000 personnes ont été séquestrées, enfermées dans des camps de détention clandestins, et secrètement assassinées. Les liens entre les tours de magie et la disparition forcée des personnes ne sont d'ailleurs pas seulement circonstanciels. En effet, bien qu'ils s'accomplissent sur des modes fondamentalement différents — l'un ludique, l'autre, d'un sérieux dévastateur — tant les actes de disparition de lapins et de tours, comme ceux de personnes et de groupes, doivent leur capacité d'émerveiller ou de terroriser à l'occultation du pouvoir et des moyens qui font disparaître. Cependant, je ne vais pas développer ici la disparition dans le cadre du terrorisme d'État, me concentrant plutôt sur les processus de délocalisation et d'attribution du pouvoir que la figure de la disparition met en évidence.

en définitive, « paraît », mais elle ne peut pas « être »[5]. Ceci est d'autant plus vrai lorsqu'il s'agit de mises en scène de la disparition, comme dans le cas de tours de magie. Pour réussir son acte de disparition, le mage doit cacher tout lien matériel entre l'événement et lui-même, et créer l'illusion qu'il est capable d'agir à distance sur la matière sans autre intermédiaire physique que les mots. Il doit donner l'impression que le pouvoir d'action réside dans ses mots ou dans les gestes esquissés dans l'air. Mais dès que l'opération de disparition peut être liée à des moyens et des agents spécifiques, l'acte du mage n'apparaît plus comme la manifestation d'un pouvoir spirituel ou désincarné et redevient la démonstration d'un savoir-faire comme un autre, aussi complexe et admirable soit-il. Dans ce sens, dans le film d'Agresti, la réédition de *Magie et occultisme* devrait, en principe, suffire à dissiper l'effet mystificateur des disparitions en établissant un lien clair entre « l'acte en question » et la personne physique du mage qui le met en œuvre, et à révéler ainsi le trompe-l'œil sur lequel se fonde son pouvoir.

Pour la loi, c'est en effet suffisant : le livre tient lieu du chaînon manquant qui révèle la ruse et le crime du mage (le mépris des droits d'auteur). Cependant, ni l'inculpation ni la révélation de la ruse n'élucident complètement le mystère de « l'acte en question ». D'une part, nous le savons, le mage lui-même ne comprend pas comment il réussit son tour — il peut exécuter l'opération, en suivant les instructions du livre, sans pour autant la maîtriser et sans connaître les raisons de son succès. Dans un sens, il est bien l'agent responsable de l'acte, mais dans un autre, il le subit, jusqu'au point qu'il semble n'être que le moyen à travers lequel des pouvoirs invisibles se manifestent dans le monde physique. En même temps, comme nous l'apprenons à la toute fin du film, Quiroga semble être le seul à réussir ces tours de disparition, et ce malgré la publication du livre d'où il a tiré son savoir faire. Le rôle du livre devient ainsi incertain, puisque le lien entre instruction et exécution reste aléatoire. Finalement, la clairvoyance de Sylvie, la deuxième amante, démontre que le livre n'est pas nécessaire pour percer le tour de disparition. En effet, tandis que le mage, qui l'a lu, voit les objets disparaître, elle, sans l'avoir lu, ne voit pas de disparition, et peut même préserver avec sa vision l'apparence des objets qui échappent à la perception de son amant et du

5. En d'autres mots, elle n'existe pas dans l'absolu : les peuples et espèces disparus laissent des traces et des questions qui, bien qu'en suspens, peuvent en principe avoir des réponses ; des morts, dont on dit qu'ils « disparaissent », restent les corps ou les histoires, sauf des cas spéciaux où manquent les dépouilles et les témoins de la mort (le cas des disparus en Argentine, des cas d'expéditions, les disparitions volontaires, etc.). Mais le mystère de la disparition est, dans ces cas, circonstanciel.

public mystifié[6]. Son regard ouvre ainsi une autre série de questions, dont l'importance déplace toute conclusion moralisante : comment et pourquoi l'amante voit-elle, alors que les autres ne voient pas ? Comment son regard résiste-t-il aux tours de disparition ? Comment, en définitive, résister comme elle au pouvoir trompe-l'œil, délocalisé et trans-personnel, qui agit par la perception plutôt que par la force, en changeant les contours du paraître ?

Ces questions dépassent le cadre de *L'acte en question*, comme nous allons voir, en suivant certaines lignes de réflexion parallèles de Marx et de Wittgenstein, qui s'étendent sur les dangers que l'amante du mage pressent dans cet art de la disparition[7]. Les deux philosophes se posent, chacun à leur manière, comme les témoins qui « voient » à travers les actes d'illusionnisme qui déforment, pour l'un, notre perception des relations sociales et de leur lien aux rapports de production, et pour l'autre, notre compréhension des formes d'expression et de leur imbrication dans les formes de vie qui leur donnent sens. Comme l'amante du mage, ils voient encore ce que les autres ne voient plus, identifiant de surcroît les mirages qui surgissent à la place. Et comme elle, ils voient dans ces disparitions et apparitions des enjeux considérables, autant pour le « public » que pour les acteurs de ces spectacles quotidiens, puisqu'ils impliquent le transfert du pouvoir des agents à des instances désincarnées ou mystérieusement animées. Ainsi Marx constate que les acteurs sociaux, loin de gérer leurs rapports de production, se retrouvent sous leur emprise, tandis que Wittgenstein montre comment les usagers du langage succombent au charme des mots et des expressions qu'ils utilisent. Comme dans le film d'Agresti, « les tours de magie » qui asservissent les acteurs sociaux et enchantent les usagers du langage dépassent les mages et criminels spécifiques, qui sont plutôt présentés, nous le verrons, comme les médiateurs des « tours » qu'ils subissent, lesquels seraient autant l'effet inévitable des conditions de la société et du langage que de la manière dont on se méprend sur elles. Sans recourir au modèle du sujet autonome maître de ses actes et de sa signification — d'ailleurs les « enchantements » auxquels il est sujet seraient

6. Notons à cet égard que le film autorise tant le regard démystificateur de l'amante que celui, mystifié, du public et du mage : la caméra montre la tour lorsqu'elle tient lieu du regard de la première, et montre son absence lorsqu'elle se place dans la perspective du deuxième.

7. Ce film me semble particulièrement important en ce qu'il propose une réflexion sur le pouvoir et la disparition dissociée des événements historiques traumatiques de la dictature militaire. Le recours au mage, notamment, remet la disparition dans le contexte à la fois familier et exceptionnel du spectacle et du divertissement, introduisant la distance ludique nécessaire pour repenser le pouvoir et la disparition en dehors du contexte du terrorisme d'État.

la preuve que ce modèle est lui-même un « mirage » — Marx et Wittgenstein entreprennent de ramener le pouvoir au sein des relations sociales et linguistiques où il opère, en attirant notre attention sur les disparitions et apparitions qui marquent les déplacements du pouvoir.

Dans la première section du *Capital*[8], Marx reprend le diagnostic de la société de son temps qu'il développe tout au long de ses écrits. « La vie sociale », affirme-t-il, est voilée d'un « nuage mystique » (C, p. 74), notamment parce que son assise sur les rapports de production n'est pas immédiatement perceptible. Ces rapports sont enfouis dans la série de « disparitions » qui accompagnent l'abstraction de la valeur d'usage du produit du travail et la transformation de ce dernier en marchandise ayant de la valeur d'échange :

> Ce n'est plus [...] un objet utile quelconque ; [...] ce n'est pas non plus le produit [...] de n'importe quel travail déterminé. Avec les caractères utiles particuliers des produits du travail disparaissent en même temps, et le caractère utile des travaux qui y sont contenus, et les formes concrètes diverses qui distinguent une espèce de travail d'une autre espèce. (C, p. 43)

C'est par ce dépouillement que les produits de travail sont « [m]étamorphosés en *sublimés* identiques, échantillons du même travail indistinct » (C, p. 43), acquérant en même temps de la valeur d'échange et la « réalité fantomatique » (C, p. 43) propre aux marchandises :

> Une marchandise paraît au premier coup d'œil quelque chose de trivial et qui se comprend de soi-même. Notre analyse a montré au contraire que c'est une chose très complexe, pleine de subtilités métaphysiques et d'arguties théologiques. En tant que valeur d'usage, il n'y a en elle rien de mystérieux, [...] la table reste bois, une chose ordinaire et qui tombe sous les sens. Mais dès qu'elle se présente comme marchandise, c'est une tout autre affaire. A la fois saisissable et insaisissable, il ne lui suffit pas de poser ses pieds sur le sol ; elle se dresse, pour ainsi dire, sur sa tête de bois en face des autres marchandises et se livre à des caprices plus bizarres que si elle se mettait à danser. (C, p. 68)

Outre leur apparence superficielle, les marchandises gardent peu de traces du travail qui les a produites ; elles semblent même être animées de vie propre, jusqu'au point que leurs relations et leurs projets[9] semblent déterminer le

8. Karl Marx, *Le Capital*. Livre I. Sections I à IV [1867], trad. Joseph Roy, Paris, Éditions Flammarion, 1985. Désormais, les références à cet ouvrage seront indiquées par le sigle « C », suivi de la page et placées entre parenthèse dans le corps du texte.

9. Marx parle souvent du langage, des pensées et des intentions des marchandises, au moyen desquelles il personnifie la manière dont on les considère et on les traite, et met en évidence l'animisme sous-jacent la pensée et le comportement économique. Voir,

comportement social des humains. Aux yeux des hommes pris dans l'engrenage de la production marchande, « leur propre mouvement social prend [...] la forme d'un mouvement des choses [...] » (C, p. 71), une fantasmagorie qui exprime à la fois le fait et l'illusion que « la production et ses rapports régissent l'homme au lieu d'être régis par lui » (C, p. 75).

Il s'agit d'une illusion, parce que la production reste toujours concrètement entre les mains des acteurs sociaux; ce sont eux qui produisent des marchandises avec leur travail, et les « animent » les faisant circuler; c'est aussi eux qui font fonctionner le mystérieux système monétaire, accumulent du capital, et s'exploitent les uns les autres. Mais en même temps, la projection du pouvoir des acteurs sociaux sur les produits (aliénés) de leur travail exprime une certaine réalité, à savoir, que la société n'est pas constituée d'hommes librement associés, « agissant consciemment et maîtres de leur propre mouvement social » (C, p. 74-75). Pour autant qu'elle soit envisageable, l'avènement d'une telle société ne dépend pas pour Marx d'une volonté ou conscience sociale; il n'est possible qu'avec la réalisation de certaines conditions matérielles (touchant notamment les moyens de production), qui ne « peuvent être elles-mêmes le produit que d'un long et douloureux développement » (C, p. 74-75). Même lorsqu'une société a « découvert » ou « dévoilé » *la loi naturelle qui préside à son mouvement* (C, p. 37), avertit Marx dans sa préface à la première édition du *Capital* (1867), elle ne peut qu'aspirer à réduire ses souffrances et à accélérer le processus de changement pour qu'il aboutisse. Ces propos nuancent la fameuse XIe thèse sur Feuerbach, où Marx reproche à ses confrères philosophes de n'avoir fait « qu'*interpréter* le monde de diverses manières », alors qu'il s'agit aussi « de le *transformer*[10] ». La « loi naturelle » du devenir de la société ne pouvant être ni changée ni dépassée, la « transformation » en question porte plutôt sur « la forme » que prend le monde (social) aux yeux des philosophes et des acteurs sociaux. Il s'agit alors d'en « dévoiler » le fonctionnement, de redonner visibilité aux rapports sociaux et aux rapports sous-jacents de production qui déterminent son humanité, et d'intervenir, en somme, dans la construction de sa factualité et de ses évidences. Car, nous l'avons vu,

par exemple, la fin de 1.4, la partie sur le fétichisme : « Les marchandises diraient, si elles pouvaient parler : "[...] Nous ne nous envisageons les unes les autres que comme valeurs d'échange". Ne croirait-on pas que l'économiste emprunte ses paroles à l'âme même de la marchandise, quand il dit : "la valeur (valeur d'échange) est une propriété des choses [...]" ? » (C, p. 75-76).

10. Karl Marx, « Ad Feuerbach (Thèses sur Feuerbach) » [1845], dans *Karl Marx, Philosophie*, Maximilien Rubel (éd.), trad. Maximilien Rubel et Louis Janover, Paris, Éditions Gallimard, coll. « Folio essais », 1982, p. 232-36.

les apparences sont trompeuses — ce qui semble se donner en toute simplicité, comme la marchandise, cache des degrés de complexité insoupçonnés, tandis que « quelque chose de très simple », comme le rapport entre la « forme valeur » et « la forme monnaie », a laissé perplexe des générations d'illustres économistes (C, p. 36).

Malgré des orientations différentes — philosophie du langage, philosophie économique et politique — et parfois même apparemment opposées, la tâche que Wittgenstein assigne à la philosophie dans ses *Recherches philosophiques*[11] est étonnamment semblable au projet de transformation du monde de Marx. Dans une de ses remarques les plus célèbres, Wittgenstein rappelle à ses confrères que la philosophie « laisse toute chose en l'état » ; elle « se contente de placer toute chose devant nous, sans rien expliquer ni déduire » (RP, § 126). Mais pour ce faire, elle doit combattre « l'ensorcellement de notre entendement par les ressources de notre langage » (RP, § 109) — briser le charme à la fois hypnotique et incantatoire des certitudes et des évidences[12], démonter les « formes d'expression » qui « nous lancent à la chasse aux chimères » (RP, § 94), ramener les « superstitions » aux « illusions grammaticales » qui les génèrent (RP, § 110). Il s'agit, en définitive, de mettre en évidence les tours de magie du langage, qui font miroiter, par exemple, l'essence des « choses » nommées par les mots « je », « objet », ou « proposition » (RP, § 116), ou qui créent l'illusion que des actes aussi courants comme, par exemple, « montrer la forme » (RP, § 36), sont réalisés par des entités spirituelles, telles « la pensée », ou « l'intention ». Ce dernier cas a valeur d'exemple générique :

> Nous faisons ici ce que nous faisons dans quantité de cas analogues : étant donné que nous ne pouvons pas indiquer *une* action corporelle que nous appellerions « montrer la forme » (par opposition à la couleur, par exemple), nous disons qu'il y a une activité *de l'esprit* qui correspond à ces mots.
>
> Là où notre langage nous suggère qu'il y a un corps et qu'il n'y en a pas, nous aimerions dire qu'il y a un *esprit*. (RP, §36)

11. Ludwig Wittgenstein, *Recherches philosophiques* [1953], trad. Françoise Dastur, Maurice Élie, Jean-Luc Gautero, Dominique Janicaud, Élisabeth Rigal, Paris, Éditions Gallimard, coll. « Bibliothèque de philosophie », 2005. Désormais, les références à cet ouvrage seront indiquées par le sigle « RP », suivi du numéro de la remarque (§) et placées entre parenthèse dans le corps du texte.

12. Par exemple : « Je me dis et je me répète à moi-même : il en est pourtant ainsi. J'ai l'impression que si je pouvais ajuster avec précision mon regard sur ce fait de façon à l'amener au foyer de ma vision, je devrais saisir l'essence de la chose en question. » (RP, § 113) Ou encore : « Une image nous tenait captifs. Et nous ne pouvions lui échapper, car elle se trouvait dans notre langage qui semblait nous la répéter inexorablement » (RP, § 115).

Nous sommes devant une transposition analogue à celle décrite par Marx, lorsqu'il remarque que les hommes attribuent aux choses ce qui leur revient en tant qu'êtres sociaux. Ici, les locuteurs, « oubliant » leur rapport au langage, traitent les mots comme si c'étaient des choses et que celles-ci dictaient, à leur tour, l'usage des mots. On suppose que si l'expression « montrer la forme » existe, il y a soit une entité idéale « forme » détachable de l'objet en question, ou bien un acte spirituel bien distinct, et différent de « montrer la couleur ». « Nous prédiquons de la chose ce qui réside dans l'ordre de la représentation » (RP, § 104), de sorte que cette dernière paraît refléter l'ordre des choses. Il semble alors que les choses s'auto-(re)présentent et produisent elles-mêmes le langage qui, outre porter en lui la connaissance des choses en-soi, doit être utilisé de manière univoque, selon des principes « absolus ».

Le résultat d'une telle transposition est une sorte d'affranchissement du langage, qui produit un monde à sa guise et entraîne une perte de pouvoir effectif de ses usagers. Ceux-ci ont alors l'impression, soit de ne pas être à la hauteur du langage, soit que ce dernier n'est pas à la hauteur de la réalité, tant et si bien que, malgré les preuves quotidiennes du contraire, aucune médiation entre le langage et la réalité ne semble possible. Or, selon la manière dont les opérations langagières sont comprises, ces impressions semblent fondées : certaines formes d'expressions peuvent effectivement être appréhendées de façon telle qu'elles semblent conçues « pour un Dieu qui sait tout ce que nous ne pouvons pas savoir » (RP, § 426)[13], d'autres suggèrent l'existence d'entités que le langage ne saurait appréhender. Pour dissiper ces impressions, il suffit de rester « aux choses de la pensée quotidienne », résister à la tentation de croire « que nous avons à décrire d'extrêmes subtilités que nous ne pourrions pas décrire avec les moyens dont nous disposons » (RP, § 106), et veiller à « ne pas présenter la situation comme s'il y avait quelque chose que l'on ne pouvait pas faire » (RP, § 374)[14]. C'est donc dans l'optique d'échapper à l'emprise paralysante des mots que Wittgenstein entend reconduire « les mots de leur usage métaphysique à leur usage quotidien » (RP, § 116), et ramener les « formes d'expression » des mirages qu'elles génèrent aux « formes de vie » où elles s'inscrivent.

13. Elles sont alors comparables à « des habits de cérémonie que nous revêtons sans doute, mais dont nous ne pouvons pas faire grande chose, car nous sommes privés du véritable pouvoir qui donnerait un sens et une fonction à cet habit » (RP, § 426).

14. Ici, il s'agit, comme souvent ailleurs, de descriptions : « Comme s'il y avait effectivement un objet dont je tirerais la description, mais que je serais incapable de montrer à quiconque » (RP, § 374).

Le projet de « transformation du monde » de Marx est ainsi comparable à celui de « préservation de l'état des choses » de Wittgenstein en ceci que, dans les deux cas, il y a des fausses évidences à démonter afin de découvrir, ou simplement remarquer, les relations sociales — les rapports de production, l'usage du langage (le rapport productif au langage) — ombragées par les mirages métaphysiques. Soulignons que ni Marx ni Wittgenstein ne présupposent pour autant des évidences « ultimes » : pour le premier tout ce qui semble être simplement *donné* l'est historiquement, et n'est donc pas immédiatement *visible* ; pour le deuxième, les évidences sur lesquelles reposent les certitudes et les questionnements sont aussi celles que l'on ne voit *plus* :

> Les aspects des choses les plus importants pour nous sont cachés du fait de leur simplicité et de leur banalité. (On peut ne pas remarquer quelque chose — parce qu'on l'a toujours sous les yeux.) Les véritables fondements de sa recherche ne frappent pas du tout l'attention d'un homme. À moins qu'*ils* ne l'aient frappée à un moment donné. — Ce qui signifie que ce qu'il y a de plus frappant et de plus fort ne frappe plus notre attention, une fois qu'on l'a vu[15]. (RP, § 129)

Ici, c'est la visibilité même des aspects importants des choses qui les fait disparaître sous nos yeux du fait de leur simplicité et de leur banalité. Ces aspects fondent la perception et la formulation de ce qui est complexe ou surprenant, passant eux-mêmes inaperçus. Wittgenstein ne décrit pas ce phénomène avec regret ; il semble inévitable que questions et certitudes reposent sur un degré d'inattention au banal et au simple. Mais les inattentions qui intéressent tant Marx que Wittgenstein sont l'effet de distractions et diversions spécifiques, liées notamment à l'illusion que les choses s'animent ou aux dédoublements que génère la fétichisation — pour emprunter la terminologie marxienne — des marchandises et des mots et des formes d'expression. Dans un cas comme dans l'autre, la fétichisation — l'attribution de pouvoirs « magiques » aux choses inanimées — est elle-même liée à la méprise de la notion de *valeur* des choses (leur valeur d'échange) et des mots (leur signification) : ainsi les économistes que Marx cite considèrent la valeur comme un attribut des marchandises, comme si la valeur d'échange était une de leurs composantes chimiques (C, p. 76), et un des interlocuteurs imaginaires de Wittgenstein agit (parle) « [...] comme si

15. Pour clarifier le sens de « À moins qu'ils ne l'aient frappé à un moment donné », voir la traduction anglaise de G. E. M. Anscombe (*Philosophical Investigations*, Oxford, Blackwell, 1989 [1953]) : « Unless that fact [that the real foundations of his enquiry do not strike a man at all] has at some time struck him ». Ainsi, l'homme peut seulement remarquer qu'il ne remarque pas les fondements de sa recherche.

la signification était un halo que le mot portait avec lui et transportait dans tous ses emplois » (RP, § 117). Ni essence, ni substance, ni esprit, soutiennent Marx et Wittgenstein : pour comprendre la valeur des marchandises et la signification des mots, il est nécessaire de les ramener, respectivement, à la valeur d'usage et à l'usage quotidien, c'est-à-dire aux situations où le rapport entre la valeur et les relations sociales est aisément reconnaissable, où il ne disparaît pas avec la transformation métaphysique des produits et des mots.

Le rapport entre la signification des mots et des expressions et leur usage — dans des circonstances particulières, des jeux de langage spécifiques, selon des critères correspondant à des « formes de vie » — est aujourd'hui un lieu commun, bien que, dans la pratique, les mots et les expressions continuent à être essentialisés. C'est le cas, par exemple, de « la conscience », que la plupart des usagers du langage croient posséder inconditionnellement : « [...] si je dis, "J'ai une conscience", à qui à proprement parler est-ce que je donne une information ? Dans quel but me dis-je cela, et comment les autres peuvent-ils me comprendre ? » (RP, § 416). Si nous continuons, malgré nous, à penser « la signification comme une chose du même genre que le mot, et néanmoins différente de lui[16] » (RP, § 120), c'est que le langage fonctionne avec des comparaisons et des analogies qui produisent des fausses apparences : la même forme grammaticale est utilisée pour « conscience » que pour « table » (RP, § 112). À l'usage, ces « fausses apparences » ne nous trompent pas ; nous ne *guettons* pas notre conscience. Ce n'est que lorsque nous nous concentrons sur le mot isolé que nous risquons de tomber dans le piège métaphysique, parce que, bien que l'usage « marque » les mots, les règles d'usage renvoyant aux « formes de vie » spécifiques n'y sont pas inscrites. Wittgenstein dira de ce genre de cas, où les mots et les expressions sont considérés en dehors de leurs différents usages possibles, que « le langage tourne à vide » — il est comme une machine ou un moteur à l'arrêt, il ne « travaille » pas[17] (RP, § 132). C'est alors que surgissent les « problèmes philosophiques » (RP, § 38) et les « confusions » (RP, § 132) qui occupent Wittgenstein, lesquelles peuvent se clarifier en remettant le langage « en marche », ou « au travail » dans la pratique quotidienne[18]. D'où le besoin de connaître l'emploi différencié du langage : « [...]

16. « On dit : l'important n'est pas le mot, mais sa signification ; et on pense alors la signification comme une chose du même genre que le mot, et néanmoins différente de lui. Ici le mot, et là sa signification. L'argent, et la vache que l'on peut acheter avec. (Mais d'un autre côté : L'argent, et son utilité.) » (RP, § 120)

17. Dans la traduction anglaise, le langage « is like an engine idling ».

18. « Car les problèmes philosophiques surgissent lorsque le langage est en roue libre » (RP, § 38), ou bien, « For philosophical problems arise when language goes on holiday ».

nous *mettrons* constamment en *évidence* des différences que les formes habituelles de notre langage nous poussent à négliger». (RP, § 132).

Notons l'affinité de ces propos avec ceux de Marx sur la difficulté d'appréhender la marchandise. Cette dernière est «à première vue» tout à fait comparable au produit du travail considéré dans sa valeur d'usage : la table-objet d'utilité et la table-marchandise se présentent de la même manière à la perception. Mais cette ressemblance, nous avons vu, est trompeuse pour Marx, car son évidence empêche de remarquer une différence fondamentale, à savoir, qu'en tant que marchandise la table a de la valeur sociale non pas pour ce qu'elle présente — ses propriétés physiques, son utilité —, mais pour la possibilité d'être échangée contre une autre marchandise ou contre l'équivalent universel qu'est l'argent qu'elle représente. Ainsi, Marx identifie, dans tout produit soumis aux règles de l'échange, la production fantasmatique d'une «forme équivalente» qui le rendra échangeable :

> Quand on exprime la valeur de la toile dans l'habit, l'utilité du travail du tailleur ne consiste pas en ce qu'il fait des habits et, selon le proverbe allemand, des hommes, mais en ce qu'il produit un corps, transparent de valeur, échantillon d'un travail qui ne se distingue en rien du travail réalisé dans la valeur de la toile. Pour pouvoir s'incorporer dans un tel miroir de valeur, il faut que le travail du tailleur ne reflète lui-même rien que sa propriété de travail humain. (C, p. 58)

Lorsque nous avons affaire à une table, par exemple, au cours d'une opération d'échange, ou circulant dans le marché, nous pouvons penser n'avoir à faire qu'à une table, mais c'est avec son «corps, transparent de valeur» et «échantillon de travail» abstrait que nous nous affairons. Ce corps, expression de la valeur du travail indifférencié, subit une série de «métamorphoses» (C, p. 61) que Marx suit en détail, jusqu'à atteindre son expression à la fois la plus abstraite et la plus concrète dans l'argent (la forme monnaie, le prix), qui remplace toute marchandise et rend les produits du travail parfaitement et quantitativement commensurables. Or, la valeur d'échange est bien ce qui permet la mobilité des produits du travail ainsi que la «conversion» du travail privé des individus en travail social, rassemblant les forces de production qui semblent divisées dans le même mouvement social qu'est, au fond, le marché. Le problème surgit lorsque la réalité fantasmatique de cette valeur d'échange n'est pas reconnue, et lorsque la valeur est attribuée aux produits spécifiques, alors même qu'elle nie toute leur spécificité et avec elle les liens entre le produit et le travail, et par extension, le travailleur. La perception des marchandises comme des objets ou des choses «comme les autres» implique ainsi l'oubli du travail et des travailleurs qui les produisent. Si Wittgenstein doit rappeler constamment à ses interlocuteurs que le langage ne produit pas du sens tout seul et que c'est bien à ses usagers de le faire « travailler », Marx rappelle sans cesse aux acteurs que la valeur, soit-elle d'usage ou d'échange, est produite par leur travail (le propre, celui des autres)[19].

Lorsque la table-marchandise est *considérée* comme simple table alors qu'elle est *traitée* comme marchandise, la situation est analogue à celle du langage « qui tourne à vide » ou qui est comme un moteur à l'arrêt, semant la confusion entre pratiques aboutissantes et fantomatiques. Mais tandis que dans les cas évoqués par Wittgenstein les usagers du langage croient, comme l'interlocuteur du (RP, § 414), qu'ils tissent une étoffe parce qu'ils sont assis devant un métier à tisser et qu'ils font les mouvements de tissage dans le vide[20], Marx semble évoquer plutôt la situation inverse, où en achetant ou en échangeant des marchandises, on croit être en train de ne rien faire, alors que la transaction implique un travail réel, d'une part et de l'autre – le travail spécifique de tissage de l'étoffe, le travail spécifique qui produit la marchandise d'échange ou qui est à l'origine de l'argent de l'achat. La disparition des traces du travail spécifique, du contexte de production, et des liens de productions est bien entendu la plus flagrante lorsque les transactions se font avec de l'argent : « La marchandise disparaissant dans l'acte de sa conversion en argent, l'argent dont dispose un particulier ne laisse entrevoir ni comment il est tombé sous sa main ni quelle chose a été transformée en lui. Impossible de sentir, *non olet*, d'où il tire son origine » (C, p. 94).

Quand Marx dit que la marchandise « disparaît » dans sa conversion en argent, nous comprenons son expression à la fois de manière littérale — du point de vue du vendeur, la marchandise n'est plus là et à sa place, il y a de l'argent — et figurée — avec l'objet marchandise disparaissent les dernières traces de ses différentes métamorphoses et des autres « disparitions » qu'elles entraînent, dont celle du travail et du travailleur qui est à son origine. C'est bien cette dernière « disparition » qu'il est question de donner à « voir », puisqu'elle n'est pas apparente, de manière à rétablir une relation sociale entre l'objet-marchandise et sa

19. La notion de travail chez Marx et Wittgenstein peut être mise en relation à celle du travail psychanalytique et du « travail du rêve », fondamentales dans la théorie psychanalytique. Voir à ce sujet, Sigmund Freud, *L'interprétation des rêves* [1900], Paris, Presses Universitaires de France, 2007. Cette question n'a pas pu être abordée ici, mais on peut rappeler que les modèles théoriques de Marx et Freud sont souvent rapprochés, tandis que Wittgenstein avait lu et commenté *L'interprétation des rêves*.

20. Au sujet de la confusion entre la *signification* du mot « soi » et l'*état d'attention* du philosophe qui veut en analyser la signification en se le répétant (RP, § 413) : « Tu penses être obligé de tisser une étoffe, parce que tu es assis devant un métier à tisser — même s'il est vide — et parce que tu fais les mouvements du tissage ». (RP, § 414)

valeur affichée. La difficulté bien sûr réside en ce qu'il est difficile de montrer ce qui n'est pas visible, notamment, *les liens* entre la marchandise et son prix ainsi que *le travail* (aussi social) sous-jacent à ces liens. Marx s'y prend, on le sait, en interposant entre la marchandise et le prix ainsi que les formes intermédiaires du produit et de la valeur fournissant ainsi une « genèse » de la forme monnaie[21], en remontant jusqu'à ses sources dans le travail. Ces formes intermédiaires paradigmatiques (puisqu'elles n'illustrent pas un événement historique spécifique) permettent de « voir » le jeu d'apparitions et de disparitions des produits du travail et attirent notre attention sur les personnes physiques qui font le travail. Marx rappellera, par exemple, que malgré leur apparente autonomie, « [...] les marchandises ne peuvent point aller elles-mêmes au marché ni s'échanger elles-mêmes entre-elles. Il nous faut donc tourner notre regard vers leurs gardiens et conducteurs, c'est-à-dire vers leurs possesseurs. » (C, p. 77). Les différentes formes de la valeur renvoient ainsi aux différents rapports qu'entretiennent les gens entre eux et avec les choses : les possesseurs se croient possesseurs, mais se comportent à l'égard de leurs possessions comme des simples conducteurs et gardiens ; et à l'égard d'autres possesseurs, comme des « ayants » de marchandise. De même qu'il y a lieu de distinguer entre une table-produit du travail et une table-marchandise dansant sur sa tête, il y a lieu de remarquer que dans la mesure où les personnes se définissent par rapport aux produits du travail, ce n'est qu'en tant que travailleurs qu'elles maintiennent un lien actif avec ceux-ci, intervenant dans l'établissement de sa valeur par leur travail. Une fois que les acteurs agents se « transforment », eux, en possesseurs (ou conducteurs) de marchandises, ils perdent de vue leur rôle dans la détermination de la valeur des produits du travail et, avec lui, le sens de leur rôle social.

Wittgenstein insiste aussi sur l'importance de ce qu'il appelle les « maillons intermédiaires », c'est-à-dire des cas de figure qui donnent « à voir » des connexions entre les mots/formes d'expression et les jeux de langage/usages quotidiens, ainsi qu'entre les différentes formes d'expression entre elles :

> Notre grammaire manque de caractère synoptique. La représentation synoptique nous procure la compréhension qui consiste à « voir des connexions ». D'où l'importance qu'il y a à trouver et à inventer des *maillons intermédiaires*.

21. « Il s'agit maintenant [...] de fournir la genèse de la forme monnaie, c'est-à-dire de développer l'expression de la valeur contenue dans le rapport de valeur des marchandises depuis son ébauche la plus simple et la moins apparente jusqu'à cette forme monnaie qui saute aux yeux de tout le monde. En même temps sera résolue et disparaîtra l'énigme de la monnaie ». (C, p. 50)

> Le concept de représentation synoptique a pour nous une signification fondamentale. Il désigne notre forme de représentation, la façon dont nous voyons les choses. (S'agit-il d'une « *Weltanschaung* »[22] ?) (RP, § 122)

Dans les *Recherches philosophiques*, ces « maillons intermédiaires » sont des exemples d'usages de mots et d'expressions qui, en établissant un réseau de ressemblances et de différences, permettent de resituer le langage dans des pratiques spécifiques et de suivre les changements de sens que comportent les déplacements des mots d'un milieu discursif (jeu de langage) à un autre. Dans ce sens, Wittgenstein retrace les « métamorphoses » des mots, tout comme Marx reconstitue les changements de valeur des produits du travail, mettant autant en évidence ce que nous « voyons » dans l'usage des mots que ce qui nous échappe — disparaît — dans leur transfert d'une expression à une autre. Or, comme le fait Marx à travers sa genèse de l'argent, les « maillons intermédiaires » que Wittgenstein nous incite à « trouver ou à inventer » rappellent que, en dernière instance, c'est *nous* (usagers du langage) que nous ne voyons pas. Ainsi, Wittgenstein met souvent en scène les gestes corporels des interlocuteurs — leurs grimaces, leur manière de regarder au loin, sa propre manière de manifester physiquement un effort d'attention introspective[23] — de manière à souligner, d'une part, le lien que chaque usager fait (fait le travail, agit) entre le sens et l'usage devient ainsi un médiateur actif dans la circulation sociale du sens, et de l'autre, l'écart que chaque usage établit entre les mots et le sens, figuré dans le même corps qui fait leur lien. Mais si les usagers du langage sont présentés, dans un sens, comme les « maillons intermédiaires » qui font « voir » le langage, ils ne sont pas pour autant des médiateurs improductifs, puisque ce sont eux qui mettent le langage au travail et qui le font produire. Lecteurs et interlocuteurs sont ainsi ramenés systématiquement à des considérations prosaïques — quels sont le but, le contexte, et l'utilité de leurs expressions ? — qui les rappellent à leur propre activité sociale.

Dans les arguments de Marx et de Wittgenstein le registre visuel du disparaître, de l'apparition et de l'évidence signale un « point aveugle » de l'attention, ou une « faille » dans l'entendement, à l'égard des rapports sociaux et historiques qui

22. Les termes sont quelque peu différents dans la traduction anglaise de cette remarque, où au lieu du manque de caractère « synoptique » de la grammaire il s'agit de son manque de clarté (*perspicuity*).

23. « [...] Mais que peut bien signifier : « diriger mon attention sur ma conscience » ? [...] je regardais fixement devant moi — mais aucun point ni aucun objet déterminés. J'écarquillais les yeux, mais ne fronçait pas les sourcils [...]. Mon regard était vacant ou analogue à celui d'un homme qui admire la lumière et s'abreuve de cette lumière. [...] » (RP, § 412)

sous-tendent la perception. D'un point de vue très général, il exprime la difficulté méthodologique à saisir en même temps les éléments d'un ensemble en tant qu'éléments individuels et en tant que participants de cet ensemble — la difficulté à comprendre, dans le cas des rapports de production, la marchandise et sa valeur comme la « *forme cellulaire économique* » du « corps organisé » de l'économie et de la société (C, p. 35), ou bien, dans le cas de l'usage du langage, celle liée à l'effort d'appréhender les mots et les expressions de manière *synoptique* (RP, § 122). Car, d'une part, ce sont les éléments isolés qui se donnent à la perception, mais d'autre part, leur évidence et leur autosuffisance occultent leur fonctionnement et leur valeur au sein de l'ensemble de pratiques où ils s'insèrent. Ainsi, toujours d'un point de vue méthodologique, Marx et Wittgenstein valorisent la figuration du type *synechdocale* des rapports qui les intéresse : chaque élément doit évoquer d'autres éléments (les « maillons intermédiaires » de Wittgenstein, les « formes » de Marx, qui sont autant de moments d'une métamorphose), et invoquer, par là même, les relations qui mettent en œuvre l'ensemble.

Il s'agit, en définitive, de développer une sorte de sensibilité ou d'attention aux productions humaines *en tant que* productions. Ici le registre de la disparition et de l'évidence met en relief une étrange, mais ancienne, contradiction : d'une part, nous « savons » que les produits — linguistiques et économiques — sont des produits sociaux et l'œuvre du travail humain, aussi ingérable soit-il ; d'autre part, en pratique, nous nous mettons, pour ainsi dire, à leur merci, ou du moins, nous nous laissons confondre par leur apparente autonomie et remettons en question notre propre contribution dans l'ensemble de la production. Encore une fois, ces doutes expriment un état de choses, à savoir, que les acteurs sociaux ne contrôlent pas l'ensemble de leurs productions, qu'ils n'agissent pas, d'ailleurs, d'une seule conscience, et qu'ils ne sont pas non plus les esclaves de leurs productions. Le registre de la disparition et de l'évidence sert à marquer, dans les arguments de Marx et de Wittgenstein, les moments où la balance du pouvoir bascule d'un côté ou de l'autre de cette ambivalence : les mots et les choses sont perçus comme maîtres, et la fonction des acteurs sociaux disparaît ; ceux-ci règnent, et les mots et les choses, étrangement, perdent leur intelligibilité.

Mais si les acteurs sociaux ne sont pas maîtres de leurs rapports de production, comme l'aurait voulu Marx, ils en sont bien responsables, notamment par leur travail, comme le reconnaît aussi Wittgenstein. Le registre visuel qui nous intéresse devient alors plus littéral, puisqu'il sert à dénoter la difficulté à conceptualiser la part concrète des acteurs sociaux dans la production de la valeur et du sens, et l'absence ou la présence des corps physiques dans ces conceptualisations. Marx et Wittgenstein rappelleront ainsi la corporalité des acteurs à leurs lecteurs — les marchandises ne vont pas seules au marché, les formes d'expression comportent des gestes et des grimaces — sans toutefois centrer leur discours sur elle. « Tout signe *isolé* paraît mort », constate Wittgenstein, « [...] c'est dans l'usage qu'il *est vivant* » (RP, § 432) ; qui se demande ensuite : « A-t-il en lui-même le souffle de la vie ? — ou l'*usage* est-il son souffle ? » (RP, § 432). Les signes et les choses, donc, sont *animés* ; non pas directement par des corps humains, des individus spécifiques, mais par l'usage, qui les fait travailler. Ici nous sommes loin des registres de la domination et de la maîtrise pour exprimer le pouvoir social : les individus s'impliquent dans une activité, celle-ci anime la société. Or, cette activité n'est pas accessible sans porter l'attention aux corps qui la mettent en œuvre, au risque de transférer encore une fois le pouvoir d'animation à des instances inhumaines. D'où le glissement entre l'usage et les usagers, le travail et les travailleurs, dans les discours de nos deux philosophes, glissement qui, d'une part, ramène l'attention sur les travailleurs et usagers qui courent le danger de disparaître en étant assimilés à des simples moyens de production, et d'autre part, empêche l'attribution du pouvoir de production selon des schémas de domination et de maîtrise. Je pense qu'en dernière instance, c'est cette leçon qu'il importe de retenir du recours du registre de la disparition et de l'évidence tel qu'il fonctionne dans les arguments de Marx et de Wittgenstein : lorsque ce registre surgit, un déplacement dans l'attribution des pouvoirs est à l'œuvre, auquel il convient d'être attentif.

C'est bien cela qui préoccupait, d'ailleurs, l'amante du mage, dont le regard clairvoyant a inspiré ces considérations. Elle s'inquiétait, rappelons-le, du pouvoir de mystification du tour de disparition de son amant et des usages que d'autres pourraient en faire. Il se peut que ce soit le rôle d'amante qui, par le lien complexe et intime qu'il implique au corps et à la valeur de l'autre, et par l'approche à l'autre à la fois partielle et d'ensemble qu'il permet, lui ait donné la clarté de vision qui manquait à la foule. En tout cas, il semble qu'elle ait su distinguer, dans sa vision de la tour Eiffel, sa valeur d'usage (la tour touristique) de sa valeur d'échange (ce que la foule payait pour voir, c'est-à-dire, sa disparition), et qu'elle a réussi a garder en vue sa banalité physique, l'évidence qui, selon Wittgenstein, ne se voit plus, parce qu'elle est juste sous nos yeux — en dehors du champ visuel d'un télescope.

La perception du mouvement entre disparition et apparition : réminiscence mallarméenne de l'intermédialité

Sylvano Santini

Pour reprendre une métaphore de Sartre qui circule encore aujourd'hui dans la pensée avec une certaine aisance, ne pourrait-on pas dire que tout le XXe siècle littéraire, le plus moderne, le plus innovateur donc, a avancé en regardant dans le rétroviseur ? Pour ne pas dire toute une pensée près de Blanchot et de Beckett qui, en monnayant le silence, « seul luxe après les rimes » selon Mallarmé, s'est affairée au langage qui parle seul et dont le point d'aboutissement mène invariablement au « ça parle » ou à la « quatrième personne du singulier » ? Ce point avant l'aube, dans la nuit donc, c'est-à-dire là où la fascination y voit le mieux, tient en un énoncé qui, comme un cube de bouillon ou une particule d'uranium, n'a cessé d'offrir çà et là sa saveur ou son énergie : « L'œuvre pure implique la disparition élocutoire du poète, qui cède l'initiative aux mots, par le heurt de leur inégalité mobilisés[1]. » On n'en aura jamais dit autant en si peu de mots. Au-delà du hasard, Mallarmé aurait gagné son pari avec ses *Divagations* en initiant un mouvement.

Je peux donc avancer un peu à mon tour en regardant dans le rétroviseur et affirmer que le XXe siècle littéraire a été fasciné — et nous le sommes sans doute encore — par une disparition. C'est d'elle qu'il sera ici question, de la disparition mallarméenne, ou mieux, d'une fascination pour cette disparition, car le propre de tout discours, sa motivation, n'est-ce pas l'absence de l'objet ? De nouveau

1. Stéphane Mallarmé, « Crise de vers », *Divagations*, Paris, Fasquelle Éditeurs, 1942, p. 252. Désormais, les références à cet ouvrage seront indiquées, par le sigle « D », suivi de la page et placées entre parenthèses dans le corps du texte.

Mallarmé: « Je dis: une fleur! et, hors de l'oubli où ma voix relègue aucun contour, en tant que quelque chose d'autre que les calices sus, musicalement se lève, idée même et suave, l'absente de tous bouquets. » (« Crise de vers », D, p. 255) Et quand l'objet qui fait parler, absent par principe, se réfère à l'absence même, le discours ne se redouble-t-il pas à l'infini? Tel serait l'un des effets de la disparition mallarméenne qui entretient un rapport étroit avec la structure de la fascination: elle exerce sur la pensée qui la fixe un enchantement qui n'en finit plus.

C'est bien connu, ce qui fascine dans la disparition du poète chez Mallarmé, de cette entité qui, dans le temps et l'espace, a aligné des mots sur une page, c'est qu'elle permet au langage de parler seul (c'est la deuxième proposition de la célèbre phrase: le poète « cède l'initiative aux mots »; ou comme il le dit aussi dans une lettre à Verlaine: « le Texte y parlant de lui-même et sans voix d'auteur »[2]), sans la moindre intention plus ou moins consciente, dans une pure objectivité pourrait-t-on dire, comme l'affirme Adorno à propos de la poésie oubliée des Dieux de Hölderlin[3]. Cet effet de la disparition mallarméenne a entraîné ouvertement une importante collection d'écrivains, de penseurs et de critiques du XXe siècle, dans laquelle je rangerais, pêle-mêle, l'ouvrage de Foucault sur *Raymond Roussel*, *écRiturEs* de Paul-Marie Lapointe, la conception quasi impersonnelle du « sujet lyrique » autour de Rabaté et de Maulpoix, etc.: ils ont tous pour emblème l'énoncé de Mallarmé. Mais il ne servirait à rien d'étendre ici cet inventaire ni de le justifier plus avant, tout simplement parce que cette filiation, un peu épuisée aujourd'hui, est une évidence. Alors, pour éviter de s'exténuer à répéter ce que l'on sait déjà et, qu'au bout du compte, j'en devienne fatigant, j'aimerais revenir complètement sur la disparition mallarméenne pour y déceler un autre aspect qui ne serait pas tout à fait étranger à l'effet du langage qui parle seul, qui l'accompagnerait ou le justifierait même, mais qui ouvrirait une perspective plus large témoignant d'une fascination pour la disparition qui ne se reconnaîtrait pas directement d'origine avec Mallarmé et qui ne serait pas strictement littéraire. Je propose, ni plus ni moins, une nouvelle généalogie.

LA DISPARITION COMME CONDITION D'APPARITION DU MOUVEMENT

La disparition du poète est l'occasion pour Mallarmé de faire voir les choses autrement, de modifier notre perception du monde. En ce sens, elle touche aussi

2. Lettre à Verlaine, 16 novembre 1885. Stéphane Mallarmé, *Correspondance*, tome I: 1871-1885, recueillie, classée et annotée par Henri Mondor et Lloyd James Austin, Paris, Éditions Gallimard, 1959-1985, p. 802.

3. Theodor W. Adorno, « Parataxe », *Notes sur la littérature*, trad. Sibylle Müller, Paris, Éditions Flammarion, coll. « Champs Flammarion Sciences », 1984, p. 308.

bien l'objet qui disparaît que l'esprit qui le perçoit, et aucun jugement, semble-t-il, ne saurait déterminer lequel en est véritablement affecté. Probablement le sont-ils également, établissant entre eux une dynamique de va-et-vient étrangère à la synthèse dialectique, et c'est pour cette raison que l'on peut dire que la disparition est toujours un peu la condition d'apparition de quelque chose : lorsqu'une chose disparaît, l'esprit, fasciné, tente d'en combler le vide sans jamais tout à fait y parvenir. Cet écart entre les « éléments du monde » et le « psychisme de l'homme » qui « permettrait de *fonder* les analogies » dans le langage[4] constitue une dynamique fondamentale chez le poète, et c'est elle qui a pour effet d'interpréter le manque et le désir comme les corollaires de la disparition : la disparition d'un corps solide ou d'une chose physique a toujours une suite, comme si elle était le point de départ d'une histoire. En fait, cette dynamique est très simple : tout élément qui disparaît fait place à l'imaginaire, et l'imaginaire est une vue affectée de l'esprit dont le terme est indéfini. La disparition d'un corps fait donc imaginer (voir dans l'esprit), et ce qu'elle fait imaginer chez Mallarmé, c'est un « jeu » au sens technique du terme, c'est-à-dire la course aisée d'une chose dans l'espace ménagé entre des points d'arrêt. Ainsi, si l'on revient à la disparition du poète, elle permet de voir le langage comme un système de relations différentielles, un rythme qui fonctionne sans contrainte ; conception que le poète étend, par ailleurs, au recueil comme « système très mobile[5] », bien qu'il soit difficilement totalisable ou réductible à un concept que l'on perçoit.

De manière générale, et sans doute un peu pour accélérer notre propre pensée, on peut dire que la disparition physique d'un corps ou d'une chose chez Mallarmé est la condition de possibilité de la perception d'un autre monde, non pas celui des formes stables et fixes, mais celui du mouvement. Les meilleurs textes pour suivre cette idée chez lui sont sans doute ceux qu'il a écrits sur la danse et dans lesquels il prend la mesure de ses effets spirituels. Composée de séries d'impulsions, de déplacements et de trajectoires, affranchie généralement de la contrainte d'une production précise et déterminée de sens, la danse, mieux

4. Éric Benoit, « Le Démon de l'Analogie, ou : la résurrection des mots », *Enchantement. Mélanges offerts à Yves Tadié* (*Modernités 16*), Pessac, Presses universitaires de Bordeaux, 2002, p. 102. Benoit avait déjà entamé cette réflexion dans un autre article dans lequel il situe l'avènement du sens chez Mallarmé « autour de trois pôles : le sujet (esprit, et corps), le monde objectif aperçu, et le langage », Voir Éric Benoit, « Un enjeu de l'esthétique mallarméenne : la Poésie et le sens du monde », *Romantisme*, n° 111, 2001-1, p. 105.

5. François Châtelain, « La mise en scène de la Fiction : réflexions autour de la structure du recueil des Poésies de Mallarmé », *Romantisme*, n° 111, 2001-1, p. 102.

que tout autre art, fait percevoir, dans l'espace du jeu, le mouvement pur. Et, dans ce dessein, il faut que le corps n'en soit plus tout à fait un dans la chorégraphie :

> À savoir que la danseuse *n'est pas une femme qui danse*, pour ces motifs juxtaposés qu'elle *n'est pas une femme*, mais une métaphore résumant un des aspects élémentaires de notre forme, glaive, coupe, fleur, etc., et qu'elle ne danse pas, suggérant, par le prodige de raccourcis ou d'élans, avec une écriture corporelle ce qu'il faudrait des paragraphes en prose dialoguée autant que descriptive, pour exprimer, dans la rédaction : poème dégagé de tout appareil du scribe. (« Ballets », D, p. 182)

La danseuse, qui n'est pas une femme qui danse mais une écriture corporelle qui, comme un poème, parle seule, redouble par analogie la disparition du poète[6]. Et, pour percevoir « la forme humaine dans sa plus excessive mobilité, ou vrai développement » (« Ballets », D, p. 186), ce n'est pas uniquement le corps de la danseuse qui doit disparaître mais tout ce qui l'accompagne et qui fixe le regard. C'est à cette condition que l'on perçoit le mouvement pur, c'est-à-dire un mouvement qui n'a pas besoin d'un support pour se faire sentir :

> Tout à l'heure va disparaître comme dans ce cas une imbécillité, la traditionnelle plantation de décors permanents ou stables en opposition avec la mobilité chorégraphique. Châssis opaques, carton cette intrusion, au rancart ! Voici rendue au Ballet l'atmosphère ou rien, visions sitôt éparses que sues, leur évocation limpide. La scène libre, au gré de fictions, exhalée du jeu d'un voile avec attitudes et gestes, devient le très pur résultat. (« Les fonds dans le ballet », D, p. 190)

Mallarmé préfère ce qui est en mouvement à ce qui est fixe ou stable, préférence dont on peut retrouver les traces dans l'opposition entre le langage ordinaire qui fixe et détermine le sens des mots et le mystérieux pouvoir suggestif du langage poétique présentée dans *Crise de vers*, ou encore dans le passage « d'un âge de dépendance et de conformisme » poétique à un « âge d'innovation » et « d'aventure poétique »[7]. Avec Mallarmé, on veut que la littérature et les autres arts aboutissent sur un projet inachevé, sur une œuvre en train de se faire, en devenir, infinie, parce que la « poésie » veut exprimer le « sens mystérieux des aspects de

6. On dirait que l'analogie lorsqu'elle est poussée à fond chez Mallarmé fait disparaître l'écart entre le représentant et le représenté qui fonde la famille des tropes, comme dans cette phrase : « alors, par un commerce dont paraît son sourire [celle de la « ballerine illettrée »] verser le secret, sans tarder elle livre à travers le voile dernier qui reste toujours, la nudité de tes concepts et silencieusement écrira ta vision à la façon d'un Signe, qu'elle est », Stéphane Mallarmé, « Ballets », D, p. 187.

7. François Châtelain, « La mise en scène de la fiction », p. 99.

l'existence » en ramenant le langage humain à son « rythme essentiel[8] », et c'est, en partie, moins ce que la poésie veut exprimer que la manière dont elle veut le faire que l'on retient : le « poème », terme générique pour toute œuvre qui atteint le rythme essentiel du langage chez Mallarmé, doit produire un mouvement et non un produit fini et consommable une fois pour toutes. Voilà tout le mystère de Mallarmé. Blanchot en a parfaitement conscience en rapprochant ce qu'il appelle, depuis la quête mallarméenne du Livre, la « disparition de la littérature » comme œuvre finie du mouvement de la roue d'Ixion[9]. On pourrait dire ainsi que chaque nouvelle lecture d'une œuvre la fait disparaître dans un nouvel élan, et si le nom de littérature a toujours signifié un type d'œuvre qui ne se laisse pas perturber de la sorte par sa lecture, il semblerait qu'il faille trouver un autre nom pour ces textes *in perpetuum mobile*.

LA FORME PENDULAIRE DU MOUVEMENT

Bien que le mouvement chez Mallarmé soit pensé de manière générale, il n'est pas entièrement abstrait : il possède une forme reconnaissable. L'effet spirituel du ballet, cette « forme théâtrale de poésie par excellence » (« Les fonds dans le ballet », D, p. 189), en dégage la forme. On peut comparer le corps de la danseuse qui est « Signe » aux mots : les deux doivent disparaître comme unité fixe pour faire apparaître, dans la danse ou dans le jeu des signes et des lettres, un mouvement oscillatoire, pendulaire, de va-et-vient. Ainsi la danseuse comme les mots engagent un processus qui consiste à sortir de leur corps, de leur chair, pour rejoindre ce qui est à l'extérieur : un autre état de corps ou un autre mot. Jean-Pierre Richard rapproche ce mouvement du désir contradictoire de vivre en dehors de soi-même : « Il existe donc bien une contradictoire de la danse, qui reflète parfaitement l'état contradictoire de la conscience : un dedans veut y vivre en son propre dehors[10]. » Mais ce désir a toutefois une limite : « Un élan vers le dehors s'y dessine, mais doit s'y arrêter avant de s'y formuler vraiment[11]. » Le

8. Mallarmé, *Correspondance complète 1862-1871* suivi de *Lettres sur la poésie*, Paris, Éditions Gallimard, coll. « Folio classique », 1995, p. 572.

9. Maurice Blanchot, « La disparition de la littérature », *Le livre à venir*, Paris, Éditions Gallimard, 1959, p. 288. Blanchot rapproche constamment la disparition du mouvement, comme dans cet autre passage tiré du même texte : « l'œuvre est le mouvement qui nous porte vers le point pur de l'inspiration d'où elle vient et où il semble qu'elle ne puisse atteindre qu'en disparaissant », p. 293.

10. Jean-Pierre Richard, *L'univers imaginaire de Mallarmé*, Paris, Éditions du Seuil, coll. « Pierres vives », 1961, p. 319.

11. Jean-Pierre Richard, *L'univers imaginaire de Mallarmé*, p. 320.

mouvement de la danseuse (ou des mots) consiste donc à la suspendre, comme en plein vol, entre deux stations[12]. Or, Mallarmé appelle cette suspension une « synthèse mobile » (« Ballet », D, p. 181) qui se perçoit lorsque disparaît le corps comme unité physique : c'est un jeu entre des termes qui n'accorde à ceux-ci aucune importance ni comme origine ni comme destination, sinon celle de lui donner la forme d'un rythme oscillatoire, de va-et-vient ; la forme d'un mouvement pendulaire.

Ce qui importe le plus dans cette forme de mouvement, ce pourquoi on s'y attarde finalement, c'est qu'elle correspond à la « mobilité excessive » ou le « vrai développement » de la forme humaine, c'est-à-dire de l'esprit. Comme le suggère Jean-Pierre Richard, l'effet spirituel de la danse chez Mallarmé nous permettrait de comprendre les « vertus imaginaire du balancement » : « Comprenons que le rapport lointain, mais dynamique, des deux rives, a réussi à susciter entre elles la naissance d'un espace nouveau qui les met en contact, qui les fait glisser l'une dans l'autre, qui constitue à la fois le lieu, le foyer et la loi de leur chorégraphie : espace en lequel nous reconnaissons sans mal l'esprit lui-même[13]. » C'est grâce à la disparition de la danseuse ou des mots que l'esprit ouvre l'espace d'un voyage indéfini entre deux rives, entre un dedans et un dehors, entre lui-même et le monde, entre le poétique et l'empirique. Gérard Dessons démontre que le poème de Mallarmé écrit pour la mort de son fils Anatole n'a eu pour effet ni de compenser ni de sacraliser sa disparition, mais de provoquer une tension entre l'homme qui éprouve la perte d'un fils et le poète qui en traduit littérairement l'expérience. Ce qui est remarquable chez Dessons, c'est qu'il fait de cette oscillation ou de ce va-et-vient entre l'homme et le poète, caractéristique, comme on vient de le voir, du mouvement de l'esprit, une nouvelle modalité de la disparition en littérature : « La disparition, comme événement et comme expérience, met en tension, dans le langage même, l'empirique [l'homme] et le poétique [le poète][14] ». Le mouvement chez Mallarmé se dévoile ici dans son ultime conséquence : la disparition

12. « La Cornalba me ravit, qui danse comme dévêtue ; c'est-à-dire que sans le semblant d'aide offert à un enlèvement ou à la chute par une présence volante et assoupie de gazes, elle paraît, appelée dans l'air, s'y soutenir, du fait italien d'une moelleuse tension de sa personne », « Ballets », D, p. 180. Jean-Pierre Richard associe cet état en suspension à une sorte de mouvement transcendant qui nous déprend de l'actuel pour nous fait rejoindre le virtuel, *L'univers imaginaire de Mallarmé*, p. 320 *et sq*. On ne prolongera pas ici cette réflexion.

13. Jean-Pierre Richard, *L'univers imaginaire de Mallarmé*, p. 428-429.

14. Gérard Dessons, « La disparition d'Anatole », *La mort dissoute. Disparition et spectralité*, Alain Brossat et Jean-Louis Déotte (dirs.), Paris, L'Harmattan, coll. « Esthétiques » 2002, p. 267.

d'un corps, d'une chose, d'un être, d'une idée, etc., fait éprouver à l'esprit qui l'expérimente son propre mouvement, qui est aussi celui de l'art et de la vie. Ainsi le va-et-vient de l'esprit comme « synthèse mobile » correspond autant à l'écart du plus petit geste qu'à celui qui borne la naissance et la mort.

LES CONCEPTIONS DU MOUVEMENT À L'ÉPOQUE DE MALLARMÉ

Cette valorisation du mouvement chez Mallarmé l'ancre bien dans la pensée au tournant du XXe siècle, tourmentée et exaltée à la fois par la dynamique de l'histoire qui a emporté avec elle les fondements immuables de l'être et qui a engendré une inquiétude et une fascination véritables pour le devenir : tout ce qui bouge, se déplace, se transforme semble plus vrai désormais que ce qui demeure, perdure ou reste le même. L'esprit et la réalité acquièrent à cette même époque une valeur dynamique ; du coup, la recherche de la vérité ne consiste plus à les fixer l'un sur l'autre mais à les synchroniser sans pour autant les immobiliser. Cette préférence pour le mouvement semble s'étendre aux différents domaines de recherche et de la culture dont les nouveaux moyens techniques sont liés intrinsèquement pour ainsi dire à sa révélation. Des chronophotographies sérieuses du physiologiste Marey aux théories fumeuses de la photographie spirite et transcendantale de Baraduc qui prétend enregistrer le « fluide vital », on est épris du désir de faire voir le mouvement du corps ou de l'âme, comme si, depuis que la réalité est essentiellement mouvante, on voulait corriger un défaut de la perception par la technique : on peut *enfin* voir l'invisible sur un support visuel[15].

Si cette dernière formule résume assez bien la croyance selon laquelle ce qui est en mouvement mais qui ne se voit pas comme tel (la vie même) est plus vrai que ce qui est fixe, on pourrait sans crainte y repérer son enracinement dans l'histoire en répétant ce que Rancière affirme à propos du « régime expressif » dans la littérature : on tente de saisir avec les nouvelles techniques de l'image « les puissances de la vie », d'inscrire sur un support visuel le « signe de l'invisible[16]. » Rancière n'a pas manqué de noter le lien entre Mallarmé et Marey sur le principe qu'une

15. Sur Étienne-Jules Marey, on renvoie à l'article de Georges Didi-Huberman intitulé « L'image est le mouvant », *Intermédialités*, n° 3 (« Devenir-Bergson »), printemps 2004, p. 24-30 ; sur la photographie spirite et transcendantale, on renvoie à l'ouvrage de François Jost, *Le temps d'un regard. Du spectateur aux images*, Paris, Méridiens Klincksiek, coll. « Collection du cinéma » 1998, p. 76-80.

16. Jacques Rancière, *La parole muette. Essai sur les contradictions de la littérature*, Paris, Éditions Hachette Littératures, 1998, p. 4. Rancière a très bien vu par ailleurs le lien entre Mallarmé et Marey en suivant le principe qu'une une forme esthétique est toujours la manifestation de la sensibilité d'une époque, Voir *Mallarmé. La politique de la sirène*, Paris, Hachette, coll. « Coup double », 1996, p. 31. Désormais, les références à cet

forme esthétique est toujours la manifestation de la disposition sensible d'une époque. Or, cette nouvelle sensibilité pour le mouvement remonte à une « disparition », non pas celle du poète, mais celle du monde des idées platoniciennes :

> C'est cela qui a disparu. La crise anecdotique du vénérable alexandrin renvoie à l'évanouissement plus sérieux de ce ciel des Idées. Il n'y a plus de « suprême moule », d'« aucun objet qui existe », plus « numérateur divin de notre apothéose ». Le poète n'a plus de modèle, céleste ou humain, à imiter. C'est désormais par la « seule dialectique du vers » qu'il pourra aviver le sceau de l'idée, en groupant selon un rythme essentiel « tout gisements épars, ignorés et flottants. » (M, p. 30)

La disparition de l'*eidos* platonicien renouvelle, à l'époque de Mallarmé, la fiction : elle n'est plus imitation au sens de représentation fixe de modèles (genres, caractères, niveaux de langage, etc.) mais tout simplement « jeu de correspondances ». Rancière situe la préférence pour le mouvement dans un partage entre deux mondes, deux sensibilités, qui s'expriment dans deux idées de la fiction. Ces idées manifestent, dans leur articulation, un point tournant de la philosophie, comme si elles servaient d'actants à la dramaturgie de son histoire :

> Ici se place le partage entre deux idées de la fiction. Depuis Aristote, celle-ci était « imitation d'hommes agissant », « assemblage d'actions » mettant en jeu des caractères. Mais, à la définir ainsi, on la chargeait de trop de chair pour mieux réduire sa portée à de banales opérations de reconnaissance. La nouvelle fiction ne sera pas assemblage d'actions instituant des caractères. Elle sera tracé de schèmes, virtualité d'événements et de figures, définissant un jeu de correspondances. Mais il ne s'agit pas seulement d'abstraire la fiction. Il s'agit de lui donner un sens beaucoup plus radical. La fiction est peut-être un jeu. Mais ce jeu est d'essence supérieure. Il est « le procédé même de l'esprit humain. » (M, p. 47)

Quoiqu'il ne l'argumente pas comme tel, on aura compris avec Rancière que la conception du mouvement chez Mallarmé se distingue de celle qui accompagne les images chronophotographiques ou cinématographiques, même si elles se présentent à la même époque. Le mouvement reste essentiellement pour le poète un procédé spirituel qui se manifeste sur la scène de l'histoire de la pensée. Ses instruments seront donc moins techniques que philosophiques ; ils serviront moins à élaborer une mécanique de l'image ou une chimie de sa révélation qu'à élargir notre habitude de perception. On pourrait établir cette distinction entre la technique et le philosophique sur un principe que nous pouvons dégager de la pensée du mouvement chez Bergson : l'esprit ne perçoit pas la réalité mouvante de la même manière que l'appareil photographique ou cinématographique

ouvrage seront indiquées, par le sigle « M », suivi de la page et placées entre parenthèses dans le corps du texte.

la reproduit sur un support. L'interprétation de ce principe nous introduit à la conception philosophique du mouvement à l'époque de Mallarmé dont l'une des composantes, on le verra, est la disparition.

Deux philosophes contemporains de Mallarmé, Henri Bergson et William James, ont eu le vif sentiment que la philosophie avait besoin d'un renouvellement radical et que celui-ci consistait essentiellement à changer notre habitude de perception du mouvement et du changement. Bien qu'ils n'aient jamais travaillé ensemble, Bergson et James se connaissaient et partageaient surtout l'impression d'être arrivés à des préoccupations similaires par des chemins différents, comme s'ils étaient drapés dans la même étoffe mais sous deux plis distincts[17]. Ce qui les rapprochait, c'était que la philosophie, après plus un siècle profond de rationalisme et d'idéalisme, devait revenir aux faits, c'est-à-dire à l'expérience en tant que telle dans sa manifestation directement sensible, sans rien oublier. Or, cet empirisme devait en grande partie passer par une critique profonde de l'empirisme anglais. Bergson le confie dans ses entretiens avec Jacques Chevalier juste au moment où il précise que James et lui en étaient arrivés à une conception similaire de l'esprit et du courant de conscience: « Ce que James trouva de nouveau dans mes livres, me dit-il, c'est le moyen de dénoncer l'insuffisance de l'empirisme pur de Berkeley et d'un Hume[18]. »

À l'opposé du rationalisme qui appuie le monde sur des essences stables et fixes et dans un sens tout près de celui des premiers empiristes de l'Antiquité tels Héraclite et Lucrèce, Bergson et James croyaient que la substance (ce qui se « tient dessous ») ou le substrat (ce qui « s'étend sous ») du monde et de l'esprit était essentiellement mouvement et changement. James nomme cette substance l'« expérience pure »[19] et Bergson, l'« élan vital » ou la « durée ». À leurs détracteurs qui avouent que leur conception leur donne des vertiges, voire des maux de cœur, les deux philosophes répondent que la lente et longue élaboration philosophique de notre habitude de perception est l'histoire d'une longue erreur qui nous a éloignés de la continuité réelle entre les choses et entre les états de conscience. Le rationalisme a inventé un monde d'essences pour penser cette continuité, l'empirisme de Hume la niait et l'idéalisme de Berkeley la concevait comme

17. Voir sur ce point, Jacques Chevalier, *Entretiens avec Bergson*, Paris, Plon, 1959, p. 21-22 et 235-236.

18. Jacques Chevalier, *Entretiens avec Bergson*, p. 21-22.

19. « L'"expérience pure" est le nom que j'ai donné au flux immédiat de la vie, lequel fournit la matière première de notre réflexion ultérieure, avec ses catégories conceptuelles », William James, *Essais d'empirisme radical* [1912], Trad. Guillaume Garreta et Mathias Girel, Marseille, Agone, coll. « Banc d'essais » 2005, p. 90.

étant strictement subjective, comme un effet de la perception. Or, Bergson et James donnent un nouvel objectif à la philosophie : dépasser le rationalisme et l'empirisme en affirmant qu'on peut faire une expérience directe et immédiate de la pure continuité entre les choses, et que, pour faire une telle expérience, il faut changer notre habitude de perception de manière à sentir objectivement le mouvement et le changement en dehors de nous et en nous.

James entreprend cette correction de notre perception en s'appliquant à revoir le principe empiriste selon lequel *les relations sont extérieures à leurs termes*. En suivant ce principe, l'empirisme anglais n'a pu concevoir que des relations disjonctives, c'est-à-dire des relations qui gardent leurs termes dans une parfaite discontinuité. Le monde de Hume, par exemple, est un monde fragmenté d'atomes incommensurables et celui idéaliste de Berkeley, tout aussi fragmenté, n'est doué de vie que s'il est perçu. La nouveauté de James a été de reconnaître des « relations conjonctives », c'est-à-dire des relations bien réelles, indépendantes d'une perception consciente et subjective, qui mettent en continuité les termes qu'elles relient tout en évitant de les identifier par l'intermédiaire d'une idée de la raison suivant la logique dialectique. On peut, selon James, expérimenter directement une relation entre deux termes, c'est-à-dire qu'on peut avoir la sensation d'une continuité d'un terme à l'autre sans postuler une identité essentielle entre elles. Tel est le sens de son « empirisme radical » :

> Pour être radical, un empirisme ne doit admettre dans ses constructions aucun élément dont on ne fait pas directement l'expérience, et n'en exclure aucun élément dont on fait directement l'expérience. Pour une telle philosophie, *les relations qui relient les expériences doivent elles-mêmes être des relations dont on fait l'expérience, et toute relation, de quelque type qu'elle soit, dont on fait l'expérience, doit être considérée comme aussi « réelle » que n'importe quoi d'autre dans le système*[20].

Il n'est sans doute pas anodin que les pages qui rapprochent le plus Bergson de James dans *La pensée et le mouvant* soient tirées de conférences qu'il a données dans le monde anglo-saxon, à Oxford plus précisément. Dans ces dernières, Bergson veut qu'on reconnaisse comme étant philosophiquement valable l'idée que l'on perçoive directement le mouvement et le changement sans passer par l'intermédiaire d'idées ou de concepts, produits de synthèse de l'esprit. La raison en est simple et il n'y a pour Bergson aucun mystère : comme le mouvement et le changement se donnent dans le flux de la vie ordinaire, ils doivent être aperçus et sentis comme tels, c'est-à-dire sans interruption, sans discontinuité. Or, la raison fonctionne de telle manière qu'elle ordonne à notre perception d'immobiliser

20. William James, *Essais d'empirisme radical*, p. 58-59.

les choses ou nos états de conscience pour les penser. Ainsi le travail de la raison consiste à arrêter le mouvement essentiel, et comme la philosophie a œuvré dans son histoire en accordant toute la place à la raison, le mouvement ne pouvait être pensé qu'à partir d'immobilités. L'anti-intellectualisme de Bergson repose en partie sur ce raisonnement. À la différence de James qui mène cette réflexion à partir du principe empiriste des relations extérieures, Bergson l'entreprend à partir des paradoxes de Zénon sur le mouvement en montrant qu'il s'agit peut-être là de la source d'une méprise persistante sur le mouvement[21]. De cette réflexion, Bergson tire deux principes : le mouvement est indivisible et il n'a pas besoin, pour l'expérimenter, de « support » ou de « mobile », c'est-à-dire « d'objet inerte, invariable, qui se meuve[22] », un peu comme l'envol de la danseuse de Mallarmé qui n'a besoin ni d'un corps ni de décors stables pour se faire sentir. La correction de notre habitude de perception passe, pour Bergson, par ces deux principes, et ce n'est certainement pas l'invention du cinématographe qui y parviendra, car cette technique ne fait que perpétuer l'illusion paralogique de Zénon que le mouvement se crée à partir d'immobilités[23].

La conception du mouvement chez Mallarmé, ce « rythme essentiel » ou cette « synthèse mobile », tient sans doute plus de l'esprit de la philosophie de

21. En voulant se tenir au plus près de l'expérience ordinaire du flux de la vie, Bergson laisse à Achille le soin de critiquer Zénon en commentant sa propre course : « "Procéder comme le fait Zénon, c'est admettre que la course peut être décomposée arbitrairement, comme l'espace parcouru ; c'est croire que le trajet s'applique réellement contre la trajectoire ; c'est faire coïncider et par conséquent confondre ensemble mouvement et immobilité" », Henri Bergson, *La pensée et le mouvant : essais et conférences*, Paris, Presses universitaires de France, 1938, p. 161.

22. Henri Bergson, *La pensée et le mouvant*, p. 158 et 163.

23. En s'intéressant à la différence fondamentale entre la conception du mouvement de Marey et celle de Bergson, Georges Didi-Huberman révèle bien l'impasse dans laquelle le philosophe place le cinéma à partir d'un argument absurde : « "le film pourrait se dérouler dix fois, cent fois, mille fois plus vite sans que rien fût modifié à ce qu'il déroule" ». Mais l'absurdité même de cet argument fait dire à Didi-Huberman que le problème du mouvement chez Bergson ne recoupe pas celui du cinéma comme « expérience sensorielle spécifique ». Georges Didi-Huberman, « L'image est le mouvant », *Intermédialités*, n° 3 (Devenir-Bergson), p. 28. Il est vrai que Bergson ne s'intéresse pas au cinéma comme « expérience sensorielle spécifique » — ce que Deleuze va corriger, nous rappelle Didi-Huberman — mais comme reproduction technique du mouvement à partir de coupes immobiles. Le problème du mouvement chez Bergson déborde largement la petite histoire du cinéma naissant et verse dans celle plus large de la philosophie.

James et de Bergson que celui du cinématographe[24]. Ils partagent tous, et c'est là leur point de convergence, un « tempérament pluraliste », si l'on accorde, avec Jean Wahl, que « le pluralisme, d'une façon générale, naît d'une disposition à voir le monde dans son flux et sa diversité[25]. » Ils serrent tous de près le mystère du fond dynamique sous les choses visibles, « Comme l'air ou le chant sous le texte, conduisant la divination d'ici là, y applique son motif en fleuron et cul-de-lampe invisibles » (« Le mystère dans les lettres, D, p. 293). À la manière de Bergson et de James, Mallarmé substantialise le vide entre les mots, la virginité de la page ou les blancs. Et comme eux, seul un « regard adéquat » sur le vide (*ibid.*), c'est-à-dire seul « le va-et-vient incessant du regard » de ligne en ligne, de mot en mot, « raccorde la notation fragmentée » (« Le Livre, instrument spirituel », D, p. 279) Et cet « éclair » du regard qui se retrouve chez « quiconque » [...] « confirme la fiction » des « relations entre tout » (*ibid*, p. 275-279)[26].

24. Dans une étude approfondie du Livre mallarméen, Éric Benoit interprète la dynamique de celui-ci dans le passage du système épistémologique de l'entropie à celui de la néguentropie. Ce passage marque l'éloignement de Mallarmé des systèmes déterministes des sciences au XIXe siècle qui se dirigeaient, en suivant le deuxième principe de la thermodynamique, vers « l'épuisement de tout » et une sympathie naissante pour la pensée indéterministe qui, au contraire, ouvre tout système sur un inépuisable « excédent d'énergie » : la dynamique du Livre abandonne la fiction de l'absolu ou des systèmes clos pour celle de « l'élan vital bergsonien », précise Benoit. Éric Benoit, *Mallarmé et le mystère du « Livre »*, Paris, Honoré Champion, coll. « Romantisme et modernités », Paris, 1998, p. 383.

25. Jean Wahl, *Les philosophies pluralistes d'Angleterre et d'Amérique*, Paris, Les empêcheurs de penser en rond, 2005 [1920], p. 313. Wahl s'est ouvertement inspiré de James qui distingue le sentiment rationaliste du sentiment pluraliste (pragmatiste) pour opposer deux attitudes philosophiques : celle qui veut un univers achevé et celle qui, au contraire, le veut en perpétuel changement. Cette distinction inaugure une longue tradition qui se poursuit encore aujourd'hui dans la pensée étatsunienne, par exemple dans la typologie des poètes ou des penseurs que l'on retrouve chez Harold Bloom et Richard Rorty : il y a, d'un côté, les forts (*strong*) et de l'autre, les faibles (*weak*). Le *pragmatic turn* de la pensée aux États-Unis au tournant des années 1980 repose en partie sur le retour du drame opposant ces deux types de penseurs, drame qui convenait très bien du reste à la pensée contemporaine qui cherchait des archétypes pour exprimer sa propre mise en scène dramatique opposant le moderne et le postmoderne. Ce rapprochement a d'ailleurs été anticipé par un des commentateurs de William James qui faisait de lui l'équivalant de ce que Descartes a été pour la pensée moderne : « James participa à l'avènement de la philosophie post-moderne », Andrew J, Reck, *William James et l'attitude pragmatiste*, Paris, Seghers, coll. « Philosophes de tous les temps » 1967, p. 23.

26. Bien entendu, on propose ici de concevoir ces « relations entre tout » chez Mallarmé en fonction du principe empirique : elles sont extérieures à leurs termes, c'est-à-dire non essentielles, non identitaires et inépuisables.

Cette volonté d'atteindre le regard juste qui se mesure à celle de James et de Bergson de renouveler notre habitude de perception dépasse largement la littérature chez Mallarmé. Il en donne un exemple dans une foire, à la suite du spectacle d'un ours intelligent. Au moment des applaudissements, il entrevoit une continuité réelle entre le dresseur et l'animal. Mallarmé s'enorgueillit du « va-et-vient incessant » de son regard où disparaissent les différences d'espèce, de nature et de culture entre l'homme et la bête, car cette « vision » d'une continuité entre ces deux êtres — « preuves nuptiales de l'Idée » (« Le mystère dans les lettres », D, p. 293) —, bien que momentanée, est vraie : « Je me levai comme tout le monde, pour aller respirer au dehors, étonné de n'avoir pas senti, cette fois encore, le même genre d'impression que mes semblables, mais serein : car ma façon de voir, après tout, avait été supérieure, et même vraie. » (« Le spectacle interrompu », D, p. 240)

On atteint ici le nœud qui rattache Mallarmé à une philosophie qui met de l'avant la perception immédiate du mouvement : lorsque le regard perçoit la continuité réelle entre les choses, l'être se donne dans l'éclair d'une disparition et d'une apparition comme un clignotement. Mallarmé imagine cette apparition de l'être dans le rythme essentiel comme un papillon blanc : « Attribuons à des songes, avant la lecture, dans un parterre, l'attention que sollicite quelque papillon blanc, celui-ci à la fois partout, nulle part, il s'évanouit ; pas sans qu'un rien d'aigu et d'ingénu, où je réduisis le sujet, tout à l'heure ait passé et repassé, avec insistance, devant l'étonnement. » (« Le Livre, instrument spirituel », D, p. 281) Rancière a parfaitement remarqué ce « battement » qu'il associe également, chez Mallarmé, à « ce mouvement de l'apparaître et du disparaître qui est le pli initial ou la doublure des choses qui fait d'elles un monde. » (M, p. 49) Et il ajoute un peu plus loin que « le poème, en général, est un processus de disparition et de substitution. Il transforme toute réalité "solide et prépondérante" (par exemple un navire sur les flots par gros temps, une fille de roi ou une fleur dans un vase) en un simulacre inconsistant et glorieux (la sirène, le nénuphar blanc ou l'absente de tous bouquets). (M, p. 51) Voilà sans doute, délivré, le mystère du mouvement substantiel — « hymne, harmonie et joie » (« Le Livre, instrument spirituel », D, p. 275) — qui laisse entrevoir, dans le jeu de la disparition et de l'apparition, non pas l'identité parfaite des choses mais leur nature spectrale : l'être n'est plus permanent, mais fluide et évanescent ; il apparaît et disparaît suivant le rythme pendulaire de l'esprit et du monde. Le monde et l'esprit adoptent la nature du mouvement et, comme deux trains roulant dans la même direction sur des voies parallèles, pour reprendre une métaphore de Bergson, ils cherchent à se synchroniser. Mais cette synchronisation n'abolira jamais le mouvement, car il y a toujours entre eux un léger décalage qui empêche l'immobilisation définitive, comme si les voies suivaient finalement une direction asymptotique. Et cette impossibilité de réconciliation absolue institue le jeu permanent de la disparition et de l'apparition de l'être[27]. Visions, idées, notions, etc. apparaissent lorsque les choses solides disparaissent, de même qu'elles disparaissent lorsque la « chair » réapparaît[28]. Au tournant du XXe siècle, le mouvement comme substrat du monde a fait de la disparition une fatalité de l'être, et c'est sans doute pour cette raison qu'elle s'est transformée par la suite en fascination.

LA FILIATION MALLARMÉENNE, OU CRITIQUE PHILOSOPHIQUE DE LA TECHNIQUE

Si l'on accorde hypothétiquement que la conception imbriquée du mouvement et de la disparition chez Mallarmé est la source d'une filiation qui prend de l'ampleur au cours du dernier siècle, l'enquête pour en mesurer l'étendue serait sans doute très longue. On croit qu'il serait vain alors de conclure cet article en dressant une liste plus ou moins exhaustive de penseurs susceptibles d'alimenter cette généalogie. Cette liste s'assimilerait peut-être à celle que dresse Derrida des « destructeurs de la métaphysique de la présence » qui recoupe essentiellement celle, plus conceptuelle, de Foucault qui annonce les moments d'une nouvelle expérience qui pulvérise le logos et dont la source est incontestablement mallarméenne : « l'être du langage n'apparaît pour lui-même que dans la disparition du sujet[29]. » Tout le monde s'accorde pour dire que la conférence de Derrida à Johns Hopkins en 1966[30], dans laquelle l'annonce de la disparition du centre

27. Ce jeu est exactement celui du Livre, note Éric Benoit : « Il y a dans cet univers [celui du Livre] des choses étranges : certaines apparaissent mystérieusement, comme jaillies d'un "chapeau" de magicien qui perturbe tout le système — excédent ontologique ou cinétique, néguentropie venue allez savoir d'où ; d'autres disparaissent, non moins mystérieusement subtilisées pas "un voleur" ou un "comédien" rusé qui "joue le tour", un tour de passe-passe, le coup du trou noir, un coup de chapeau », Éric Benoit, *Mallarmé et le mystère du Livre*, p. 395.

28. Ce retour de la réalité solide est très bien décrit par Mallarmé à la fin de son texte « Le spectacle interrompu » : « Le charme se rompit : c'est quand un morceau de chair, nu, brutal, traversa ma vision dirigé de l'intervalle des décors, en avance de quelques instants sur la récompense, mystérieuse d'ordinaire après ces représentations », « Le spectacle interrompu ». (D, p. 39)

29. Michel Foucault, « La pensée du dehors » [1966], *Dits et Écrits*, tome 1, Paris, Éditions Gallimard, 1994, coll. « Bibliothèque des sciences humaines » p. 520-521. Pour la liste de Derrida, voir Jacques Derrida, « La structure, le signe et le jeu dans le discours des sciences humaines, *L'écriture et la différence*, Paris, Éditions du Seuil, coll. « Points », 1967, p. 411-412.

30. Jacques Derrida, « La structure, le signe et le jeu… ».

de la structure transforme cette dernière en un jeu, c'est-à-dire en un « champ inépuisable de substitutions[31] », est l'antichambre du poststructuralisme, de la postmodernité et de la *French theory* aux États-Unis[32]. Il ne servirait à rien de refaire la constellation bien documentée déjà autour de Derrida et de Foucault qui redoublerait l'histoire de la disparition élocutoire des dieux du langage et que l'on appellerait, en suivant le titre d'un article de Lotringer qui est d'une grande réminiscence mallarméenne en associant la danse et le langage, « The Dance of Signs[33] ». On aimerait plutôt s'attarder à deux autres penseurs qui, en imbriquant mouvement et disparition, procèdent à une critique de la technique. Ils m'offriront alors l'occasion d'établir une parenté entre la critique philosophique de la reproduction technique du mouvement chez Bergson et la pensée de l'intermédialité.

Baudrillard semble surpris, comme une fulguration à la veille de sa propre mort, que tout n'aie pas encore disparu[34]. Il semblait déjà en être préoccupé lorsqu'il se demandait, au début des années 1980, ce qui avait disparu depuis que la fable de Borges de la carte qui redouble parfaitement le royaume qu'elle était censée représenter n'était plus valide. Sa réponse était simple : ce qui a disparu, c'est l'écart entre le modèle et la copie qui fonde la logique de la représentation

31. « Il faut penser l'être comme présence ou absence à partir de la possibilité du jeu et non l'inverse », Derrida, « La structure, le signe et le jeu… », p. 426. À consonance mallarméenne, ce principe est considérablement développé par Derrida dans sa longue interprétation de Mallarmé dans *La Dissémination*, Paris, Éditions du Seuil, coll. « Points », 1972. Finalement, ne pourrait-on pas rapprocher le concept de différance de l'expérience pure de James ou de la durée de Bergson : la différance, substrat interminablement mouvant de l'être, *freeplay* ou archi-écriture ?

32. Sur ce point, voir François Dosse, *Histoire du structuralisme*, Tome 2, Le chant du cygne : 1967 à nos jours, Paris, Éditions la Découverte, coll. « Textes à l'appui. Série Histoire contemporaine » 1992, p. 46 ; François Cusset, *French theory :Foucault, Derrida, Deleuze & Cie et les mutations de la vie intellectuelle aux États-Unis*, Paris, Éditions la Découverte, 2003, p. 38-41 et Sylvère Lotringer et Sande Cohen, « Introduction », *French Theory in America*, Sylvère Lotringer et Sande Cohen (éds.), New York, Routledge, 2001, p. 3.

33. Sylvère Lotringer, «The Dance of Signs », *Semiotext(e)*, vol III, nº 1, 1978. Lotringer est l'un des grands introducteurs de la *French theory* aux États-Unis et de sa pensée du langage. Son amour pour la danse, entre autres pour Merce Cunningham qu'il cite en exergue de son article (« *Even when immobile we are in motion* »), fait apparaître la réminiscence mallarméenne de la « danseuse-Signe » comme une chose allant de soi.

34. Jean Baudrillard, *Pourquoi tout n'a-t-il pas déjà disparu ?* , Paris, L'Herne, coll. « Carnets de l'Herne », 2007.

et qui fait le charme de la poésie[35]. Dans sa dernière conférence, il entrevoit la même disparition du charme poétique du symbole dans la nouvelle technologie numérique qui entreprend, dans sa « vitesse ultrarapide » de reproduction, de « libérer le réel » de ses représentations. Ce qui a pour effet finalement d'abolir l'écart entre la réalité et son image. Si la vision du monde s'en trouve changée, c'est parce que « le même destin numérique guette l'univers mental et toute l'étendue de la pensée[36]. » Il entrevoit à la fin de ce processus un monde où il n'y aurait qu'« un seul flux continu, un seul circuit intégré » et où l'homme, sans image du monde, vivrait intégralement le réel sans le remettre en cause ni le critiquer : « l'être parfaitement normalisé »[37].

Encore plus radical dans l'*Esthétique de la disparition*, Virilio voit dans les prouesses techniques depuis l'essor du moteur cinématographique une augmentation de la vitesse telle que toute forme visible disparaît au profit d'un pur présent sans dimension et où la mort ne serait même plus « ressentie comme mortelle[38] ». Anticipant sur Baudrillard, la numérisation, cette haute vitesse technique, « aboutirait à la disparition de la conscience en tant que perception directe des phénomènes qui nous renseignent sur notre propre expérience[39]. » Toutes ces nouvelles technologies s'opposeraient, selon Virilio, « au fonctionnement naturel de l'œil » et de notre « conscience perceptive »[40] en faisant totalement disparaître ce qui s'est toujours d'abord donné comme tel à la vue, les formes du réel. Au-delà des nombreuses divergences de points de vue, Baudrillard et Virilio formulent une critique similaire de l'énergie cinétique de la technique et du bouleversement qu'elle provoque sur notre habitude de perception : en augmentant artificiellement la vitesse de l'œil, les nouvelles technologies font disparaître les doublures du réel, ces formes créées par l'homme et dans lesquels il prend conscience de lui-même dans le temps. Le monde de la technique nous laisserait dans une continuité dynamique qui ne s'expérimenterait plus comme telle : il n'y aurait plus de temps, mais un seul présent perpétuel dans lequel la perception consciente et critique aurait disparu à son tour. Bref, dans un monde où tout aurait disparu, même le temps, la métaphore de Bergson aurait une tout autre fin : les trains qui avancent sur des voies parallèles seraient immobilisés et ne

35. Jean Baudrillard, *Simulacres et simulation*, Paris, Galilée, coll. « Débats », 1981, p. 10.

36. Jean Baudrillard, *Pourquoi tout n'a-t-il pas déjà disparu ?*, p. 27.

37. Jean Baudrillard, *Pourquoi tout n'a-t-il pas déjà disparu ?*, p. 27 et 49.

38. Paul Virilio, *Esthétique de la disparition*, Paris, Galilée, coll. « l'Espace critique », 1989 [1980], p. 67.

39. Paul Virilio, *Esthétique de la disparition*, p. 117.

40. Paul Virilio, *Esthétique de la disparition*, p. 58.

feraient plus qu'un, grâce au parfait mouvement synchrone produit de la synthèse technologique. Mais justement, tout n'a pas encore disparu, selon Baudrillard qui semble résister jusqu'à la toute fin.

À première vue, il paraît plausible d'envisager leur critique comme étant le contre-pied exact de la conception du mouvement comme flux continu entre toutes les choses qui constitue la base du renouvellement de notre habitude de perception que l'on retrouve chez Bergson, James et Mallarmé. Mais ce serait là une erreur, car ce flux n'est pas pour ceux-ci le résultat de la technique — tel que les futuristes l'ont rêvé, par exemple — mais le substrat de l'esprit et du monde. S'il est vrai que les formes disparaissent dans le flux continu de l'existence, elles réapparaissent, nous l'avons vu, sous la forme d'Idées momentanées, de visions, fruits de la nouvelle fiction qui fait de l'être un clignotement. Il faut être alors extrêmement prudent et ne pas rapprocher trop vite les critiques de l'énergie cinétique de Baudrillard et Virilio du mouvement chez Bergson, James et Mallarmé qui, lui, ne fait pas tout disparaître. En se rapprochant un peu plus de Baudrillard et de Virilio, on s'aperçoit au contraire qu'ils ne rejettent pas tout mouvement, mais strictement sa reproduction mécanique quand elle tend à abolir le décalage ou « l'entre-deux » qui maintient le jeu entre l'esprit et le monde. Baudrillard est clair sur ce point : « Métaphoriquement, c'est toute la richesse du jeu de la présence et de l'absence, de l'apparition et de la disparition [...] c'est toute cette richesse du geste photographique qui disparaît dans l'avènement du numérique[41]. » Si l'on replie cette citation de Baudrillard sur ce qu'on a dit de Mallarmé, la vitesse ultrarapide du numérique synchroniserait parfaitement le monde et l'esprit, c'est-à-dire les immobiliserait de telle sorte que l'écart entre eux — ou la fiction comme « jeu de correspondances » — disparaîtrait : tout serait à jamais pareil, immobile, sans possibilité de changement. La reproduction technique du mouvement aurait paradoxalement pour fin l'abolition pure et simple du mouvement, ce qui nous plongerait dans le monde paralogique de Zénon. On pourrait rapprocher cette contradiction de l'entropie qui guette le grand rêve de la technique au XIXe siècle et qui n'était guère étrangère à Mallarmé[42]. Mais on peut l'assimiler plus avantageusement, selon nous, à la critique de la reproduction technique du mouvement chez Bergson : la technique cinématographique, en voulant faire du mouvement avec des immobilités, a une mauvaise conception philosophique du mouvement, une conception qui repose sur la synthèse dialectique. La modernité tient en partie sur le destin commun de la dialectique et de la technique. Il n'y aurait alors rien d'étonnant à ce que le développement

41. Jean Baudrillard, *Pourquoi tout n'a-t-il pas déjà disparu ?*, p. 26.

42. Sur ce point, voir Éric Benoit, *Mallarmé et le Mystère du « Livre »*, p. 359-379.

technologique des images rencontre au bout de son histoire ce qui est somme toute son point de départ, l'immobilité, exactement comme l'esprit se fige dans l'absolu au bout de la sienne. Si l'on accorde un certain crédit à cette critique philosophique de la reproduction du mouvement par la technique, on pourrait alors avancer, en suivant Baudrillard et Virilio, que cette erreur philosophique du moteur cinématographique aurait effectivement contaminé notre perception du mouvement[43]. Et le sens de cette erreur rejoint un fait historique dont certains philosophes illustres ont déjà considéré autrement la mesure : la technique tente de se substituer à la philosophie. Tel est peut-être l'un des sens que l'on pourrait donner à la crise de la modernité, et peu importe la métaphore cinétique qui l'exprime, le diagnostic reste le même : il faut inverser notre habitude de perception du mouvement.

L'INTERMÉDIALITÉ, OU CRITIQUE PHILOSOPHIQUE DE LA TECHNIQUE

L'intérêt de l'intermédialité, son importance dans l'histoire des idées dirait-on, tient en partie à l'inversion de cette tendance : elle propose de réfléchir sur les techniques de manière philosophique. Dans sa présentation d'un dossier consacré à l'intermédialité, Silvestra Mariniello nous offre des éléments pour analyser cette inversion :

> Ce qui s'impose à l'attention générale est, d'un côté, la conscience d'habiter une réalité de plus en plus caractérisée par le croisement et l'hybridation des pratiques médiatiques et, de l'autre, l'impossibilité de définir l'intermédialité de façon univoque, d'en faire un simple objet d'étude. En d'autres mots, on fait l'expérience de ce qu'on décrit comme intermédialité, mais on ne peut répondre à la question « qu'est-ce que l'intermédialité ? ». Forcément puisque, chaque fois qu'une définition essaie de résoudre la question ontologique, elle réduit et rate la nature dynamique et complexe du phénomène. Si, par exemple, on définit l'intermédialité en termes de rencontre et de relation entre deux ou plusieurs pratiques signifiantes — musique, littérature et peinture —, le point de départ est encore celui de la préexistence et de l'identité des pratiques séparées, le point d'arrivée recueillant pour sa part les résultats de la rencontre : l'identification des moments hybrides, l'analyse des mixtes, etc. Le flux est analysé, donc arrêté et décomposé.

43. Pour peu qu'on ait lu Baudrillard et Virilio, leur pensée est clairement en mouvement. Les exemples qu'ils donnent passent d'une époque ou d'un domaine à l'autre dans un enchaînement qui, en l'absence d'intermédiaire ou de logique apparente, défile ultra-rapidement, quoique, dans leur cas comme dans celui de Bergson, de James et de Mallarmé, la question de la vitesse semble mal se greffer sur leur conception du mouvement (pur) ; en fait, en l'absence de bornes qui le délimiteraient, on ne dispose plus de rien pour mesurer la vitesse du mouvement : il est pur. Je laisse en suspens cette question.

> L'intermédialité est plutôt du côté du mouvement et du devenir, lieu d'un savoir qui ne serait pas celui de l'être. Ou bien lieu d'une pensée de l'être non plus entendu comme continuité et unité, mais comme différence et intervalle[44].

Ce que l'on retient dans ce passage, c'est le « point de départ » de l'intermédialité qui ne se trouve pas dans la « préexistence » de chaque discipline comme monade immobile que l'on rapprocherait par la suite par addition[45] mais dans la conscience d'un mouvement ou d'un processus qui existe en soi. En ce sens, l'intermédialité appartient d'emblée à une conception philosophique qui exige que l'on expérimente le mouvement comme tel et non comme étant le produit, le résultat de la synthèse de deux médias. Et si Mariniello affirme que la « sphère intermédiatique » révèle « la crise de la modernité[46] », c'est sans doute parce que celle-ci percevait toutes les relations possibles uniquement sur ce mode. On pourrait dire en ce sens, en reprenant Wahl, que les études intermédiales adoptent d'emblée un « tempérament pluraliste[47] ». À la limite, les médias comme entités autonomes disparaissent dans l'intermédialité au sens où cette dernière les précède comme étant le processus qui leur a donné naissance[48]. Elle représenterait alors, pour parler comme Bergson, leur élan vital.

Cette conscience de l'*inter*- ou de l'*entre*- comme domaine mouvant qui peut être expérimenté comme tel a sans nul doute une origine commune avec l'« expérience pure » de James ou encore avec la « durée » de Bergson. Il n'y a rien d'étonnant à ce que ce soit l'un de leurs héritiers, Gilles Deleuze, qui ait présenté l'image de l'*entre*-(deux) la plus marquante aujourd'hui : le rhizome[49]. L'intermé-

44. Silvestra Mariniello, « Présentation du dossier Intermédialités et cinéma », *Cinémas*, « Cinéma et intermédialité », vol. 10, n° 2-3, printemps 2000, p. 6.

45. Dans le même numéro, Jürgen E. Müller va dans le même sens : « Quoi qu'il en soit, notre notion d'intermédialité ne considère pas les médias comme des phénomènes isolés, mais comme des processus où il y a des interactions constantes entre des concepts médiatiques, des processus qui ne doivent pas être confondus avec une simple addition », Jurgen E. Müller, « L'intermédialité, une nouvelle approche interdisciplinaire : perspectives théoriques et pratiques à l'exemple de la vision de la télévision », *Cinémas*, p. 113

46. Silvestra Mariniello, « Présentation du dossier Intermédialité et cinéma », *Cinémas*, p. 8.

47. On pourrait ajouter : « dans son prolongement postmoderne », voir la note 25.

48. Jürgen E. Müller, « L'intermédialité, une nouvelle approche interdisciplinaire », p. 117-119.

49. Deleuze aborde directement la question des « relations conjonctives » dans *L'Anti-Œdipe* et la question de la « durée » comme « multiplicité qualitative » (« irréductible au nombre ») qu'il oppose à une « multiplicité quantitative » (« multiplicité numérique » comme addition par juxtaposition de monades préexistantes). Toute exégèse sérieuse de

dialité partagerait donc ses sources avec Deleuze, et je ne craindrais pas d'ajouter ici le nom de Mallarmé à ceux de James et de Bergson. En effet, selon Jürgen Müller, l'histoire de l'intermédialité remonte vraisemblablement aux poétiques du XIXe siècle qui visaient à maximiser les effets esthétiques d'une œuvre sur les récepteurs en amalgamant des arts différents :

> Dans cette optique, la question des rapports de subordination entre la musique et le sens des mots – qui préoccupait Wagner dans ses premiers livres – semble moins pertinente. Ce qui importe, pour nous, c'est son intention de libérer les médias et les genres traditionnels de leurs entraves, de produire des effets-chocs qui soient à la base d'un spectacle intermédiatique ou convergent drame, poésie, musique, art théâtral, et de stimuler une activité inconsciente chez le spectateur en s'adressant à des niveaux profonds de sa conscience. Le dynamisme de ces jeux intermédiatiques produit de nouvelles formes de l'expérience de l'art[50].

En reconnaissant l'origine de l'intermédialité dans les poétiques du XIXe siècle et en citant, au passage, le nom de Wagner, plus rien ne nous empêche d'associer le nom de Mallarmé à l'histoire de l'intermédialité. Grand admirateur mais en même temps rival du créateur de Bayreuth, Mallarmé a mis effectivement de l'avant sa propre poétique en réfléchissant sur les différentes relations entre la danse, la musique et la poésie en dehors de la logique des beaux-arts. Au-delà du caractère polémique qui persiste chez Mallarmé (il défend la supériorité de la poésie), c'est l'esprit comme jeu qui finalement se révèle dans la confluence des arts, puisqu'ils visent tous le « poème », au sens générique du terme (voir *supra*). Depuis ses débuts, la pensée intermédiale fait disparaître les arts et les médias comme forme apriorique pour faire remonter un mouvement de fond, substrat mouvant sur lequel de nouvelles formes d'expériences artistiques ou médiatiques apparaissent sans pourtant se fixer une fois pour toutes[51]. L'intermédialité propose d'emblée le défi spirituel de penser l'événement entre les médias, sans considérer ces derniers comme des points de départ ou d'arrivée ; elle veut somme toute saisir ensemble événement et inachèvement. Elle poursuivrait donc la fiction

l'œuvre de Deleuze devrait considérer ces notions comme les sources fondamentales du rhizome. Voir Gilles Deleuze et Félix Guattari, *L'Anti-Œdipe*, Paris, Éditions de Minuit, coll. « Critique » 1972, p. 22-29 et Gilles Deleuze, *Le bergsonisme*, Paris, Presses Universitaires de France, coll. « SUP. Initiation philosophique », 1966, p. 29-42.

50. Jürgen E. Müller, « L'intermédialités, une nouvelle approche interdisciplinaire », p. 112.

51. C'est à la lumière de ce mouvement de disparition et d'apparition qu'il faut envisager la question des « effets d'immédiateté » dont parle Éric Méchoulan dans son texte de présentation de l'intermédialité. Éric Méchoulan, « Intermédialités : Le temps des illusions perdues », *Intermédialités*, n° 1, « Naître », printemps 2003, p. 22.

mallarméenne du jeu infini des relations entre tout sans en fixer les termes, seule manière de retrouver intact au bout de sa course son point de départ : c'est un processus pur et non le produit d'un nombre. S'il y avait un sens à parler du « mystère » de l'intermédialité, il ne serait sans doute pas bien différent de celui qui couvre le Livre mallarméen.

C'est sans doute chez Éric Méchoulan que l'on retrouve le sens philosophique le plus développé de l'intermédialité, c'est également chez lui qu'on a la nette impression qu'elle est une critique de la technique sous le couvert d'une réflexion sur les techniques. Procédé délictueux, s'il en est un, mais efficace et qui se défend devant le droit de la pensée. Dans un article qui nous semble encore plus important que sa présentation dans le premier numéro de la revue *Intermédialités*, Méchoulan défend l'idée que « l'intermédialité pourrait bien être la continuation de la métaphysique bergsonienne[52]. » L'anachronisme qu'il perçoit chez Bergson lui sied bien ici ; jeu de miroir assumé que l'on exprimerait en reprenant notre formule de départ : l'intermédialité avance avec Méchoulan en regardant dans le rétroviseur.

Méchoulan fait revivre la question de l'intuition comme mode de penser chez Bergson qui se moule sur la fluidité de l'être : l'intuition bergsonienne dilate l'expérience en entourant les concepts de percepts ou de « bain d'images ». La production de concepts dans le cadre d'une réflexion intermédiale devrait suivre l'intuition bergsonienne en ne fixant pas définitivement les termes des transactions intermédiatiques. Ce détour par Bergson devient alors, chez Méchoulan, le prétexte pour présenter autour de l'intermédialité quelques idées qui servent de tremplin à une critique de la technique.

> Continuation anachronique de la métaphysique bergsonienne, l'intermédialité voudrait donner un tour plus souple aux mots de la tribu, en cherchant autour de l'idée, le bain d'images, d'expériences et de dispositifs techniques dans lequel elle cristallise. Il n'y a pas là recherche de causalismes rapides (que ce soit de la technologie sur les représentations ou des concepts sur les partages sensibles), mais mises en scène des nécessaires fluidités qui font l'expérience la plus commune. On aboutit à un art des situations, dans lequel on voudrait que le vêtement du concept ne flotte pas trop sur le corps de l'expérience[53].

Et il poursuit un peu plus loin : « l'intermédialité ne résulte donc pas de dispositifs techniques qui constitueraient autant de clés de la production intellectuelle

52. Éric Méchoulan, « Bergson anachronique, ou la métaphysique est-elle soluble dans l'intermédialité ? », *Intermédialités*, n° 3, « Devenir-Bergson », printemps 2004, p. 132.

53. Éric Méchoulan, « Bergson anachronique », p. 133.

ou de l'invention de sujets qui façonneraient leurs mondes d'objets, mais de *contretemps* où se contractent les idées et où les événements se dilatent[54]. » Le « bain d'images » qui entoure le concept comme la poussière du « soleil pulvérisé » chez Mallarmé, nous permet de saisir, non pas le chiffre du monde comme le moule spirituel des objets, mais « des événements, des instantanés d'événements-mondes. » (M, p. 30-31) L'intermédialité s'intéresse moins aux produits des inventions techniques qu'à son « halo de rêve solidaire [...] comme créations idéelles[55] » et nous invite, finalement, comme le faisait Mallarmé, au « spectacle ordinaire [de l'événement] mais à condition de le *remarquer* » (M, p. 31). Ce qui demande somme toute une habitude de perception qui n'est pas celle tranchante de la technique mais celle, plus élastique et fluide, de la philosophie. L'intermédialité oriente le regard analytique vers un monde mouvant sur lequel les événements disparaissent et apparaissent au rythme du battement d'aile d'un papillon. Ce monde qu'elle nous propose de voir est étranger aux mouvements de synthèse qui font disparaître, en proportion croissante de leur précision, le jeu essentiel entre les objets, les pratiques et les idées qui les forment et les inscrivent dans le temps.

Il y a deux conceptions du mouvement qui l'unissent à la disparition, l'une technique et l'autre philosophique. Selon la première, le mouvement comme synthèse dialectique aurait pour conséquence de tout faire disparaître, incluant le mouvement lui-même ; selon la seconde, il se perpétuerait comme le balancement d'un pendule entre la disparition des choses solides et leur apparition qui les dilaterait sous les images. Suivre les pas de l'intermédialité, c'est accepter de laisser conduire son regard par la seconde conception — que l'on appellerait ici, en forçant l'image, « l'effet spirituel de la danse intermédiale ». C'est là tout le mystère de sa réminiscence mallarméenne.

54. Éric Méchoulan, « Bergson anachronique », p. 134.
55. Éric Méchoulan, « Bergson anachronique », p. 135.

Aspects philosophiques de la disparition : un détour par la Chine ancienne

Nicolas Zufferey

Au bord du fleuve, les gens vont et viennent,
Ne pensant qu'à déguster la perche délicieuse.
Mais avez-vous remarqué cette pauvre voile
Qui apparaît et disparaît dans les vagues et le vent[1] ?

Un pêcheur dans le fleuve
(Fan Zhongyan, 989-1052)

Étymologiquement, notre mot « disparaître » renvoie à la phénoménologie : « disparaît » ce qui est privé *(dis-)* de paraître, et donc n'apparaît plus. De ce point de vue, la vision chinoise n'a rien d'étonnant. En Chine ancienne et impériale[2], la disparition est plus affaire de phénoménologie que d'ontologie, ou tout au moins, elle n'a pas toujours des implications ontologiques radicales : disparaître, ce n'est pas forcément être *anéanti*, ce n'est pas perdre son être ou son existence, c'est simplement ne plus être visible ou ne plus être vu. Le vocabulaire chinois pour dire le disparaître n'est pas celui de l'annihilation, c'est celui de l'éclipse, de l'oubli, du déplacement, éventuellement de la réduction ou de la transformation. Dans notre traduction du poème, cité en exergue, la voile apparaît et disparaît », dans le texte chinois, elle se contente de « sortir *(chu)* et

1. Notre traduction. Pour le texte chinois de ce poème relativement peu connu, voir Song shi jianshang cidian, Shanghai, Shanghai cishu chubanshe, 1987, p. 59.

2. Les sources citées dans cet article datent de l'époque des Royaumes Combattants (475-221 av. J.-C.), c'est-à-dire de la fin de l'époque ancienne (*Ancient China*) — qui se termine en 221 av. J.-C. avec l'unification impériale — et de l'époque impériale jusqu'au XIVe siècle. Cette dernière période correspond approximativement au concept de *Early Imperial China*, défini d'ailleurs de manière variable selon les auteurs.

sombrer *(mo)* » : le mot composé des deux caractères *chu* et *mo (chumo)*, suggère, encore en chinois moderne, l'alternance entre ce qui est visible et ce qui ne l'est pas, entre le présent et l'absent. La barque, lorsqu'elle est au creux de la vague, est soustraite au regard, mais elle n'est pas *soustraite* au monde : dans un instant, elle réapparaîtra. Notre barque disparaît parce qu'elle est cachée. On pourrait dire aussi que la disparition résulte du passage de la barque dans une autre dimension que celle de l'observateur, dimension à laquelle celui-ci, au moins durant un court instant, n'a pas accès. De façon générale, en Chine ancienne, le passage à une autre dimension n'implique ni anéantissement, ni coupure radicale, et ce même lorsque la dimension en question est celle des morts. Dans le texte suivant, tiré de la très officielle *Histoire dynastique des Han postérieurs* (compilée au ve siècle de notre ère), Liu Gen, un magicien de la fin de la dynastie Han (206 av. J.-C.–220 apr. J.-C.) fait apparaître des défunts :

> Liu Gen s'était fait ermite dans les monts Song, et ses adeptes venaient de très loin pour étudier la Voie. Le préfet Shi Qi, qui jugeait que Liu Gen trompait les gens avec sa prétendue sorcellerie, le fit arrêter et conduire au siège de la commanderie, où il le réprimanda ainsi : « Sur la base de quelle technique secrète te permets-tu de mentir et de duper ainsi les gens ? Si tu as vraiment des talents magiques, il faut me le prouver sur-le-champ, sinon je te ferai immédiatement exécuter » ! Liu Gen répondit : « Je n'ai pas de talent extraordinaire, si ce n'est que je suis capable de rendre visible les esprits. » Le préfet fit : « Dépêche-toi de les appeler, que je les voie de mes propres yeux, et je serai convaincu ! » Liu Gen regarda alors à gauche, en sifflant, et au bout d'un moment, les parents et ancêtres décédés de Shi Qi, ainsi que d'autres membres de sa famille proche, soit plusieurs dizaines de personnes, s'avancèrent, mains liées dans le dos. Ils se prosternèrent devant Liu Gen : « Notre rejeton manque totalement d'éducation, il mérite mille fois la mort ! » Puis ils se retournèrent vers Shi Qi pour le houspiller : « Toi, notre descendant, non seulement tu ne nous es d'aucune utilité, mais tu attires sur les âmes des défunts les ennuis et les humiliations ! Prosterne-toi vite pour nous faire pardonner ! » Effrayé et désolé, Shi Qi se jeta sur le sol, le frappant de son front jusqu'au sang, et se disant prêt à mourir pour racheter sa faute. Liu Gen maugréa sans répondre, et d'un coup tous s'en allèrent on ne sait où[3].

Dans ce texte, le magicien ne ressuscite pas les morts, il se contente de les faire apparaître : ceux qui avaient disparu (les défunts) n'avaient pas été anéantis, mais transportés dans une autre réalité. Le magicien rend visible ce qui est invisible aux gens ordinaires ; la magie, ici, est de nature médiumnique, elle fait communiquer des sphères qui sont normalement séparées. À la fin de l'épisode,

3. Hou Hanshu, chap. 82, Pékin, Zhonghua shuju, vol. 10, p. 2746 (notre traduction).

les morts s'en vont, mais là encore, les mots pour décrire cette disparition n'ont pas de connotation ontologique : les défunts s'en vont, et seule la soudaineté de leur départ (« d'un coup tous s'en allèrent ») indique le surnaturel.

Le médium fait *coïncider* deux ordres normalement séparés. On touche à l'idée de coïncidence, qui est instructive pour mieux appréhender les conceptions implicites sur la disparition en Chine ancienne : disparaît ce qui ne coïncide plus dans l'espace avec l'observateur, généralement en raison d'un mouvement ou d'un déplacement. À l'inverse, pour que les choses s'apparaissent les unes aux autres, il faut qu'elles « tombent ensemble ». La coïncidence implique parfois une part de chance ou de hasard, et les auteurs chinois ont largement usé de ce ressort. Dans le roman chinois traditionnel, les personnages sont nombreux, et ils apparaissent et disparaissent au fil du récit, dont la trame est souvent lâche, au gré de la fantaisie du conteur ou du narrateur. Le célèbre roman *Au bord de l'eau* (XIVe siècle), qui raconte les tribulations de 108 brigands, recourt de manière fréquente à ce procédé[4]. Au chapitre 6, par exemple, Lu Da, l'un des brigands, erre sans but dans la forêt des Pins rouges, qui n'est pas localisée de manière précise, mais se situe à l'est de la Chine (sans doute aux confins des actuelles provinces du Shandong et du Henan). Dans cette forêt, il tombe totalement par hasard sur Shi Jin, un autre des brigands, qu'il a quitté bien des mois plus tôt à Weizhou (dans l'actuel Gansu), à l'extrémité occidentale de l'Empire. À vol d'oiseau, il y a plus de mille kilomètres entre les deux lieux. De cette rencontre improbable, les deux comparses s'étonnent à peine : « Qui aurait dit que nous nous retrouverions ? » (ABL, p. 147), demande simplement l'un d'eux. La désinvolture avec laquelle le narrateur réunit ses personnages fait écho à celle dont il fait preuve pour les faire disparaître. Au début du chapitre 3, le brigand Shi Jin était le héros du récit ; mais à un moment, il « rentre à son hôtellerie » — et disparaît du récit : ce sont d'autres personnages qui prennent le relais. Après leur rencontre du chapitre 6, Shi Jin et Lu Da partagent quelques aventures (ABL, p. 147-152), puis se séparent à nouveau. À nouveau, c'est Shi Jin qui disparaît : « Laissons Shi Jin », dit sobrement le texte, sans autre justification. Mais si Shi Jin a disparu, il n'est pas mort pour autant : « Nous nous retrouverons bien un de ces jours » (ABL, p. 151), dit-il d'ailleurs à Lu Da ; et effectivement, Shi Jin réapparaît plus tard dans le roman.

4. Shi Nai-an et Luo Guan-zhong, *Au Bord de l'eau*, trad. Jacques Dars, Paris, Gallimard, coll. « Bibliothèque de la Pléiade », 2 vol., 1978. Désormais, les références à cet ouvrage seront indiquées par le sigle « ABL », suivi de la page, et placées entre parenthèses dans le corps du texte.

Apparaître et disparaître est donc ici simple affaire de coïncidence (dans tous les sens du terme). Notons la proximité entre le médium qui fait apparaître les morts, et le romancier (le narrateur) qui retrouve un personnage : on parlera de magie ou de surnaturel dans le premier cas, de hasard dans le deuxième, mais à chaque fois il s'agit de rendre visible en tirant de l'oubli et de faire (re-)coïncider des personnages avec un observateur, que celui-ci soit préfet ou simple lecteur de roman.

Pour en revenir à la magie, la jolie histoire suivante, également tirée de l'*Histoire des Han postérieurs*, est instructive dans notre contexte. Le magicien Zuo le Bienveillant est capable de faire apparaître à volonté biens et nourritures, mais il se heurte à la suspicion du grand homme d'État Cao Cao (155-220) :

> Cao Cao se rendit dans les faubourgs de la capitale, accompagné de ses grands officiers et serviteurs, soit une suite d'environ cent personnes. [Utilisant sa magie] Zuo le Bienveillant présenta à chacune d'elles une grande coupe de vin et une livre de viande séchée : il leur versa lui-même à boire, et chacun fut rassasié. Cao Cao, étonné, ordonna une enquête : on inspecta les boutiques du marché, et il s'avéra que toutes avaient été vidées de leur vin et viande. Mécontent, Cao Cao fit appréhender Zuo le Bienveillant en plein banquet pour le mettre à mort ; mais Zuo le Bienveillant pénétra dans le mur, et d'un coup disparut. Quelqu'un l'aperçut sur le marché, et on essaya à nouveau de le capturer ; mais toutes les personnes sur le marché se transformèrent, prenant l'apparence de Zuo le Bienveillant, si bien qu'on ne savait plus qui était qui. Par la suite, on le rencontra au sommet des monts Yangcheng [dans l'actuel Henan] : à nouveau, on le poursuivit, mais il se glissa dans un troupeau de moutons. Cao Cao, comprenant qu'il ne pourrait pas l'attraper, commanda de lui dire la chose suivante : « Mon but n'est pas de vous mettre à mort, je voulais simplement mettre à l'épreuve vos pouvoirs magiques. » Soudain, un vieux bélier, pliant ses pattes antérieures, se dressa [sur ses membres postérieurs] à la manière d'un homme et s'écria : « Pourquoi m'effrayer de la sorte ? ». Les hommes de Cao Cao se précipitèrent pour l'attraper, mais alors tous les moutons, soit plusieurs centaines, se transformèrent en béliers, et dressés comme des humains, les pattes avant repliées, s'écrièrent : « Pourquoi m'effrayer de la sorte ? » Si bien qu'on ne savait pas qui attraper[5].

Ce récit est d'autant plus extraordinaire qu'il est tiré d'une histoire dynastique officielle. Sous cette forme, le texte date du Vᵉ siècle de notre ère, mais il fait référence à des personnages de la fin du IIᵉ siècle, époque très troublée, et une interprétation possible est politique. Nous n'explorerons pas cette piste ici. Nous nous contenterons de souligner deux traits révélateurs dans notre contexte. Tout d'abord, lorsque Zuo le Bienveillant fait apparaître du vin et de la viande pour une centaines de convives, il ne crée rien : il s'est contenté de déplacer vers lui (ou d'aller chercher), par magie, les aliments qui se trouvaient dans les échoppes du

5. Hou Hanshu, chapitre 82, p. 2747-2748 (notre traduction).

marché. Rien ne se crée, rien ne se perd : ce qui a disparu là-bas reparaît ici. De la même façon, lorsque Zuo le Bienveillant disparaît pour fuir ses poursuivants, il reparaît ailleurs, éventuellement sous une autre forme : il continue à exister. Autre trait instructif, la transformation : notre magicien se soustrait à ses ennemis grâce à des métamorphoses. Tous les clients du marché prennent son apparence, puis il se transforme en bélier : en un sens, le magicien disparaît, puisqu'on ne le voit plus sous son apparence normale, mais bien évidemment, il continue à exister.

Déplacement et transformation ont deux aspects en commun. Premièrement, bien sûr, dans les deux cas, il n'y a pas de cessation de l'existence : en termes modernes, on parlera peut-être de préservation de la matière. Et deuxièmement, le déplacement comme la transformation impliquent un mouvement. Cela est essentiel pour comprendre la nature de la disparition en Chine ancienne : les choses et les êtres disparaissent parce qu'ils bougent et changent sans cesse, et la disparition n'est qu'un aspect de l'infinie variation des choses et du monde.

La mort elle-même, pour les lettrés de la Chine ancienne, est moins destruction que simple transformation, c'est-à-dire mouvement de matière. On a rencontré ci-dessus des défunts qui surgissent d'une autre dimension sous la forme de fantômes, mais pour les élites lettrées, moins crédules, la mort est plus terre à terre : elle n'est pas passage d'une dimension à l'autre (du monde des vivants au monde des morts), mais simplement d'un état à un autre. Dans les mots du célèbre philosophe taoïste Zhuangzi (IVe siècle av. J.-C.) :

> La femme de Zhuangzi étant morte, [son ami] Hui Shi s'en fut lui offrir ses condoléances. Il trouva Zhuangzi négligemment assis les jambes écartées et chantant en battant la mesure sur une écuelle. Hui Shi lui dit :
>
> – Que vous ne pleuriez pas la mort de celle qui fut la compagne de votre vie et qui éleva vos enfants, c'est déjà assez, mais que vous chantiez en battant l'écuelle, c'est trop fort !
>
> – Du tout, dit Zhuangzi. Au moment de sa mort, je fus naturellement affecté un instant, mais réfléchissant sur le commencement, je découvris qu'à l'origine elle n'avait pas de vie ; non seulement elle n'avait pas de vie, mais pas même de forme ; non seulement pas de forme, mais pas même de souffle. Quelque chose de fuyant et d'insaisissable se transforme en souffle, le souffle en forme, la forme en vie, et maintenant voici que la vie se transforme en mort. Tout cela ressemble à la succession des quatre saisons de l'année. En ce moment, ma femme est couchée tranquillement dans la Terre. Si je me lamentais en sanglotant bruyamment, cela signifierait que je ne comprends pas le cours du Destin. C'est pourquoi je m'abstiens[6].

6. Zhuangzi, *L'œuvre complète de Tchouang-tseu*, chap. 18, , trad. Liou Kia-hway, Paris, Éditions Gallimard, coll. « Collection UNESCO d'œuvres représentatives. Série chinoise. Connaissance de l'Orient », 1969, p. 145-146.

Wang Chong, le grand penseur du Ier siècle de notre ère, résume fort bien les choses dans ses *Discussions critiques* :

> Au plus fort de l'hiver, ce sont les fluides glacés qui l'emportent, et l'eau se cristallise pour devenir de la glace. Au printemps, les fluides s'adoucissent, et la glace fond. La vie humaine est un peu comme la glace : les fluides *yin* et *yang* se cristallisent et donnent les êtres humains ; une fois leur vie achevée, ils meurent et redeviennent fluides[7].

En bref, pour les penseurs chinois, qu'ils soient taoïstes comme Zhuangzi, ou plutôt proches du confucianisme comme Wang Chong, rien ne disparaît jamais entièrement : les choses se déplacent ou se transforment, elles paraissent disparaître parce que la matière est en perpétuel mouvement, que ce soit dans le temps ou l'espace, mais elles ne s'anéantissent pas. Le changement est au cœur de l'être.

A l'inverse, et en simplifiant, les modèles de type platonicien ou chrétien, qui ont privilégié l'immuable ou l'éternel (les Idées, l'âme, Dieu), laissent moins de place pour les transitions, les transformations, les états intermédiaires : les essences étant en quelque sorte absolues, irréductibles, la seule alternative à l'existence, c'est la non-existence, le non-être, la disparition radicale ou, bien sûr, le passage dans une transcendance par définition séparée et inaccessible[8]. En d'autres termes, en occident, la disparition prend plus facilement un tour ontologique, définitif, que ça n'est le cas dans le modèle chinois. Tout cela est bien sûr une simplification, et surtout n'implique pas que la disparition d'un être cher soit plus facile à vivre pour un Chinois que pour un occidental, et cela d'autant moins que la distinction entre corps et âme ayant joué un rôle secondaire dans la culture chinoise, les Chinois n'ont guère eu la consolation d'imaginer qu'ils retrouveraient leurs disparus dans l'au-delà.

7. Lunheng, 62.10, Lunheng zhushi, Pékin, Zhonghua shuju, 1979, vol. 3, p. 1196 (notre traduction).

8. Pour une vision (trop) tranchée de l'opposition entre pensée chinoise et pensée occidentale en l'espèce, voir par exemple François Jullien, *Procès ou création : une introduction à la pensée des lettrés chinois. Essai de problématique interculturelle*, Paris, Seuil, coll. « Des travaux », 1989. Nous ne pouvons examiner ici la façon dont les anciens Chinois envisagent l'être (au sens ontologique) ; rappelons simplement que nos concepts d'« être » et de « non-être » n'ont pas de véritable équivalent dans la tradition philosophique chinoise. Un couple approchant serait you/wu, qu'on rendra cependant en français par « (y) avoir » / « ne pas (y) avoir » plutôt qu'au moyen du verbe être ; Voir Angus C. Graham, « Being in Western Philosophy Compared with shi/fei and wu/you in Chinese Philosophy », *Asia Major* (nouvelle série), vol. 7, nº 1-2, 1959, p. 79-112. Ces différences pèsent évidemment d'un grand poids sur les conceptions respectives quant à la question de la disparition dans les deux traditions.

Colonel Chabert ou le revenant intempestif

Alain Brossat

En 1832, Balzac publie cette longue nouvelle qui s'appelle *Le Colonel Chabert*. On est donc au début de la Monarchie de Juillet, après le long épisode répressif et obscurantiste, peuplé par les spectres de l'aventure napoléonienne, de la Restauration. Au début du récit, après quelques préliminaires (tableau d'ambiance d'une étude d'avoué dans le centre de Paris), on assiste à cette scène qui nous conduit au cœur du sujet. Un vieillard d'apparence misérable se présente à l'étude de l'avoué Derville et demande à parler à celui-ci. L'avoué n'est pas là et, mi-sérieux, mi-moqueur, son clerc conseille au vieil homme de revenir à une heure du matin, lui disant que ce n'est qu'au milieu de la nuit que l'on peut espérer trouver son maître qui est toujours très occupé. Il espère ainsi se débarrasser de ce fâcheux. Mais à l'heure dite, l'homme est à nouveau là, avec son allure de spectre glacé. Et c'est alors qu'a lieu cet échange qui nous immerge dans notre sujet:

— Monsieur, lui dit Derville, à qui ai-je l'honneur de parler?

— Au colonel Chabert?

— Lequel?

— Celui qui est mort à Eylau, répondit le vieillard.

— En entendant cette singulière phrase, le clerc et l'avoué se jetèrent un regard qui signifiait: « c'est un fou[1] ! » (CC, p. 43).

La scène se passe en 1818, soit trois ans après la chute de l'Empire.

Contrairement à ce qu'on pourrait imaginer, Balzac n'est pas ici en train de s'essayer au genre de la littérature noire ou fantastique (*tale of terror* en anglais) façon *Mystères du château d'Udolphe* d'Ann Radcliffe ou *Melmoth* de Charles

1. Honoré de Balzac, *Le colonel Chabert* [1835], Monaco, Éditions du Rocher, coll.« Les grands classiques », 1994. Désormais, les références à cet ouvrage seront indiquées par le sigle « CC » suivi de la page et placées entre parenthèses dans le corps du texte.

Mathurin, il est en train d'écrire un des premiers grands textes modernes qui empoignent la question de la *disparition*. Ou peut-être pourrait-on dire les choses autrement: *Le colonel Chabert* est un texte où l'on voit Balzac et la littérature *saisis* par la question de la disparition, dans son temps où celle-ci impose, déjà, son *actualité*.

Reprenons donc pour essayer de donner un sens à cette formule violente qui cultive le paradoxe — « celui qui est mort à Eylau » — , prononcée par celui-là même qui est supposé être le mort. Chabert fait partie de cette petite noblesse d'Empire promue par le métier des armes, récompensée pour ses bons et loyaux services par des biens et des terres, mais constamment exposée aux aléas de la guerre ; ces gens-là ne sont pas des soldats d'opérette, mais des guerriers endurcis qui portent les armes de l'Empire jusque sous les murs de Moscou. Et c'est ainsi que Chabert, pris dans une charge de la cavalerie russe à la bataille d'Eylau (Prusse orientale, 1807), est jeté dans une fosse commune, tenu pour mort, à l'issu de ce carnage qui fit — et cela ne relève pas de l'imagination de Balzac, mais des annales historiques — dans les 40 000 morts. Ce chiffre considérable, mais assez courant dans le registre des hécatombes napoléoniennes, est à retenir, il n'est pas sans importance pour la suite.

Seulement voilà, Chabert n'est pas mort, il n'a été qu'assommé et blessé par un coup de sabre russe. Il revient donc à lui et s'extrait d'entre les morts (l'image lazaréenne), en s'accrochant, nous dit-il, au bras d'un cadavre, « un Hercule » (CC, p. 47). Il est ensuite recueilli et soigné par des humbles, des paysans allemands, puis admis dans un hôpital où il guérit lentement. Très tôt, il comprend ce que sa situation a de litigieux, c'est-à-dire à quelles difficultés expose la particularité d'être *revenu d'entre les morts*: dans la ville allemande où il a été soigné, donc, Heilsberg, il fait constater « dans les formes juridiques voulues par le droit du pays la manière miraculeuse dont [il est] sorti de la fosse des morts » (CC, p. 49). Intéressant est le biais juridique adopté d'emblée ici: « revenir d'entre les morts » n'est pas, selon cette approche, en premier lieu un problème métaphysique ou religieux, en dépit de l'emploi du mot « miraculeux », ce n'est pas même un problème existentiel ou moral, c'est un problème de droit: il faut faire valoir son *droit* à vivre encore (à être réintégré dans la société, à retrouver ses droits de vivant), alors même qu'on a été *rangé ou compté parmi les morts*. Grande lucidité prémonitoire de Chabert, ici, qui saisit que les vivants ont horreur des *re-venants*, pas seulement en tant que spectres ou fantômes, mais aussi et surtout, plus trivialement, parce que le propre des vivants, c'est de prospérer sur le compte des morts et d'occuper immédiatement les espaces laissés vacants par eux. Donc, en premier lieu, une question de droit: Chabert veut établir à toutes fins utiles ses *titres à exister*, en dépit de sa mort annoncée. Démarche ou précaution simple, en apparence, pure formalité ; travail de Sisyphe, en vérité.

Chabert fait du Arendt sans le savoir ; il a compris que pour retrouver une existence qualifiée, une vie sociale (de vivant parmi les vivants), il lui faut commencer par faire valoir, bizarrement, son *droit à exister* en dépit de la publicité de sa mort. Il ne suffit pas de la présence d'un corps, encore faut-il que du droit s'attache à cette présence, et pour que le droit prenne corps, il faut que le corps fasse corps avec une identité définie. Il faut que Chabert puisse dire non seulement : « voilà, je suis un survivant de la bataille d'Eylau », mais bien : « je suis Chabert, oui, ce Chabert-là et nul autre, et je vous le prouve » !

Première démonstration requise, préliminaire à toute ouverture de droit(s), c'est-à-dire à toute validation d'une vie *a priori* indéterminée en tant qu'elle est identifiée comme celle d'une *personne humaine nommable*, une singularité : si vous ne pouvez pas répondre de façon probante dans les formes requises, à la question « qui es-tu ? », ou si vous ne pouvez pas présenter les titres attendus à l'appui de votre réponse, vous n'existez pas. Plus l'on se rapproche de nos formes de vie modernes et de ce qui les appareille, et plus le niveau d'exigence s'élève, concernant la réponse au « qui ? » et concernant les documents et preuves à l'appui. Rappelez-vous, par contraste, la grande facilité avec laquelle, Ulysse, tout au long de son long voyage, abuse ses interlocuteurs à toutes fins utiles quand on lui demande qui il est. Ulysse vit dans un monde où l'on ne demande pas leurs « papiers » aux gens ; Chabert si, déjà.

Et voilà, donc : la guerre reprend, Chabert est chassé, en tant qu'ennemi de la ville où il a été soigné, il ne peut pas emporter avec lui les titres qui établissent son identité. Commence alors pour lui une vie errante, ballottée par les événements de la guerre, une existence *acosmique* (Arendt[2]) ou, comme il le dit, de vagabond, un Charlot napoléonien. Il est contraint de mendier son pain et se trouve finalement emprisonné pendant deux ans à l'étranger, comme suspect. Et c'est là que prend forme à proprement parler son calvaire. Pourquoi ? Parce qu'il est incapable de répondre de façon probante à la question : « Qui es-tu ? ». Qui lui pose cette question ? Des autorités, des policiers, prompts à voir des espions ou des suspects partout, dans cette Europe moyenne en guerre. Et quand il répond : « je suis le colonel Chabert », ces autorités lui disent : « Prouve-le ! Où sont les papiers qui l'attestent ? » Et comme il ne peut pas le prouver, on l'enferme et on

2. Hannah Arendt, « Charlie Chaplin : le suspect », dans *La Tradition cachée : le juif comme paria*, trad. Sylvie Courtine-Denamy, Paris, Éditions Christian Bourgois, coll. « Choix essais », 1987, [1948].

le prend soit pour un individu dangereux (version policière), soit pour un fou (version compassionnelle, populaire). Je le cite :

> Après deux ans de détention que je fus obligé de subir, après avoir entendu mille fois mes gardiens disant : « voilà un pauvre homme qui croit être le colonel Chabert ! » à des gens qui répondaient : « le pauvre homme ! », je fus convaincu de l'impossibilité de ma propre aventure, je devins triste, résigné, tranquille, et renonçai à me dire le colonel Chabert afin de pouvoir sortir de prison et revoir la France. (CC, p. 50).

Ce passage est important, puisqu'il nous achemine lentement mais sûrement vers la situation que Lyotard décrit au début du *Différend*[3] : Chabert n'est pas encore exactement un « plaignant », ici, quoiqu'il subisse un tort très avéré, mais en tout cas, ce qu'il demande en l'occurrence, ce n'est pas une réparation, c'est simplement à être *validé, reconnu* pour ce qu'il sait être. Ce qui est déjà totalement inscrit dans la problématique lyotardienne, c'est l'enjeu du *défaut de preuve*. Ici, ce contraste déchirant entre ce que je *sais le mieux* — qui je suis, du moins, du point de vue de mon identité, mon nom, ma « naissance » — et mon impuissance à faire partager cette évidence par d'autres, à passer d'un régime du « je » à un régime du « nous ». C'est la même configuration (toutes choses égales par ailleurs) que celle du survivant qui, mieux que quiconque, *sait* que 99 % de ceux qui ont débarqué avec lui du convoi sur la rampe d'Auschwitz sont morts (il les a vus entrer dans la chambre à gaz), mais est dans l'incapacité d'en apporter la preuve formelle à un public incrédule, blasé ou sceptique.

On retrouve cette figure du pur déchirement, cette miniature du désastre, dans une scène terrible du film *Le temps du loup* (2003) de Michaël Haneke. On y voit une femme et ses enfants, dans un groupe de réfugiés, en un temps incertain de guerre mal identifiée (guerre civile, guerre ethnique, désastre nucléaire…) reconnaître ou croire reconnaître tout à coup un des membres d'une bande qui, au début du film, a froidement assassiné son mari pour les dépouiller. La femme et les enfants, crient, jurent, adjurent les quelques hommes en armes qui occupent la place du « juge », dans cette scène, d'arrêter cet assassin, mais celui-ci ne se démonte pas, il n'a jamais vu ces gens-là, dit-il, il n'a jamais été à l'endroit qu'elle dit, et il se défend si bien qu'à la fin, le spectateur ne sait plus, pas davantage que les hommes en armes qui renvoient les parties dos-à-dos : on ne peut pas juger quelqu'un sur la foi d'un seul « témoignage »…

Ce qui est à noter, dans la situation de Chabert, c'est la forme que prend la chute de celui qui ne peut faire valoir son propre récit à propos de ce qu'il

3. Jean-François Lyotard, *Le Différend*, Paris, Les Éditions de Minuit, coll. « Critique », 1983, p. 16 *et sq.*

est auprès de la société — je suis Chabert —, c'est-à-dire faire coïncider ce qu'il énonce avec la réalité; la forme que revêt cette chute est double et particulièrement draconienne — ce que j'appelle un désastre intime: soit il sera traité comme un criminel, soit comme un fou. Dans le premier cas, on va considérer qu'il ment, qu'il est un imposteur et donc que son mensonge recouvre quelque crime ou intention d'en commettre; dans le second, on verra dans son énoncé la manifestation d'un délire. Et donc, à défaut de pouvoir faire coïncider son énoncé et la réalité *reconnue comme telle* par tous les autres, il va devoir se plier à cette évidence absolument catastrophique: qu'il n'est aucune forme de réalité humaine, aussi simple, aussi évidente, aussi immédiate soit-elle pour un sujet donné (individuel ou collectif), qui ait la capacité de s'imposer par elle-même, sans passer par des procédures de validation, d'identification, de reconnaissance sociales, politiques, juridiques. Ce qui pourrait se dire autrement, au prix d'un léger déplacement: il n'est aucune vérité (vérité d'expérience, vérité d'évidence perceptive, etc.) dont un individu est le siège qui tienne face au doute ou aux certitudes adverses de l'opinion et de l'autorité coalisées. Et donc, pour revenir à la vie, et dans l'espoir de faire valoir ses droits ultérieurement, Chabert va cesser de se dire Chabert, c'est-à-dire soumettre son récit aux conditions de la tyrannie de l'opinion, entrer dans la peau du « pauvre » fou.

Résumons donc cette première « leçon » que nous dispense ici Balzac: il n'est aucune espèce de réalité, aussi élémentaire ou massive soit-elle, qui soit assurée de faire l'objet d'un récit assuré, découlant d'elle-même comme de source. En d'autres termes, il ne suffit pas d'« y avoir été », de l'avoir « vu de ses propres yeux », de l'avoir « soi-même subi » pour pouvoir composer un récit. Et plus il est question de s'établir comme le narrateur s'inscrit dans l'horizon des faits ou épreuves « hors normes », rares ou « extrêmes » et plus les tentatives de mettre en récit seront exposées à tous les périls. Le problème de Chabert est indissociable de la fosse commune, de la dimension exterminationniste des campagnes napoléoniennes; il ne se poserait pas si Chabert avait survécu, après avoir été tenu pour mort, à un accident de chasse.

Tel est donc le premier moment du désastre dont Chabert connaît l'épreuve en tant que survivant rejeté et stigmatisé ou, si l'on veut, innocent puni et devenant victime. Ici, des rapprochements avec des personnages de Kafka pourraient s'imposer, la petite musique théologique ou métaphysique en moins, et encore: quand le hasard de la survivance à un désastre devient une sorte de *faute personnelle*, on entre dans un domaine d'indétermination morale tout à fait singulier. C'est cela l'épreuve effroyable à laquelle doit faire face Chabert: être puni sans fin pour le crime imaginaire d'avoir survécu à un cataclysme. À l'évidence, faire face à une telle situation requiert des ressources morales plus importantes que celles que mobilise le courage guerrier. Il est plus facile d'être un brave ou un héros qui tombe au champ d'honneur (avec tous les autres) que d'être ce survivant qui voit le monde entier se liguer contre lui pour empêcher sa *réapparition* ou, ce qui revient au même, pour tramer sa disparition. Le cœur de cette épreuve, c'est ce « seul contre tous » sans fin, tel que l'endure Chabert.

C'est lorsque Chabert finit par rentrer en France, en pleine Restauration, donc, dans un monde où il fait partie, politiquement, des vaincus et des stigmatisés, où il est *out of time*, que se précise l'articulation du tort subi et de l'impossibilité de faire valoir une plainte. En effet, de retour dans son pays après cette longue *odyssée* (je reviendrai sur le rapprochement obligé avec les tribulations d'Ulysse), Chabert découvre que son épouse chérie, se pensant veuve, s'est empressée de se remarier avec un aristocrate d'ancienne facture, qu'elle est devenue comtesse Ferraud, du nom de son nouveau mari, et qu'elle a accaparé les trente mille livres de rente qui revenaient à Chabert. Naturellement, le retour d'outre-tombe du colonel ne fait pas du tout l'affaire de la donzelle et, lorsque notre homme a entrepris de faire valoir premièrement qu'elle n'avait pas cessé d'être sa femme, au plan légal, et secondement qu'elle avait capté son bien, elle l'a purement et simplement chassé comme un gueux et un imposteur — dont il a toute l'apparence —, ce qui tombe bien pour elle. Et donc, les choses en sont là quand se produit cette fameuse conversation, évoquée au début, entre Chabert et l'avoué Derville. Voici le résumé que fait le colonel, explicitement plaignant cette fois, de sa situation sans issue, demandant au juriste (les professions d'avoué et d'avocat sont mal distinguées à l'époque) de prendre en charge sa cause :

> Mais, Monsieur, la comtesse Ferraud n'est-elle pas ma femme ? Elle possède trente mille livres de rente qui m'appartiennent, et ne veut pas me donner deux liards. Quand je dis ces choses a des avoués ; à des hommes de bon sens ; quand je propose, moi, mendiant, de plaider contre un comte et une comtesse ; quand je m'élève, moi, mort, contre un acte de décès, un acte de mariage et des actes de naissance, ils m'éconduisent, suivant leur caractère, soit avec cet air froidement poli que vous savez prendre pour vous débarrasser d'un malheureux, soit brutalement, en gens croyant rencontrer un intrigant ou un fou. (CC, p. 51)

Pour être reconnu ou enregistré comme plaignant, encore faut-il, dirait Arendt, que vous soyez constitué comme sujet juridique ou politique, c'est-à-dire que vous puissiez présenter vos titres d'appartenance. Or, ce n'est pas le cas de Chabert. Sa situation dans sa propre société, dans son propre pays, est ici exactement la même que celle du réfugié, de l'apatride, de celui qui a perdu tous ses droits et qui, simple corps, se trouve *réduit à merci*, exposé au bon vouloir ou à l'arbitraire des pouvoirs et des puissants. Il est, tout à la fois un sans papiers et un SDF (il vit dans une espèce de taudis qui horrifie l'avoué lorsque celui-ci s'y égare une fois), et, à ce titre, frappé d'inconsistance sociale, politique et juridique, ne pesant rien dans cet Ancien régime d'opérette qu'est la société de Louis XVIII et de Charles X, il n'a aucune chance de faire reconnaître le tort subi, ni enregistrer le litige qui l'oppose à son ancienne femme. Il est un invisible, un exclu de l'intérieur. Ces motifs nous sont devenus familiers du fait de la multiplication des cloaques et des lieux de relégation dans nos sociétés. Comme le plus souvent dans ces cas-là, la dimension sociale de l'acosmisme (un pauvre) se combine avec la dimension juridico-politique (un sans-papiers) pour composer la figure de celui qui ne peut accéder, selon la formule arendtienne convenue, au droit de faire valoir ses droits. Chabert décrit cette épreuve non pas comme exclusion ou mise au ban, mais comme *enfouissement*, *ensevelissement* : « J'ai été enterré sous des morts ; mais maintenant, je suis enterré sous des vivants, sous des actes, sous des faits, sous la société toute entière, qui veut me faire rentrer sous terre ! » (CC, p. 51). Cette figure de la *désolation* (*solitudo*) fait penser, toutes choses égales par ailleurs, à celle du *musulman* des camps nazis, telle que l'évoque Agamben commentant Primo Levi[4] : même position indéterminée du sujet entre les vivants et les morts. Ni vivant qualifié (il a perdu son nom, il est « personne » et non une personne), ni mort, dans cet entre-deux fatal, sur cette ligne de fracture d'où il ne peut articuler un récit de légitimation, ni engager une procédure de validation de ses titres à être qui il est.

Aussi bien, sa situation s'apparente ici à celle de l'ancien détenu du goulag qui, dans la nouvelle de Vassili Grossman (l'auteur de l'immortel *Vie et destin*) *Tout passe*[5], revient chez lui après la mort de Staline et la fin de la terreur de masse. Au lieu d'être accueilli en victime, il est traité en gêneur et en suspect, car son retour d'« entre les morts » (rappelons-nous le titre du témoignage de déportation de Dostoïevski, *Souvenirs de la maison des morts*) accuse la lâcheté et le silence de tous ceux qui ont échappé à la répression au prix de leurs petits et grands compromis avec l'ordre totalitaire. Après la « mort » concentrationnaire, une seconde mort attend le *revenu-revenant* du camp, cette sorte d'ostracisme rampant qui le frappe dans une société transie, rompue et déjetée par deux décennies de terreur et d'exterminations. Avec Chabert, il y a ce même effet

4. Giorgio Agamben, *Ce qui reste d'Auschwitz : l'archive et le témoin*, trad. de Pierre Alferi, Paris, Payot, coll. « Bibliothèque Rivages », 1999, p. 23 *et sq.*

5. Vassili Grossman, *Tout passe*, trad. Jacqueline Lafond, Paris, Julliard, coll. « L'Âge d'homme », 1984.

de contretemps: la bonne société revancharde, parasitaire et obscurantiste de la Restauration ne supporte pas le retour de ce spectre qui, même en lambeaux, continue d'incarner l'esprit d'un temps d'héroïsme, de bruit et de fureur grandioses auquel elle tourne le dos.

Il y a un conflit ouvert entre cette société incarnée par la comtesse Ferraud, l'ex-épouse de Chabert, son (nouveau) mari, et le rescapé des temps napoléoniens, conflit à propos, tout simplement, de ce qu'est le réel: pour les premiers, le réel se réduit à ce qu'a imposé le cours des choses, il est ce qui l'a emporté en rien d'autre, il est donc, littéralement, le monde des vainqueurs, ce présent-là irrécusable, tel qu'il s'incarne dans des institutions, des carrières, des fortunes, des succès mondains, etc. Le réel, c'est l'advenu, tel qu'on l'a sous les yeux et tel qu'il coïncide ainsi avec le devant-être: s'il a l'allure qu'il a, c'est bien qu'il fallait qu'il en soit ainsi. Dire le réel est, dans cette optique, simple: il suffit de raconter ce qu'on a sous les yeux, c'est un réel de journaliste. Pour Chabert, au contraire, le réel, c'est cela même qui se dérobe au récit, c'est-à-dire cette guerre sourde entre d'autres possibles de l'histoire (Napoléon vainqueur à Waterloo et ce qu'on peut imaginer qui se serait enchaîné à cette victoire...), des épopées refoulées, des expériences condamnées au silence, des bifurcations biffées, et ce qui se montre, mais qui est l'inessentiel. Ce que met en scène, entre autres, l'obstination de Chabert à *revenir*, à *faire retour* dans la société française, c'est, bien évidemment, le conflit de deux aspirations à *faire époque*. Le « retour » réussi de Chabert signifierait infiniment davantage qu'un sauvetage individuel — une leçon d'histoire. Ce serait la démonstration que ce qui fait époque, en ce début du XIXe siècle, en dépit des aléas politiques et militaires, ce n'est évidemment pas la restauration de pacotille, mais bien la séquence Révolution-Empire. D'où la haine et la crainte que suscitent le « spectre » Chabert auprès des parvenus du nouveau régime. Il est redouté et haï comme celui qui incarne la menace d'une démonstration de l'inconsistance de l'histoire des vainqueurs et du retour toujours possible d'une autre histoire, épique et plébéienne, en dépit de tout. Il faut donc qu'il disparaisse.

Et inversement, Chabert est écrasé par le fardeau de cette mission impossible: faire la démonstration de l'imposture des vainqueurs, faire valoir contre le cours des choses un récit qui *redresse l'histoire*, un récit qui débouche sur des actions de restitution, de réparation, sur une scène où la justice est rétablie: où le guerrier qui a payé de sa personne se voit rétabli dans ses droits, où les profiteurs et les parasites sont démasqués. Mais qui, par ses seules forces, pourrait prétendre redresser le récit de l'histoire pour faire valoir, seul contre tous, ce qui vraiment fait époque? Chabert, ici, par certains traits, fait penser au conspirateur Blanqui affrontant ses juges et incarnant envers et contre tout le mouvement infini de la révolution face à ces veilleurs de nuit[6]: *son* époque, *son* actualité ne pourra jamais coïncider avec la leur, en dépit de leur coprésence, et c'est la raison pour laquelle il doit, lui aussi, *disparaître* dans un cul-de-basse-fosse.

Second résumé, donc: la possibilité de faire enregistrer une plainte est sans rapport avec l'énormité du tort subi. La première condition pour qu'une telle procédure puisse s'engager (et donc la possibilité d'articuler et de rendre audible un *récit de plaignant*), c'est que celui qui entend la formuler soit identifiable en tant qu'inscrit, inclus dans une sphère juridique. Sinon, son récit et sa plainte seront de l'ordre du *flatus vocis*, un bruit, une rumeur, un effet de voix qui se perdent dans l'éther et ne trouvent pas de répondant dans une situation d'interlocution. C'est bien ce que dit, presque littéralement, Chabert: il apparaît trop excentré ou trop insignifiant aux yeux de ceux auprès desquels il va chercher assistance pour être, tout bonnement, *entendu*. Derrière cette surdité de l'ordre social et politique à la plainte de cette variété de déclassé, se présente une possibilité redoutable — celle de son devenir-fou: le fait même d'avoir raison contre tous les autres et de persister à faire valoir son droit et sa vérité contre eux vous fait tomber dans la folie. La folie est ici un statut social, la condition propre de celui qui s'obstine à vouloir faire entendre son propre récit de vérité contre tous les autres.

En principe, d'ailleurs, faute de pouvoir faire exposer vos preuves et faire valoir votre bon droit, vous avez toutes les chances de glisser *effectivement, soit vers la folie* (des grandeurs, manie de la persécution, etc.), *soit vers la criminalité.* C'est le paradigme qu'expose magnifiquement la nouvelle de Kleist *Michael Kohlhaas*[7]. Constamment, la victime d'un *tort extrême*, quel qu'il soit (la violence génocidaire n'étant qu'un cas parmi d'autres) est exposée, dans le prolongement de son échec à produire un récit probant de ce tort, à redoubler son glissement hors du champ de la vie commune (et donc à donner raison à ceux qui demeurent incrédules ou méfiants face à son récit) en entrant dans la peau de ces personnages: le fou, le criminel, ou encore, le suicidé. A l'origine, Michael Kohlhaas est absolument dans son bon droit: il a subi une injustice, une spoliation, du fait de ce grand seigneur brutal et arrogant qui a volé et maltraité ses chevaux. Seulement voilà: rencontrant l'impossibilité de faire entendre sa plainte devant

6. Auguste Blanqui, *Instructions pour une prise d'armes* [1868]; *L'éternité par les astres: hypothèse astronomique* [1872] *et autres textes*, Paris, Société encyclopédique française, Éditions de la Tête de feuilles, coll. «Futur antérieur», 1973.

7. Heinrich von Kleist, *Michael Kohlhaas* [1810], trad. d'Armel Guerne et Robert Sctrick, Paris, Phébus, coll. «Verso», 1991.

une instance impartiale (le seigneur est protégé au plus haut niveau), il *entre en fureur*, jette le masque du paisible marchand et se mue en impitoyable guerrier qui met toute l'Allemagne à feu et à sang pour quelques chevaux — ou plus exactement pour l'impossibilité de découper l'espace public et juridique dans lequel une plainte pourrait être énoncée et entendue à propos de cet incident —, est-ce bien raisonnable ? À ce sujet, incidemment, il ne serait pas tout à fait inutile de se demander comment Ulysse (on parle ici de la fin de l'*Odyssée*, du massacre des prétendants, de la récupération du trône d'Ithaque et de sa place refroidie dans la couche de Pénélope) persiste à être aux yeux des anciens et aux nôtres aussi, un *héros*, jusqu'au bout, y compris au-delà de cette affreuse extermination, tandis que Kohlhaas, lui, nous apparaît comme une sorte de monstre ou de dément, et Chabert, nous le verrons, au bout du chemin, bien pire encore, un douceâtre martyr chrétien. Ulysse, en effet, n'est-il pas, en l'occurrence, celui qui, d'emblée, renonce à *exposer le litige* qui l'oppose aux prétendants sur un mode procédural, à se mettre en quête de l'introuvable tribunal qui le rétablira dans ses droits ? Ulysse est cette figure *éloignée*, perdue pour nous dans les lointains du passé, qui n'a pas de temps à perdre à chercher les moyens de *phraser* autour du différend qui l'oppose à ses adversaires. Il ne s'en remet pas à l'impossible décision d'un juge, mais à celle de son arc. Il rétablit ses droits tout seul, parce que lui, il bande encore — le fameux arc, bien sûr. C'est une option, face au différend, face à l'échec de la mise en phrases de la plainte, face à la fâcheuse tendance des juges à se défiler ou de perdre les dossiers. Gardons-la en mémoire, ce qui nous changera un peu de notre propension croissante à nous installer vertueusement dans le rôle du chœur, c'est-à-dire des pleureuses et de leurs « hélas, trois fois hélas » dédiées sans fin à la mémoire des malheureuses victimes — je pense ici aux *Perses* d'Eschyle en premier lieu.

Il s'agit de poser assez abruptement cette question, histoire de prendre date à propos de cet enjeu qui est au cœur de préoccupations amplement partagées aujourd'hui : quels sont les présupposés cachés de l'évidence contemporaine selon laquelle nous avons à adopter sur tous les désastres présents et passés, les immenses et les infinitésimaux, le point de vue des victimes ? Ce ralliement, conditionné par notre âme sensible davantage que par des *choix* philosophiques ou éthiques délibérés, est-il de nature à fonder le meilleur des récits possibles des désastres et la plus efficace des résistances possibles à ceux qui s'annoncent ?

Revenons à Chabert. Sa rencontre avec l'avoué Derville produit une soudaine interruption de la malédiction qui le frappe : pour la première fois, quelqu'un l'écoute, prête foi à son récit, adopte son parti. L'homme de loi se déclare prêt à l'aider à faire valoir ses droits. Cet infléchissement du destin, Chabert le nomme un *miracle* : « les paroles du jeune avoué furent donc un miracle pour cet homme rebuté pendant dix années par sa femme, par la justice, par la création sociale entière ». L'avoué fait les démarches nécessaires pour retrouver les documents qui prouvent son identité, une procédure s'engage en vue d'une conciliation avec son ancienne épouse, et dès l'instant où Chabert se trouve ainsi *réinclus* dans un espace juridique, qu'il peut faire valoir son point de vue dans un débat contradictoire, il connaît une véritable *résurrection*, on persiste dans le registre *lazaréen*. Aussi longtemps que sa plainte n'était pas *entendue*, *reçue* devant une instance de type judiciaire, Chabert demeurait en marge de l'humanité ; il se décrit lui-même comme un « débris » de l'épopée napoléonienne, ballotté par les éléments dans cette sorte de tempête qu'est l'Histoire (Benjamin). Il évoque son errance de « débris curieux, après avoir ainsi roulé sur le globe comme roulent dans l'Océan les cailloux emportés d'un rivage à l'autre par les tempêtes ». Cette dérive ne se décrit pas seulement comme déclassement, mais bien comme perte d'humanité. Ce n'est pas seulement qu'il a perdu son nom, c'est aussi qu'il a perdu son *visage*, son apparence humaine : « Comment aurais-je pu intéresser une femme ? J'avais une face de *Requiem*, j'étais vêtu comme un sans-culotte, je ressemblais plutôt à un Esquimau qu'à un Français, moi qui jadis passais pour le plus joli des muscadins, en 1799 ! Moi, Chabert, comte de l'Empire ! » (CC, p. 54).

On voit bien ici le chemin qui conduit de l'impossibilité de se faire le narrateur d'un récit de catastrophe, de l'incapacité du narrateur à articuler son désastre propre à cette sorte de retour à la nature, au sauvage — « l'Esquimau ». Comment témoigner de son propre devenir-autre, quasi-animal ?

Au reste, Chabert étant ainsi devenu « méconnaissable », selon ses propres termes, il va perdre le dernier des recours de type juridique, dans son effort pour prouver qu'il est bien celui qu'il dit être, le recours à un *témoin*, à défaut de preuves matérielles. Son compagnon d'armes, le maréchal des logis, qui a assisté à sa fausse mort sur le champ de bataille d'Eylau, qui, en 1814, l'a identifié après son retour à la vie, ne le reconnaît plus, à Paris, à l'issue de tant d'années d'errances et de tribulations. Quand Chabert retrouve sa trace et l'adjure de se porter garant de son identité, l'autre demeure sceptique et refuse de témoigner. Il y a tant d'imposteurs, d'usurpations d'identité en ces temps troublés, après toutes ces hécatombes, tous ces bouleversements !

À ce stade, donc, Chabert a touché le fond du calvaire infligé au survivant : il a perdu toute puissance sociale, a perdu son nom, ne peut rien faire valoir de ses états de service, il n'a plus figure humaine et est voué pour cette raison à la plus rigoureuse des solitudes. La fable imaginée par Balzac est tout entière guidée par cette intuition cruelle : les vivants ont horreur des survivants parce que ceux-ci ont séjourné trop longtemps du côté de la mort, trop près d'elle, et y ont perdu leur figure humaine. Le premier mouvement des vivants ordinaires à l'endroit des survivants n'est pas de compassion mais de vindicte. L'ancienne épouse de Chabert donne un corps et un nom à ce premier mouvement en ne ménageant aucun effort pour renvoyer ce spectre à son néant, pour, dit Balzac, « l'anéantir socialement » (CC, p. 99). Ce n'est que dans un deuxième temps que les vivants, épouvantés par ce qui se découvre d'abîme de méchanceté ontologique dans ce premier mouvement, vont s'adonner à cette piété victimophile sans rivage qui nous est devenue une seconde nature. Mais n'ayons garde de l'oublier : les années de l'immédiat après-guerre, dans un pays comme la France, pour ne rien dire de la Pologne, sont des années où l'antisémitisme est encore et toujours florissant et prospère, non pas comme si rien ne s'était passé, mais bien plutôt comme si, au fond, chaque survivant était de trop, coupable d'être revenu de l'enfer, suspect à ce titre.

Le second mouvement qui porte à se rallier à tous les récits de victimes, à raconter tous les désastres selon leur point de vue, n'est donc pas celui de la compassion ou de la pitié rousseauiste (souffrir avec), mais bien celui de ce que Nietzsche appelle la mauvaise conscience, affect réactif par excellence. Balzac écrit son *Colonel Chabert* en un temps, dans un *topos* où l'horreur du survivant, en tant que victime, peut encore se déployer et s'exposer assez tranquillement, parmi les vivants. Ce temps n'est plus le nôtre, semble-t-il.

Quoi qu'il en soit, Chabert, après avoir touché le fond, avoir connu l'épreuve dont, par excellence on ne peut témoigner, celle de la dégradation d'une vie qualifiée en vie nue, Chabert quitte la position du chasseur Gracchus de Kafka[8], ce *no man's land* entre vie et mort, dès lors que l'entremise de l'avoué Derville lui permet d'accéder à un espace public, de renouer avec l'interlocution. Balzac décrit non sans une certaine ironie cette sorte de résurrection :

> Le défunt arriva donc voituré dans un cabriolet fort propre. Il avait la tête couverte d'une perruque appropriée à sa physionomie, il était habillé de drap bleu, avait du linge blanc, et portait sous son gilet le sautoir rouge des grands officiers de la légion d'honneur. En reprenant les habitudes de l'aisance, il avait retrouvé son ancienne élégance martiale. (CC, p. 88)

8. Franz Kafka : « Le Chasseur Gracchus » [1917], dans *La Muraille de Chine et autres récits*, trad. Jean Carrive et Alexandre Vialatte, Paris, Éditions Gallimard, coll. « Folio », 1984.

On a ici une illustration très concrète, imagée, de l'opposition grecque, réactivée par Arendt et Agamben[9], entre *zoe* (vie) et *bios* (vie qualifiée). Une vie qualifiée, c'est une existence propre qui est dotée de la capacité à se présenter au monde et aux autres humains en exhibant les attributs d'une singularité, en exposant et en faisant valoir une distinction, des *signes particuliers*: ici, une décoration, du linge blanc (signe d'appartenance à la bonne société; la plèbe ne porte pas de linge blanc), une perruque seyante, une voiture. Autant de signes *d'appartenance*. À partir de là, tout peut s'enchaîner: Chabert retrouve *voix au chapitre*, il est visible, il peut se présenter devant une instance arbitrale et obtenir réparation. Une fin morale se dessine, celle à laquelle nous aspirons tous, en présence des désastres et des violences extrêmes — la réadoption des victimes, la pratique de rites d'expiation ou de compensation appropriés, l'apaisement des douleurs, et, grâce à la somme de ces gestes, le retour à la normale. Mais ce n'est qu'un trompe-l'œil et tout l'art de Balzac est de nous conduire sur cette fausse piste (le différend *réparé*) pour mieux nous faire tomber dans l'embuscade et nous asséner son coup de massue philosophique — le différend ne se *règle pas*, le désastre ne se *répare pas*. Leçon antidialectique, qui laisse le négatif de l'histoire sans relève ni sauvetage. Chabert, au fond, n'aspirait, pour toute réparation, qu'à une chose: retrouver, sinon l'amour, du moins l'« estime » de son épouse, c'est-à-dire entrer dans un jeu de *reconnaissance mutuelle* avec elle. Pouvoir se réjouir de ce qu'enfin, elle l'identifie en tant que vivant, comme ce qu'il n'a jamais cessé d'être. Il n'exige rien d'elle, si ce n'est qu'elle valide son retour en *dignité humaine* — la *dignitas* romaine, c'est d'abord un rang, d'où découle, ensuite, une valeur morale.

Mais nous l'avons vu, la comtesse Ferraud n'aspire qu'à une chose: que Chabert disparaisse — et elle manœuvre, elle intrigue sans relâche à cette fin. Lorsque enfin Chabert voit clair dans son jeu, il est anéanti: il renonce à se battre, abandonne toute la procédure, il se laisse retomber dans sa position acosmique. Bientôt arrêté, condamné comme vagabond, il est interné à l'hôpital de Bicêtre où il retombe en enfance. Derville qui a fini par retrouver sa piste lui rend visite et le trouve jouant au soldat, comme un enfant. Comme il le salue d'un « Bonjour colonel Chabert! », le vieillard répond: « Pas Chabert! pas Chabert! je me nomme Hyacynthe [...] *Je ne suis plus un homme*, je suis le numéro 164,

9. Voir, notamment: Hannah Arendt, *Les Origines du totalitarisme. L'Impérialisme* [1951], trad. Martine Leiris, Paris, Éditions du Seuil, coll. « Points », 1984, (chapitre 5: « Le déclin de l'État-nation et la fin des Droits de l'Homme ») et Giorgio Agamben, *Ce qui reste d'Auschwitz.*

septième salle » (CC, p. 113, je souligne). Sur le visage de ce numéro qui n'est plus un homme, dit Balzac, se lit « une anxiété peureuse, une crainte de vieillard et d'enfant ».

Le jeune avoué lui glisse dans la main une pièce de vingt francs pour s'acheter du tabac et s'en va. Il l'entend qui psalmodie dans son dos, tandis qu'il s'éloigne « Feu des deux pièces ! Vive Napoléon ! » (CC, p. 113). Le souvenir de l'autre Histoire possible, celle d'une reprise de la grande épopée, n'est plus conservé que par un vieillard retombé en enfance.

Ou bien encore : ce que nous dit donc cette fin sarcastique et cruelle est explicite. Au temps de ce que Foucault appelle *l'histoire massacrante*[10], temps inauguré pour lui par les carnages napoléoniens, précisément, l'extrême se donne à voir comme l'irréparable, l'irrelevable. Au moment précis où il s'avise de ce que l'amour de sa jeunesse ne désire rien d'autre que son retour dans la fosse commune d'Eylau (d'où il n'aurait jamais dû sortir, aux yeux des vivants), il renonce à parler, à présenter le tort, à espérer une réparation. Il se laisse doucement glisser à nouveau dans la fosse. C'est une sorte de suicide, entre stoïcisme, dit Balzac, et désespoir. C'est la certitude poignante que le survivant ne peut pas obtenir justice ni même rencontrer les conditions d'une réception publique de son récit d'épreuve. Et donc, il choisit cette ligne de fuite benjaminienne, si l'on veut, il retombe en enfance, il revient à l'enfance, il joue, lui l'ancien guerrier, aux petits soldats. Il descend doucement vers l'infime, le dérisoire, l'insignifiant, l'infra-humain, le quasi-animal, vers *l'abject* auquel l'a brièvement arraché Derville. Ulysse, lui, se redressait et accomplissait sa dernière geste de héros en faisant coïncider sur un mode terrible la figure du justicier (du droit) et celle de la guerre, de l'extermination, en construisant des machines de guerre qui étaient simultanément des machines à réparer les torts, voire à régler de vive force les différends.

Dans les deux cas, remarquons-le, les procédures régulières de la justice et de la réparation sont en panne. Et donc, on voit bien que face à la multiplication de ce genre de situation placé sous l'empire du différend, on a toujours deux solutions : soit adopter le jeu d'Ulysse, soit celui de Chabert. Dans tous les cas, contrairement à ceux qui s'en remettent en tout aux potentialités du langage, à nos facultés de prendre la parole ou de communiquer, il n'y a pas matière à

10. Michel Foucault : « Les meurtres qu'on raconte », dans *Moi, Pierre Rivière, ayant égorgé ma mère, ma sœur et mon frère, un cas de parricide au XIX*e *siècle*, Paris, Éditions Gallimard, « Archives »,1973, p. 265 *et sq.*

phraser. Il y a des corps qui entrent en action ou qui, au contraire, se laissent dépérir.

Irrésistiblement et par contraste, la nouvelle de Balzac fait penser à une autre œuvre notoire, le sinistre tableau du baron Antoine Gros intitulé *Le champ de bataille d'Eylau* (1808), typique document d'histoire de vainqueurs où l'on voit l'Empereur caracolant à la lisière des cadavres et des agonisants, un chromo que Benjamin avait peut-être en tête lorsqu'il écrivit, dans sa fameuse thèse VII : « Tous ceux qui jusqu'ici ont remporté la victoire participent à ce cortège triomphal où les maîtres d'aujourd'hui marchent sur le corps des vaincus d'aujourd'hui [...]. Il n'est aucun document de culture qui ne soit aussi document de barbarie[11] ». Aux antipodes du document de barbarie fabriqué par le courtisan Gros, *Le colonel Chabert* se présente à nos yeux, en dépit de sa fin un peu sulpicienne, comme la contribution de Balzac à l'histoire des vaincus, c'est-à-dire, si l'on veut, à une histoire de la disparition. L'épopée napoléonienne n'y est pas vue du haut d'un cheval, de haut en bas, sous un angle où les cadavres des soldats ne sont qu'un entremêlement indistinct, mais bien du fond de la fosse commune, là où, dit Benjamin, même les morts ne sont pas en sécurité. Deux gestes s'opposent ici : celui de l'Empereur qui tend la main vers l'horizon indéfini de ses conquêtes, à la manière d'Alexandre, et celui du mort-vivant qui se hisse hors de la fosse en s'agrippant au bras raidi par le froid et la mort d'un de ses camarades massacrés. Le haut et le bas, toujours. Mais libre à vous d'inverser les positions, en disant, par exemple, comme le pamphlétaire Paul-Louis Courier, commentant, vers 1804, les aspirations impériales du général Bonaparte : « Il aspire à descendre : il veut se faire empereur[12] ».

11. Walter Benjamin, « Thèses sur la philosophie de l'histoire » [1940], dans *Œuvres 2. Poésie et Révolution*, trad. Maurice de Gandillac, Paris, Denoël, coll. « Les Lettres nouvelles », 1971, p. 281.

12. Paul-Louis Courier, « Lettre à M. N., à Plaisance » [1804], *Pamphlets*, Paris, Éditions Jean-Jacques Pauvert, coll. « Libertés », 1966.

"Illusions of Absence:" Disappearances, Displacements, and the Limits of Responsibility in *The Winter's Tale* and *The Remains of the Day*

Susan Bruce

I. *The Remains of the Day*: Ruth and Sarah

> "Lord Darlington wasn't a bad man. He wasn't a bad man at all. And at least he had the privilege of being able to say at the end of his life that he made his own mistakes. [...] As for myself, I cannot even claim that. [...] I can't even say that I made my own mistakes. Really—one has to ask oneself—what dignity is there in that?"[1]

So crescendos the brief conversation on the bench on Weymouth pier at the end of *The Remains of the Day*, when Mr. Stevens, in a rare moment of bleak self-reckoning, confronts momentarily the essence of his wasted life in his acknowledgement that he "can't even say that [he] made his own mistakes." This deceptively simple sentence raises profound ethical questions, for Mr. Stevens' anguish here, (and by extension the reader's empathetic grief, although I will shortly seek to complicate such identifications) stems from a recognition which is complex indeed. What might it mean, to make *someone else's* mistakes? Through the course of this novel we have been brought gently to a point where we may not even notice the oddity of what moves us (for this conversation is nothing if not moving) nor question the truth of something whose implications, were we to stop and think about them, we might find incomprehensible, a syntactical fault. In

1. Kazuo Ishiguro, *The Remains of the Day*, London and Boston, Faber and Faber, 1993, p. 243. Henceforth, references to this text will be indicated by the initials "RD," followed by the page number, and placed in parentheses in the body of the text.

ordinary English, where our mistakes can only be our own, this locution makes no sense. Surely, one cannot really make someone else's mistakes?[2]

That, despite the idiomatic strangeness of the moment, the reader of Ishiguro's novel experiences Mr. Stevens' locution not as an error but as a devastating truth, speaks to the complexity of *The Remains of the Day* and to the capacity of fiction to change one's mind, or at least significantly to challenge one's preconceptions about really important things. It also points to the way in which Kwame Anthony Appiah's assessment of the novel, in his recent *Critical Inquiry* essay on liberalism and identity, gets it wrong. Appiah criticises Ishiguro for something which, he implies ("the novel *cheats*," he says [emphasis mine]), is a shortcoming—aesthetic, intellectual, even moral. Appiah argues that Mr. Stevens' life is a failure because "he is and intends to be servile" where "servility entails [...] behaving like a *slave* [...] whose will is somehow subjected to another's." "But," Appiah goes on:

> [...] the novel cheats in its argument against this form of servility. Ishiguro [...] obscures the relationship between dignity and individuality by conflating servant and slave; he prevents us from seeing that it is servility, not service, that is undignified.[3]

The distinction Appiah employs here is at base economic: a servant is, at least in law, free to choose not to serve his master—he can resign—, whereas a slave is not. One need not be overly Althusserian about service to remark that the apparent freedom of the servant is more complex than it might on the face of it seem, and as I shall try to show, *The Remains of the Day* is humanely sympathetic to the limitations servitude apparently hedges around agency, as well as firm in its conviction that resistance to injustice, at least in the form of a right to resign, remains a real possibility for most of us, whomever, or whatever, we serve. Service *per se* is not characterised as undignified in the novel (*Remains* offers us at least one representation of a servant [Miss Kenton] whose dignity at crucial moments in the text—even when she is wrong—remains unquestioned in it); more importantly, although something like servility is one of the novel's organising concepts, "servility" is in some respects an unhelpful term. It skates over distinctions which the novel does not take so lightly, such as those between holding an opinion, voicing it, and acting on it. And it is almost always used to qualify *someone else*:

2. One can of course say, "I made his mistake," meaning: "I made the same mistake as he." But this is not what Mr. Stevens means.

3. Kwame Anthony Appiah, "Liberalism, Individuality and Identity," *Critical Inquiry*, Vol. 27, No. 2, winter 2001, p. 315.

it does not lend itself to self-reflexivity.[4] Its employment almost inevitably bolsters a self/other distinction, and for this reason, as well as for its inhospitality to questions to which I will later return (such as: "is it worth having an opinion if you do not voice it, or voicing it if you do not act upon it?") it can obscure the questions which the novel wants to scrutinise and to test.

For in fact, Ishiguro is at pains to examine how it can happen that service *can* slip into servility, an illustration which entails a closer connection between Stevens and his readers than some critics of the text, Appiah included, have allowed. For another misreading of the novel is one which takes Stevens to be some kind of realist representation of an anachronistic servant,[5] whose dilemmas and problems are not ones we ourselves would be likely ever to face. Ishiguro did not *intend* Stevens as an Other to the reader in this way; rather, he thinks of him, he says, as "a good metaphor for the relationship of very ordinary, small people to power"[6] (holding that most of us are, like Stevens, exactly that: very ordinary, small people). What then are we to make of the fact that in some respects the text does encourage this kind of apprehension of distance between Stevens and the reader, not least in its construction of an implied audience of other butlers? Stevens' invitation to his reader to sympathise with his anxieties over his staff plan, for instance, is at once comical and distancing in its assumption that the reader expends a good deal of time thinking about his (I use the pronoun intentionally: the implied narratee is male) staff plan. "You will no doubt agree that the very best staff plans are those which give clear margins of error" (RD, p. 8) Stevens observes; this kind of comment in fact invites disagreement, not the consensus that Stevens anticipates. We don't spend a lot of time thinking about the quality of staff plans, because we are not butlers (some of us, indeed, are not

4. The etymology of the word "servility" renders its contemporary usage problematic: the etymology—like a slave—disparages through analogy to a state which now inspires sympathy, not contempt. We would not, for instance, use the term of an indentured labourer, or a woman trafficked into the sex trade. This is not to begin to speak of issues such as the relation of servility to self-deception, or in turn the relation between self-deception and intention. It is, for example, far from self-evident at what level Mr. Stevens can, as Appiah claims he does, "intend to be servile" (p. 315, italics mine).

5. For discussions of the novel's relation to realism see for instance Ben Howard, "A Civil Tongue: The Voice of Kazuo Ishiguro," *Sewanee Review*, Vol. 109, No. 3, 2001, p. 398-417, and Frederick M. Holmes, "Realism, Dreams and the Unconscious in the Novels of Kazuo Ishiguro," in James Acheson, Sarah C. E. Ross (eds.), *The Contemporary British Novel*, Edinburgh, Edinburgh University Press, 2005, p. 11-20.

6. Ishiguro, quoted in Adam Parker, Kazuo Ishiguro's *The Remains of the Day: A Reader's Guide*, New York, London, Continuum Press, 2001, p. 54.

even male). Such preoccupations being foreign to us, we can't "agree" with Stevens here (or indeed disagree with him). His assumptions that we will measure instead the distance between us, because he is assuming that we are someone we are not; in this way, the relationship Stevens implies generates a kind of denial in the reader which takes the form "but I am not a butler."[7]

But this denial can become denial in another, deeper sense, if we allow it too much sway. There is a complex paradox at work here, wherein too stringent a rejection of our similarity to Stevens can end up producing precisely the kind of self-deception that Stevens himself is prey to, the very assertion of our difference from him acting to make us similar to him if we persist too strongly in seeing the dilemmas that Stevens presents us with as someone else's kind of problem. Where, for instance, lie the boundaries of the "we" in the following clause, which is also addressed by Stevens as one butler to another: "we must be careful not to attempt to deny the responsibility which ultimately lies with ourselves?" (RD, p. 35) As Phelan and Martin point out, the complexity of Stevens' narration places his audience in "a challenging ethical position".[8] To some degree, Stevens is a figure for the reader, as well as a counter to her. *The Remains of the Day* sets up the action as if we were simply passive eavesdroppers on the story of Stevens' life, but manipulates the relation between narrator and reader so that we become increasingly encouraged to ask ourselves the questions which Stevens refuses to answer. Deftly conflating questions of personal and political responsibility, the novel ultimately challenges the reader to address those questions herself. And the way in which the text manages the displacement of such questions of responsibility from narrator to narratee is its deployment of a textual disappearance at its centre, a disappearance which, although underplayed, even apparently forgotten in the margins and conclusions of the text, is fundamental to the novel's meaning: the fulcrum, as it were, of its ethical force.

That disappearance is initiated when Lord Darlington, in his role as facilitator of the appeasement of the Nazis, calls Stevens into his study to instruct him to dismiss the two Jews on his staff:

7. For arguments of this nature see Rebecca Suter, "'We're Like Butlers:' Interculturality, Memory and Responsibility in Kazuo Ishiguro's *The Remains of the Day*," *Q/W/E/R/T/Y*, Vol. 9, 1999, p. 244; and Andrew Teverson, "Acts of Reading in Kazuo Ishiguro's *The Remains of the Day*," *Q/W/E/R/T/Y*, Vol. 9, 1999, p. 257-258.

8. James Phelan and Mary Patricia Martin, "The Lessons of 'Weymouth': Homodiegesis, Unreliability, Ethics and *The Remains of the Day*," in David Herman (ed.), *Narratologies: New Perspectives on Narrative Analysis, Columbus*, Ohio University Press, 1999, p. 88-109.

> "I've been doing a great deal of thinking, Stevens. [...] We cannot have Jews on the staff here at Darlington Hall."
> "Sir?"
> "It's for the good of this house, Stevens. [...] I've looked into this carefully, Stevens, and I'm letting you know my conclusion."
> "Very well sir."
> "Tell me, Stevens, we have a few on the staff at the moment. Don't we? Jews, I mean."
> "I believe two of the present staff members would fall into that category, sir."
> "Ah." His lordship paused for a moment, staring out of his window. "Of course, you'll have to let them go."
> "I beg your pardon, sir?" (RD, p. 146-147)

Immediately after the conclusion of this conversation, Mr. Stevens proceeds to inform Miss Kenton that he will, the following day, dismiss Ruth and Sarah. She reacts as he did not:

> "Does it not occur to you, Mr. Stevens, that to dismiss Ruth and Sarah on these grounds would be simply—*wrong*? I will not stand for such things. I will not work in a house in which such things can occur [...]
> I am warning you, Mr. Stevens, I will not continue to work in such a house. If my girls are dismissed, I will leave also. [...]
> I am telling you, Mr. Stevens, if you dismiss my girls tomorrow, it will be wrong, a sin as any sin ever was one and I will not continue to work in such a house." (RD, p. 149)

And yet: Ruth and Sarah are dismissed; Miss Kenton puts up no opposition. Although "for some days following the dismissal of the employees" she is "extremely cold" to Mr. Stevens (RD, p. 150) she says nothing beyond, once, the re-iteration of her intention to hand in her notice, which she does not do. She does not leave. More than a year after the event, Mr. Stevens tells us, the "matter" came up "one last time" when Darlington expresses his regret about the incident, and instructs Stevens to see if he can find Ruth and Sarah to recompense them for what had happened. It is of course too late for that. Ruth and Sarah have gone, and beyond relating a final conversation with Miss Kenton about the matter, in which she expresses her anguish at having done nothing, Mr. Stevens says no more about them. On page 154 they vanish from the text for good, as absolutely as they have from Darlington Hall.

Inhabiting just eight pages of a 245 page novel, Ruth and Sarah might appear inconsequential in the grand scheme of *The Remains of the Day*. Yet of course, they are not. Their ghosts pace the unspoken borders of Mr. Stevens' self-protective prose, call out to be remembered against a text that apparently forgets them, haunt that conversation on the bench at Weymouth pier. They are the embodiment of the problem with which I began: it is their disappearance, unspoken, unacknowledged, "by and large, forgotten" by the characters in this narrative (RD, p. 150), which is "someone else's mistake," the crucial, desperate, shameful mistake that Mr. Stevens regrets so deeply at the novel's conclusion that he cannot even acknowledge it as his own, or bring them back, even into language, at the end of the day. It is as if they have been "disappeared" by the novel, in a callous, if aesthetic, repetition of the manner in which so many human beings have been "disappeared" by the regimes they oppose in the 20th century. But how is it that characters who are afforded so little physical space in a text, or even in the manifest consciousness of a text's protagonist, can play so large a part in the mind of the text's readers? How is it that they can haunt the boundaries of a narrative, refuse to be banished from it, even when they are incidental to its plot, and banished from its prose? How do they deny the text's authority to make them disappear, to "disappear" them? And what resonance does their disappearance hold for the complex issues of responsibility that *The Remains of the Day* addresses? I want now to find a way of approaching some of these questions by way of a brief dialogue with a much earlier text and with those who have addressed it, a text which shares almost nothing with *Remains* except for the fact that it fails to restore what is lost, "disappearing" some of its characters even from the memory of those they leave behind.

II. *THE WINTER'S TALE*: MAMILLIUS.

For many years, now a broad critical consensus on *The Winter's Tale* has read the play as a romance or a tragi-comedy, accentuating in it a movement from apparently tragic opening to reconciliatory, joyous, outcome, the magical coming-to-life of Hermione-as-statue an art, in Leontes' words, as "lawful as eating".[9] The play[10] may open with Leontes' self-destructive jealousy, but it closes, according to

9. William Shakespeare, *The Winter's Tale*, Stephen Orgel (ed.), Oxford, Oxford University Press, 1996 [1611], Act 5, Sc. 3. p. 110-11. Henceforth, references to this text will be indicated by the initials "WT," followed by the line reference and placed in parentheses in the body of the text.

10. As *The Winter's Tale* opens, Leontes, King of Sicilia, attempts to persuade Polixenes, his childhood friend and the King of Bohemia, to prolong his nine month visit to Sicily. Failing, he instructs his heavily pregnant Queen, Hermione, to try her luck. She succeeds; Leontes falls into a sudden access of jealousy. He confides in his servant Camillo, asking him to poison Polixenes; Camillo agrees, but warns Polixenes, who flees with Camillo. Act 2 opens with the heavily pregnant Hermione playing with her young son Mamillius; Leontes accuses Hermione of carrying Polixenes' child. He imprisons her, despite the protests of his courtier, Antigonus, that Hermione is innocent, and sends two courtiers, Cleomenes and Dion, to the Oracle for the truth. Hermione is delivered

most, with the restitution of that which was lost (Perdita) and the reconstitution of the patriarchal royal family. Dowden, the first to confer upon the text the generic label of "romance," saw it as possessing "a sweet serenity"[11] and his perception of the play's conclusory tone has been echoed by critics of very different theoretical persuasions for more than a century now. J. H. P. Pafford, in 1963, held that the experience of the play "is [...] one of disaster resolving to tranquillity"(p. lx), the ending of the play "[restoring] most of the good [...] and [... bringing] about [...] reconciliation among [...] nearly all concerned."[12] (p. lxviii) In the 1980s, Northrop Frye understood the play to rehearse a metamorphosis from the bleakness of

of an infant daughter; Antigonus and his wife Paulina bring the babe, named Perdita, to Leontes, vigorously defending Hermione's innocence, but Leontes instructs that the babe be taken hence and consumed with fire. He arraigns Hermione, who defends herself with great dignity; Cleomenes and Dion arrive with the pronouncement of the oracle: "Hermione is chaste, Polixenes blameless, Camillo a true subject, Leontes a jealous tyrant, his innocent babe truly begotten, and the King shall live without an heir if that which is lost be not found" (WT, Act 3, Sc. 2, p. 131-34). Leontes denies the Oracle, upon which a servant enters declaring that Mamillius is dead. Hermione collapses and is carried offstage. Leontes' jealousy evaporates, but it is too late: Paulina enters, lamenting the death of Hermione. Leontes vows to mourn his wife and son for the rest of his days.

Meanwhile, Antigonus has taken the baby Perdita to Bohemia, where he abandons her, and is eaten by a bear ("Exit, pursued by a bear" is the infamous stage direction). Time passes (personified, in the form of a chorus announcing a 16 year gap); brought up by a shepherd, Perdita meets and falls in love with Florizel, son of Polixenes. Polixenes, furious at what he sees as his son's betrayal in marrying beneath him, accosts Florizel at his wedding and threatens to deny him his inheritance if he does not abandon Perdita. Florizel and Perdita flee with Camillo to Sicilia.

Meanwhile, back in Sicily, Leontes has resisted the blandishments of Cleomenes and Dion to re-marry, agreeing instead to allow Paulina to govern the giving of his hand. Florizel and Perdita arrive; we see them meet with Leontes, but the revelation of Perdita's identity is reported, not shown. Also reported is news of a statue of Hermione, executed by "that rare Italian master, Giulio Romano" (WT, Act 5, Sc. 2, v. 94). The last scene of the play sees the re-united Leontes, Polixenes, Perdita, Florizel, Camillo and Paulina gather to view this statue, which, some fifty lines from the end of the play, awakes, descends from its pedestal to embrace Leontes and address her daughter. Leontes concludes the play with the instruction to Camillo and Paulina to marry, and leads all away to tell their separate stories.

11. Edward Dowden, *Shakespeare*, London, Macmillan and co., 1877, quoted by Stephen Orgel in WT, p. 3.

12. J. H. P. Pafford, in William Shakespeare, *The Winter's Tale*, J. H. P. Pafford (ed.), London, New York, Routledge Press, 1966.

winter to the promise of spring,[13] and C. L. Barber and Richard P. Wheeler maintained that "the shift from tragedy to romance [at the end of Shakespeare's career] comes to restore a sense of the magical and sacred in human experience,"[14] akin to "the action of successful mourning, in which the lost beloved is recovered as an inner presence and the mourner is free to turn anew towards worldly objects." (WJ, p. 334) Even Howard Felperin's sophisticated deconstructive treatment of the text came to rest, finally, in resolution and acceptance, arguing that:

> [...] the very opacity that had been such a problem in the language of the opening act becomes [...] the means of resolving that problem. If we cannot know except through the dark glass of language, we might as well accept what is a necessary limitation on our knowledge. Like Leontes [...] we may even [...] come to welcome this uncertainty as ground for belief: "If this be magic, let it be an art / As lawful as eating."[15]

Even more recently, although Stephen Orgel wants to "abandon the category of romance," and "the fiction of Shakespeare [...] declining into a serene old age and producing a drama of wisdom, reconciliation and harmony," (WT, p. 6) he too subscribes eventually, like most of his critical forebears, to a reading which settles in restoration. For Pafford, what was restored at the conclusion of *The Winter's Tale* is the quality of "good;" for Barber and Wheeler, what returns is "a sense of the magical and sacred in human experience;" for Orgel, "what is restored, finally, in this quintessentially Jacobean drama, is royal authority." (WT, p. 79)

What almost all readings of the play propose, then, is an understanding which tacitly adopts not only the joyous celebratory tone with which Leontes concludes the play, but also the pragmatic, rather managerial assumptions of his male courtiers, who hold that there exists something akin to an economy of regret, within which losses consequent on the mistakes of one's past can be laid to rest, not just forgiven but also, ideally, forgotten. The first scene of the play's final act explores this assumption by way of a discursive contest between Paulina, Cleomenes and Dion, over the propriety of memory or forgetting, fault or redemption, mourning or melancholia. "Sir," Cleomenes starts:

13. Northrop Frye, *Northrop Frye on Shakespeare*, Robert Sandler (ed.), Newhaven, Yale University Press, 1986.

14. C. L. Barber, Richard P. Wheeler, *The Whole Journey: Shakespeare's Power of Development*, Berkeley, University of California Press, 1986, p. 298. Henceforth, references to this text will be indicated by the initials "WJ," followed by the page number, and placed in parentheses in the body of the text.

15. Howard Felperin, "'Tongue-Tied our queen?': The Deconstruction of Presence in The Winter's Tale," in Patricia Parker, Geoffrey Hartman (eds.), *Shakespeare and the Question of Theory*, New York, London, Methuen, 1985, p.3-18, 16.

> You have done enough, and have perform'd
> A saint-like sorrow: no fault could you make
> Which you have not redeem'd; indeed, paid down
> More penitence than done trespass: at the last,
> Do as the heavens have done, forget your evil;
> With them forgive yourself (WT, Act 5, Sc. 1, v. 1-6)

Dion and Cleomenes are motivated here by anxiety over the succession: it is the "dangers, by his highness' fail of issue, / [that] may drop upon his kingdom and devour / Incertain lookers on" (WT, Act 5, Sc. 1, v. 27-29) that the two courtiers fear, should the king fail to remarry and produce an heir. Paulina's words, of course, are motivated by her knowledge that Hermione lives. But whilst the male courtiers adopt a strategy of persuasion that seeks to negate the past and its consequences, rewriting attempted infanticide and the mortal suffering of Mamillius into something more discrete—"fail of issue"—Paulina's words are arguably in excess of what is necessary to accomplish her design. She does not merely dissuade Leontes from remarrying, but acts also as the scourge of his memory, refusing to let the past go, or to allow Leontes to evade the real nature of his responsibility: "she you kill'd" she reminds the King (WT, Act 5, Sc. 1, v. 15); and later, she eggs on Leontes' painful fantasy of the ghost of the dead Hermione returning tortured by his imagined remarriage, and in turn torturing him for forgetting her, shrieking, "Remember mine" (WT, Act 5, Sc. 1, v. 60).

Clearly, one of the things that is going on in this scene is a gendered competition between male and female courtiers over the body and the will of the King. This is a competition which Paulina 'wins': Leontes is not allowed to remarry until Paulina tells him that he may; Cleomenes and Dion fail in their attempt to erase the past from the collective memory (for which Leontes' memory surely stands in this instance). It is, then, a little surprising that so many accounts of the play, as we have seen, tacitly embrace the courtiers' perspective, insisting that the movement of the play is unilinear, forward directed, leaving behind a troubled past in its passage to a brighter future, the forgetting of past evil and loss a necessary corollary to the forgiveness of the self. In adopting this perspective, such accounts fail properly to answer the questions which the debate (in urgent tones) foregrounds, not least in the figurative language the parties in it employ. What does it mean to do "enough" for one's past sins? How much sorrow and repentance can account for a gross or an evil action? Cleomenes' words, like Dion's, are littered with the language of exchange and comparisons:[16] faults weighed by redemption, trespasses paid down in penitence, the state weighed against "fail of

16. For a provocative discussion of this language, see Stanley Cavell, *Disowning Knowledge in Six Plays of Shakespeare*, Cambridge, Cambridge University Press, 1987, p. 193-221.

issue," the holiness of a revived Hermione outweighed by that of "royalty's repair," past evils and sorrows subordinate to "present comfort" and to "future good," forgiving and forgetting earned, in the end, by the "performance" of a "saint-like sorrow," as if regret were reducible to a ritual. But can one "pay down" penitence to redeem one's trespasses: is the language of restitution, retribution, accounting for, paying back, an adequate language to express Leontes'—and perhaps more pertinently, the play's—dilemma? It would seem not, from this dialogue and its outcome. Paulina's words reject such accounts of sin and repentance: they deny the very basis of the discourse which Cleomenes and Dion invoke. For Paulina there is no possibility of such parallels, of finding comparable value in other possibilities; for her "there is none worthy / Respecting her that's gone." (WT, Act 5, Sc. 1, v. 35)

And of course, *The Winter's Tale* brings the dead Queen back, transforming a dead, static media into a living, moving being, as Hermione steps down from the podium and "hangs about his neck" (WT, Act 5, Sc. 3, v. 111), an action which implicitly counters Cleomenes' and Dion's language of exchange, and endorses Paulina's rejection of the rhetoric of replacement. This is the play's great restoration, art transforming itself into life, a statue displaced by a living breathing Hermione. The attention paid by the play to the moment of this transformation from one medium (stone) to another (flesh), as well as its importance in productions of the play in the theatre has been the source of a great deal of critical reflection:[17] the transition, played out over 155 lines, is not only the climactic moment of the play's resolution, but a dramatic enactment of the power of what is liminal and in-between to move those (off as well as on the stage) who witness it. The moment where stone metamorphoses into flesh places in suspension a whole range of oppositions, and troubles the separation of their poles: the quick and the dead, the magic and the real, art and life. Looking upon the statue, Leontes expresses the way in which, even in the moment of its revelation, as Paulina pulls back the curtain to expose it to our gaze, it challenges the stability of such familiar polarities: "Oh thus she stood," he exclaims, remembering Hermione when he courted her, "even with such life of majesty—warm life, / As now it coldly stands—when first I woo'ed her," and yet no sooner has he uttered these words that he deconstructs them:

> I am ashamed. Does not the stone rebuke me
> For being more stone than it? O royal piece!
> There's magic in thy majesty, which has
> My evils conjured to remembrance, and

17. See for instance Leonard Barkan, "'Living Sculptures': Ovid, Michaelangelo and The Winter's Tale" *ELH*, Vol. 48 (1981), 639-667. For a brief account of "the statue in the theatre" see Orgel, 62-77.

From thy admiring daughter took the spirits
Standing like stone with thee. (WT, Act 5, Sc. 3, v. 35-42)

Even the surface of the statue comes to represent the porosity of the boundaries between conventional oppositions, for the statue, we learn, is painted: "but newly fixed; the [colour] / Not yet dry," as Paulina puts it (WT, Act 5, Sc. 3, v. 45-46). "The ruddiness upon her lip is wet" she tells Leontes, "You'll mar it if you kiss it, stain your own, / With oily painting" (WT, Act 5, Sc. 3, v. 80-82). Well may Leontes remark that "the fixture of her eye has motion in't, / And we are mocked with art." (WT, Act 5, Sc. 3, v. 66-67) And yet of course in the end they are not "mocked with art:" art instead keeps the tacit promise that it makes, and becomes the vehicle through which Hermione really is restored, to motion and to speech and to her family.[18]

But some losses in *The Winter's Tale* are not recuperated. Antigonus' exit, pursued by a bear, may afford some farcical comedy but his death is brutal for all that: "to see how the bear tore out his shoulder-bone, how he cried to me for help and said his name was Antigonus," (WT, Act 3, Sc. 3, v. 94-97) relates the clown; "how the poor souls roared, and the sea mocked them: and how the poor gentleman roared, and the bear mocked him, [...] the men are not yet cold under the water, nor the bear half dined on the gentleman: he's at it now." (WT, Act 3, Sc. 3, v. 98-105) The relation of this incident may veer from the tragic quality of the first two acts to a kind of grotesquerie those acts do not own, but there is an underlying brutality here that is ill-explained by (for instance) appeals to dramatic expediency.[19] Surely, Shakespeare might have found a less gruesome demise for Antigonus; surely, too, had he wanted, he could have returned him to Sicily. After all, he manages stranger things with Perdita and Hermione. More seriously still, Mamillius is dead of shame, and will never, unlike his mother and sister, return. Leontes has, through his actions, lost his heir, a "gentleman of the greatest promise that ever came into [...] note, [...] a gallant child [...] that [...] physics the subject, makes old hearts fresh" (WT, Act 1, Sc. 1, v. 35-39); this is a loss which can never be recovered. Paulina mentions Mamillius ("jewel of children") just before the entrance of Florizel, to which Leontes instructs her to "cease; [...] / He dies to me again when talked of" (WT, Act 5, Sc. 1, v. 116-119). Thereafter, he is simply erased from the drama. Like Ruth and Sarah, he just disappears. No one

18. Hermione tells us that "knowing by Paulina that the oracle / Gave hope [Perdita] wast in being," she "preserved [herself] to see the issue" (WT, Act 5, Sc. 3, v. 126-127); a touch of realism thus "explains" the magic as lawful as eating.

19. Pafford argues that Shakespeare "introduces [Antigonus] largely to make plausible the deposit of the babe, and then has to dispose of him on shore." (J. H. P. Pafford, in William Shakespeare, *The Winter's Tale*, p. lxiv)

mentions him again; there is no indication, even, that any remembrance of him lingers to mar the reconciliatory joy of the drama's conclusion.

Few have taken Mamillius' disappearance from the text seriously enough to argue that we should continue to lament him when his parents have apparently recovered from his loss. But Edward Hall's Propeller Theatre's 2005 production of the play, which had the actor who played Mamillius (Tam Williams) double as Time and as Perdita, may suggest that perhaps the time is ripe for different, less complacent, accounts of the play to find their moment: this was a production which, in the words of the *Guardian* reviewer, was "framed as a nightmare of family disintegration experienced by the doomed young prince, Mamillius."[20] And despite the hegemony of the "romance" reading of *The Winter's Tale*, some critical voices linger to remind us—so in danger, like Leontes, of forgetting—of the stark irrecuperability of the very major loss which the play never, at its very end, calls into its accounts. The best and most moving of these remains one from another century: Swinburne's response to *The Winter's Tale* which is, like Mamillius himself, largely, and undeservedly, forgotten. But for its emotional engagement with the problem of Mamillius' disappearance, and its strikingly intelligent insights about the play's closing act, Swinburne's account of the text is worth hearing again. Here is what he said:

> The wild wind of *The Winter's Tale* at its opening would seem to blow us back into a wintrier world indeed. And to the very end I must confess that I have in me so much of the spirit of Rachel weeping in Ramah as will not be comforted because Mamillius is not. It is well for those whose hearts are light enough, to take perfect comfort even in the substitution of his sister Perdita for the boy who died of "thoughts high for one so tender." Even the beautiful suggestion that Shakespeare as he wrote had in mind his own dead little son still fresh and living at his heart can hardly add more than a touch of additional tenderness to our perfect and piteous delight in him. And even in her daughter's embrace it seems hard if his mother should have utterly forgotten the little voice that had only time to tell her just eight words of that ghost story which neither she nor we were ever to hear ended. Any one but Shakespeare would have sought to make pathetic profit out of the child by the easy means of showing him if but once again as changed and stricken to the death for want of his mother and fear for her and hunger and thirst at his little high heart for the sight and touch of her: Shakespeare only could find a better way, a subtler and a deeper chord to strike, by giving us our last glimpse of him as he laughed and chattered with her "past enduring," to the shameful neglect of those ladies in the natural blueness of whose eyebrows as well as their noses he so stoutly declined to believe. And at the very end (as aforesaid) it may be that we remember him all the better because the

20. Lyn Gardner, *The Guardian*, 2005, quoted on the British Council Website, www.britishcouncil.org/china-arts-ukinchina-drama-aboutpropeller-2.htm.

> father whose jealousy killed him and the mother for love of whom he died would seem to have forgotten the little brave sweet spirit with all its truth of love and tender sense of shame as perfectly and unpardonably as Shakespeare himself at the close of *King Lear* would seem to have forgotten one who never had forgotten Cordelia.[21]

It is to the implications of this passage that I wish in conclusion to turn.

III BRIEF ENCOUNTERS

Swinburne's comments speak better than anything else I have read to my own sense of *The Winter's Tale,* wherein the memory of Mamillius lingers at the end of the play: a dead boy, unacknowledged, apparently forgotten by the very people who ought most religiously to remember him, glimpsed so poignantly, and then just lost, despite his intrinsic connection with the very title of the play. As Swinburne implies in his reference to "the little voice that had only time to tell her just eight words of that ghost story which neither she nor we were ever to hear ended," Mamillius is a figure who foregrounds issues of curtailment or abbreviation: his "stories"—the one that he starts to tell and the one that he so briefly lives,—are alike cut short, arrested, ended before any of us have heard quite enough. That the unfinished tale he starts to tell is a homonym of the play itself ("a sad [tale], best for winter" [WT, Act 2, Sc. 1, v. 25]) is perhaps one more reason to doubt the absolute authority of the consensus that has dominated accounts of the play. The economistic recourse taken by "those whose hearts are light enough" to the satisfaction of substitutions might find itself slightly troubled by the shadow of that other, incomplete, winter's tale in the play's second act. And however reconciliatory and joyous Hermione's restitution is, that transformation from stone to living being also quietly emblematises loss: "but yet, Paulina," says Leontes, "Hermione was not so much wrinkled, nothing / So aged as this seems." (WT, Act 5, Sc. 3, v. 26-27) Hermione may return, but she does so in a form that draws attention to the disappearance of her youth; as others have remarked, something else that has gone for good is Hermione's fertility and with it, the possibility of any other male heir.[22]

Swinburne is also perceptive in his discussion of "our last glimpse" of Mamillius: it *is* important that we last see him as we do. Swinburne doesn't

21. Charles Algernon Swinburne, *A Study of Shakespeare*, London, Chatto and Windus, 1880, p. 222-223.

22. See for instance Janet Adelman, *Suffocating Mothers: Fantasies of Maternal Origin in Shakespeare's Plays, Hamlet to The Tempest*, New York and London: Routledge, 1992, 236.

explain *why* seeing him thus strikes "a subtler and a deeper chord" than would the direct visualisation of the boy's terminal grief, but I think it is because, as with Ruth and Sarah in *The Remains of the Day*, the mode of their departure from the texts they inhabit thwarts the reader's expectations of more familiar aesthetic economies. To be sure, the two instances are not exactly alike: in *The Winter's Tale* there is a death—we know the end of Mamillius' story, even if we are not told enough about it—, whereas in *The Remains of the Day* we are left ignorant of the fate of Ruth and Sarah. The last we see of them (and indeed the only time they are ever brought even indirectly into our purview) is their departure from Mr. Stevens' pantry: "they left sobbing just as they had arrived," Stevens relates (RD, p. 150), and neither he nor we ever know what happened to them thereafter. This is important: as the draft *Oxford English Dictionary* entry for the new, political sense of the word "disappearance" makes explicit, it is not just the absence of the person who was once there which the word denotes, but the fact that their relatives do not know what has happened to them.[23]

This new, political concept of the word in other words, draws attention to a phenomenon which narrative shares with real life: in both closure (aesthetic or emotional,) is contingent on the communication—to the reader, to the relative—of sufficient knowledge or information about what happens to a person at the end. Realist fictions generally do provide that information, at least for the characters who are important enough for us to wonder about, but Ishiguro often does not: such "disappearances" are a repeated motif in his fictional worlds, and a measure of his distance from more realist narrative conventions (even if, paradoxically, it approximates an all too real 20th century phenomenon).[24] We don't expect in fiction to be left quite so unenlightened about the fate even of such minor characters, just as we don't expect that the heir to the throne will die in the second act of a romance, let alone with such little warning, so little ceremony.

23. The March 2003 draft addition to the entry for the verb "disappear" reads: "Of a person: to go missing in suspicious circumstances; spec. (euphem.) to undergo abduction or arrest, esp. for political reasons, and subsequently to be detained or killed, without one's fate being made known." http://dictionary.oed.com/, consulted 29 August 2007.

24. Mariko and Sachiko disappear from *A Pale View of Hills*, New York, Putnam, 1982; *When We Were Orphans*, New York, A. A. Knopf, 2000, organised around the disappearance of Banks' parents, includes another brief encounter with a character whom the text almost immediately, and quite shockingly, abandons (the orphaned Chinese girl in the bombed out building in Shanghai). See Andrew Teverson, "Acts of Reading," for some remarks on the reader's role in Ishiguro's fiction compared with the reader's role in a realist narrative.

The manner of the texts' disappearance of these characters ruptures our confidence in our generic expectations, using the bafflement of those expectations to render the text strange to us, and thus forcing us, as Brecht put it, to "think *above* the flow" of the text rather than "within" it.[25]

So in a sense, although Swinburne doesn't explicitly say it, that resistance of the temptation to make "pathetic profit" from Mamillius is intimately connected with the last, and most profound, of the observations Swinburne makes about *The Winter's Tale*: that is, "that we remember [Mamillius] all the better because the father whose jealousy killed him and the mother for love of whom he died" (p. 223) appear to have forgotten him. If such disappearances thwart generic expectations and alienate us from the familiar comfort of a known aesthetic form, they also, to continue this Brechtian exploration, prevent us from experiencing the action of the drama or narrative with the character, forcing us instead to confront the implications of what we see, *because* the characters do not. What these texts do when they "disappear" their characters like this, is displace their memory from one media (the text itself, and the minds of the characters it contains) to another (the minds of the readers, or audience, outside the text). In so doing, they deny to their readers the consolation that they sometimes allow, in the end, to their protagonists. Those protagonists, or some of them, may indeed, as we've seen C. L. Barber and Richard P. Wheeler argue, manage to recover the lost beloved as an inner presence so that they are free to engage in new emotional cathexes, and move on. Perhaps this is true for Leontes, even, in some readings of the novel, for Stevens, resolved as he is to banter anew with

25. Bertolt Brecht, quoted in Raymond Williams, *Drama from Ibsen to Brecht*, Harmondsworth, Penguin, 1973, p. 321. Henceforth, references to this text will be indicated by the initials "DIB," followed by the page number, and placed in parentheses and placed in the body of the text. Williams does not say where he got this quotation from, other than to mention that it is "a phrase Brecht used looking back on the production of *The Threepenny Opera*." The Brechtian subtext to my argument here might at first sight seem ill-applied to Shakespeare and Ishiguro. But Williams traces the origins of the form of Brechtian drama from the drama of the English Renaissance "and especially from Shakespeare." (DIB, p. 330) And the following description of what Brechtian drama achieves resonates for Ishiguro's prose: "the experiences of transforming relationship and of social change are not included, and the tone and the conventions follow from this: men are shown why they are isolated, why they defeat themselves, why they smell of defeat and its few isolated, complicit virtues." (DIB, p. 331)

his new employer, Mr. Farraday.[26] But if we try to map this onto a Swinburnian reading of *The Winter's Tale*, with its crucial claim—that the loss from which the mourner can apparently move on is felt, for that reason, even more keenly by the reader who cannot share that easy sense of restitution, then the reader left in a more melancholy place, unable to leave the past behind in quite the way that the protagonist can.

In Stevens' case, his inability to acknowledge Ruth and Sarah other than elliptically, as someone else's mistake, raises other, deeper questions for the reader about responsibility and its limits. Most readers probably despair of Stevens when, having momentarily stopped "pretending" in the anguished lament with which I opened this essay, he retreats at the novel's conclusion into the same abdication of agency that he has displayed throughout the text. "After all," he asks the reader,

> What can we ever gain in forever looking back and blaming ourselves if our lives have not turned out quite as we might have wished? The hard reality is, surely that for the likes of you and I, there is little choice other than to leave our fate, ultimately, in the hands of those great gentlemen at the hub of this world who employ our services. (RD, p. 244)

Once again, we encounter the invitation to disagreement ("but I am not a butler; I am not like you") embedded in the text here, in part to provoke the reaction that yes, there are other choices, and we should not leave our fate in the hands of others. Certainly my students, reading this passage, invariably (and often dismissively) resist Stevens' implication here, just as they lament his decision to return to Darlington Hall to practice bantering so that he can "pleasantly surprise" his employer on his return. But those same students who are so vehement in condemning Mr. Stevens for his retreat into the abdication of responsibility to greater gentlemen than he are also often prone to remark that since neither Mr. Stevens nor Miss Kenton have any power to change the fate of Ruth and Sarah, it doesn't really matter what they say or think. When I ask: "but isn't it better to do as Miss Kenton does, and speak out when something is wrong even if you can't do anything about it?" many of them reply: "what's the point?"

It disturbs me that year after year, the argument that changes most of the students' minds about whether speaking out matters is the following one. What if Mr. Stevens and Miss Kenton had both spoken out, and both threatened to resign, I ask them? Might Lord Darlington in that case not have weighed the

26. James Phelan, Mary Patricia Martin, "The Lessons of 'Weymouth:' Homodiegesis, Unreliability, Ethics and *The Remains of the Day*," in David Herman (ed.), *Narratologies: New Perspectives on Narrative Analysis*. Columbus, Ohio State University Press, 1999, p. 107.

worth of sacking Ruth and Sarah against the value of his two most senior employees to the smooth running of his household? Perhaps together Mr. Stevens and Miss Kenton might have more power than they think they do? And even if Lord Darlington were to prove immovable in the face of their resistance, would the consequences of speaking out be so very bad? Miss Kenton, lamenting her failure to resign, asks herself:

> "Where could I have gone? I have no family [...] I did tell myself [...] I would soon find some new situation. But I was so frightened [...] Whenever I thought of leaving, I just saw myself going out there and finding nobody who knew or cared about me. There, that's all my high principles amount to." (RD, p. 152-153)

But had they both spoken out, neither Miss Kenton nor Mr. Stevens would have had to leave alone, since both would have left together. Much might have followed from speaking out, in that case: this road might have left them together, not apart, in the remains of their days. That this is an alternative envisaged in but unspoken by the novel is reinforced by what Mr. Stevens refers to immediately after as "a curious corollary to that whole affair: namely, the arrival of the housemaid called Lisa" (RD, p. 154) who ends up vanishing from the house some eight months later, eloping with the second footman. (RD, p. 157)

It is not that I dislike this utopian alternative, or the way the novel plays out the implications of this road not taken. It's perhaps not the subtlest aspect of *The Remains of the Day*, but most of the propositions that it appears designed to illustrate are not tendentious: that collective action is more efficacious than acting alone; that political and personal relationships and actions are alike in that they should both be structured by openness and honesty. Less self-evidently true is the correspondence between openness and happy endings that this alternative narrative trajectory implies. Yet it is not the truth or falsehood of the claims that troubles me, but the degree to which they (and apparently they alone) can shift the students' opinion about whether or not Mr. Stevens should speak out. There is something very worrying about the fact that the only argument that can persuade a large number of young adults to consider it is worthwhile speaking out is a consequentialist one.[27] For surely, irrespective of what might have happened had Mr. Stevens and Miss Kenton both left when Ruth and Sarah did, the novel also suggests that not to speak out when one should is to open the door to the possibility of making someone else's mistakes. This is perhaps what makes

27. In this their response characterizes a pervasive contemporary instrumentalism which primarily values what gets results, and which often hides behind a veneer of "professionalism." There is more work to be done on the discourse of professionalism in *Remains*, and its relation to modes of professionalism in the contemporary world.

the students' response so disturbing, and the conversation on the bench at Weymouth pier so poignant: the real state of affairs is not the impossibility of making someone else's mistakes, but the difficulty of being independent enough to make one's own. If this is so, Mr. Stevens' relation to authority is not one which is so very different to that of most ordinary people, and his dilemmas stand for those which we all confront. To adapt what Raymond Williams said about *The Good Woman of Sezuan*, "it is not fixed goodness against fixed badness" (DIB, p. 323) that is anatomised in *The Remains of the Day*: even Lord Darlington, as Stevens says, wasn't "a bad man," and nor is Stevens himself.

This is complex, rather than simple seeing, to borrow from Brecht once again (DIB, p. 323): *The Remains of the Day* foregrounds the complexity of the relations between thinking something, saying something, and doing something; of recognising what is wrong, and acknowledging it, even if one cannot change it, or do anything about it. Disappearance is central to that lesson. If I ask my students whether we should then forget Ruth and Sarah as Mr. Stevens appears to have done at the end of the text, even those most vehement about the pointlessness of thinking or uttering resistance to something in the absence of the ability to change it reply "no," even though their memory of the character changes nothing. Perhaps they understand that as Walter Benjamin once remarked, "every image of the past that is not recognised by the present as one of its own concerns threatens to disappear irretrievably."[28] And perhaps the last paradox, then, is that the displacement of the memory of the disappeared from the world of the text into the mind of the reader does in the end change something, if only the minds of those convinced before that thought without consequence is futile.

28. Walter Benjamin, "Thesis on the Philosophy of History" [1940], quoted in Cynthia Wong, *Kazuo Ishiguro*, Tavistock, Northcote House, 2000, p. 50.

La vidéo à l'épreuve de la disparition

(Julieta Hanono, Fiorenza Menini)

Jean-Louis Déotte

Quand on dit d'une personne qu'elle est portée disparue, on ne sait pas ce qu'on dit puisque ne sachant ni si elle vit encore, ni si elle a été assassinée, on doit suspendre toute thèse ontologique, tout jugement d'existence[1]. On ne peut pas constater la disparition. Ou bien une phrase empirique peut constater une existence ou bien elle ne le peut pas, auquel cas, il n'y a rien sous l'objectif de ma phrase cognitive. Mais la disparition n'est pas ce rien[2]. Car ce qui fait qu'une disparition est une disparition, c'est qu'elle dure toujours. Ce qui dure toujours, c'est qu'une personne que je peux nommer, n'est ni présente, ni absente.

Or, la disparition, à côté de la déshumanisation programmée des camps, est bien l'autre forme prise par la terreur moderne[3]. C'est l'expérience, qui n'est pas une expérience, que vient de faire l'Amérique : celle de la mort de masse dissoute, presque en un instant et en direct. Or, comme après un autre 11 septembre, le putsch de Pinochet en 1973 où la CIA avait été alors très active, les réactions des survivants ont été les mêmes. En l'absence de corps, les vivants sont livrés au spectral. La première résistance consiste à affirmer que les disparus ont bien existé, en mobilisant une surface de reproduction ontologique : la photo. La

1. On peut noter la troublante proximité avec les conditions du *cogito* husserlien.

2. Il faudrait revenir à la table du « rien » dans la première *Critique* de Kant.

3. La thèse de Giorgio Agamben (*Ce qui reste d'Auschwitz : l'archive et le témoin*, trad. Pierre Alferi, Paris, Rivages, 1999), que les camps nazis furent programmés biopolitiquement pour générer du non-homme, devrait prendre en compte le fait que la politique de disparition renvoie l'humanité à un en-deçà de l'opposition animalité/humanité, puisqu'il semble bien que ce qui distingue fortement l'humanité, c'est la décision d'enterrer les morts. Les hommes inventent la mort en se séparant définitivement des morts. Pour *sapiens sapiens*, le mort doit devenir l'autre, l'autre ne pouvant être dès lors identifié à autrui.

photo qui revendique un nom, celui de la personne qui manque à l'appel, accompagnée d'une courte biographie. Ces scènes d'exposition de photos se répètent partout où la politique de la disparition a été ou est pratiquée, aujourd'hui, de Grozny à l'Algérie.

EL POZO (2005) DE JULIETA HANONO[4]

1. En pleine dictature argentine, Julieta Hanono, qui n'avait que seize ans, mais qui avait été très liée au mouvement *Montoneros*, est arrêtée en pleine rue par une de ces Ford sans plaque d'immatriculation qui sillonnent les villes à la recherche de ce qui subsiste de la « subversion ». À ce moment en effet (1977), le Mouvement a déjà été décapité et les *milicos* liés aux colonels factieux s'attaquent aux cercles de sympathisants, de plus en plus périphériques. Il s'agit maintenant de faire le vide, pour constituer une société « saine », où tous seront d'accord autour des principes d'autorité, d'ordre, de religion, les autres étant éliminés. Comme des dizaines de milliers d'autres, Julieta sera « engloutie » selon la terminologie en vigueur, c'est-à-dire mise au secret comme aujourd'hui les détenus islamistes de Guantánamo ou des prisons secrètes de la CIA.

El pozo (le trou) est le centre de détention et de torture situé dans l'ancienne préfecture de police, au croisement des rues Moreno et Urquiza, en plein cœur de la ville de Rosario en Argentine. De novembre 1977 à décembre 1979, elle y fut enfermée ; d'abord « disparue », séparée du monde dans un isolement absolu durant les deux premiers mois, puis prisonnière « officielle » pendant plus d'un an et demi. En 2004, elle y retourne pour réaliser un film, sorte de voyage au cœur du monstre témoin de la dévastation. Ce film est un récit noué, une exploration du lieu où se lient son histoire la plus intime et celle de l'Argentine. Approcher le fond, en reconstruire le sens par l'image : recadrer l'obscur par l'entremise d'une caméra sur pied pivotant, découvrant ce lieu qu'alors on appelait aussi « *la favela* » pour son architecture bric-à-brac, avec ses chambres improvisées construites à force de gagner toujours plus profondément l'espace. Par l'image, dit-elle, il lui fallait retisser les liens entre ce lieu, véritable « état d'exception » selon les mots de Giorgio Agamben[5], et son propre intérieur perdu.

4. Une ébauche de cette étude a été présentée dans la revue *Europe*. Voir Jean-Louis Déotte, « Retourner sur les lieux de la disparition », *Europe*, « Écrire l'extrême », n° 926-927, juin-juillet 2006.

5. Giorgio Agamben, *Ce qui reste d'Auschwitz*, notamment p. 50-52.

2. Or la disparition comme politique terroriste d'État a une histoire : Julieta va disparaître, aspirée par l'un de ces trous qui vont permettre à des militaires — formés à l'école française des officiers qui ont combattu en Indochine et en Algérie et qui ont gagné la Bataille d'Alger contre le FLN en utilisant arrestations, tortures, dénonciations, disparitions de membres de l'armée secrète algérienne comme de sympathisants européens (le cas le plus emblématique étant celui du jeune mathématicien Audin probablement assassiné par un proche d'Aussares) — de « traiter » les suspects sans ouvrir un de ces camps d'internement toujours trop visibles. La leçon du nazisme (le statut NN imposé à certains déportés) a été retenue, l'effacement des traces doit être radical, la disparition des politiques est l'arme absolue de la terreur, bien plus que le crime qui laisse sur le champ traces de l'acte et cadavres qui risqueront d'être honorés et qu'on portera en triomphe, comme le font aujourd'hui régulièrement les Palestiniens.

3. Les lieux d'engloutissement appartiennent à la banalité urbaine : appartements, villas comme à Santiago sous Pinochet, garages, clubs sportifs, écoles, etc. Julieta, séquestrée dans un lieu secret, un ancien appartement aménagé à cet effet, au cœur même de la ville, dans un bâtiment par ailleurs officiel, rusera : elle se fera passer pour une vague sympathisante, sans importance. Son père, qui a du capital financier et social, fera tout pour retrouver sa fille. Sacrifiant sa fortune, il remontera les réseaux du pouvoir illégal pour arriver à obtenir des nouvelles : oui, sa fille est vivante, oui, il y aura procès, oui, on peut acheter l'avocat du régime, oui, on peut obtenir une condamnation légale grâce à laquelle elle ressurgira à la lumière, dans une prison officielle où elle purgera sa peine au milieu de prisonnières, qui, elles, continuent d'entretenir les fictions *montoneros*.

4. Certes, c'est le passage à la lutte armée qui constitue une rupture, certes, les provocations de la droite extrême péroniste avaient été sanglantes surtout après le retour de Perón, mais le piège s'était refermé. C'est aujourd'hui presque une génération entière de lettrés et de militants qui manque à l'appel en Argentine, ce sont des villes livrées aux fantômes des disparus, l'incroyable dépression économico-financière, la débâcle de la classe moyenne urbaine, l'exil, tout ce qui rappelle la grande crise de l'économie allemande sous Weimar et fit le lit du nazisme. Mais, ayant touché le fond, débarrassée d'un État corrompu, la société civile se reconstitue peu à peu, quartier par quartier, le principe de solidarité est puissant, les enfants de disparus, les *hijos*, retrouvent, dénoncent bruyamment, font sortir de leur douce retraite au cours de véritables charivaris les tortionnaires devenus de paisibles citoyens, les amnisties trop rapidement accordées aux colonels par un pouvoir « démocratique » vacillant sont mises en cause, des procès retentissants

auront lieu, l'armée réduite au strict nécessaire. Telle est aujourd'hui la politique du président Kirchner, qui rompt largement avec celle de ses prédécesseurs.

5. Julieta retourne dans sa famille et décide d'aller filmer le lieu abject. Pourquoi retourner là où sa vie a basculé ? Pour témoigner ? C'est un lieu vide, fraîchement repeint, un appartement sans intérêt, qui ne signale rien. C'est comme la descente dans un boyau. Mais Julieta ne cherche pas à répéter le vécu atroce. Sans carapace idéologique, elle ne se considère pas comme une « héroïne », elle évite et repousse l'affrontement direct qui la laisserait totalement désarmée : elle s'est appareillée comme le ferait un aveugle opéré recouvrant la vue avec une vidéo prothétique qui lui rend le pouvoir de supporter la lumière crue de ce qui est revu. Elle sait, parce qu'elle a été en analyse, qu'il faut tenir à distance les conditions qui permettraient à la compulsion de répétition de l'envahir. Comme Kracauer l'explique à propos des camps nazis, il est nécessaire et possible de rendre compte de la violence extrême par la représentation cinématographique, à condition de l'utiliser comme Persée le fit avec son bouclier-miroir contre la Méduse[6]. On ne peut affronter la Chose sans médiation : elle est aveuglante et meurtrière, il faut la viser à partir de ses reflets. Julieta va donc prendre en compte des reflets qui appartiennent à l'ordre interne, « subjectif », comme au monde externe, des « objets », et au sens large des représentations artistiques, des artefacts.

6. À son arrivée en France, après avoir fait « réapparaître » des objets de déchet, sa ligne d'horizon s'est épaissie et son cheminement la conduit à produire de nouvelles séries de travaux : des « bijoux » et des œuvres photographiques élaborés à partir d'instruments médicaux. Notamment, elle produit des images numériques prises à travers un spéculum et constitue ainsi la série (*Túnel del tiempo*). Ambiguïté du spéculum réunissant en lui-même deux principes : loupe et serrure. Objet à double tranchant, permettant peut-être de se rapprocher, de voir en vue d'un savoir scientifique et neutre ; mais aussi permettant d'épier, de se faire le voyeur d'une intimité secrète. *Túnel del tiempo* se compose de différents tableaux. Il s'agit d'une série de déclinaisons, mais aussi d'instantanés que l'on peut approcher indépendamment de la série dans laquelle ils s'inscrivent. Images agrandies, avec une certaine pixellisation, ces « portraits féminins » de dimensions identiques varient néanmoins selon l'intensité de la lumière et de la couleur. La séquence se lit comme un kaléidoscope au travers duquel se scande

6. Siegfried Kracauer, *Theory of Film. The Redemption of Physical Reality*, Princeton, Princeton University Press, 1997 [1960], p. 305-306.

le fond de l'affaire, l'énigme de l'origine démultipliée. Toutefois, en chacune de ces compositions, l'intérieur ouvre sur sa propre ligne de fuite, son propre passé noué à ce moment douloureux de l'Argentine, ces années de plomb de la dictature ; en chacune de ces compositions, un temps immobile, celui de son propre enfermement, l'objet perdu. En chemin, son désir de retourner voir le lieu où elle a été enfermée se précise.

7. Actuellement, le film-vidéo donne lieu à une installation sur trois écrans associés et se présente ainsi :

– la caméra, sur pied, au cœur de la pièce centrale, pivote, déroulant le théâtre des chambres vides. La rotation se fait lentement, au rythme d'un temps qui au fond s'était arrêté. Espace étroit et total, œil témoin central et vertige de ce « non-lieu » qui tourne en boucle ;

- en regard, l'intérieur de la maison de ses parents. Caméra au poing, dans la cuisine, elle filme sa mère qui parle de ses visites à la prison. Puis elle la suit. Elle part à la recherche d'un article de journal relatant les événements du jour de sa disparition. Elle ouvre une boîte, fouille l'intérieur où sont aussi conservées les lettres d'amour écrites par son père ;

- en ouverture, une séquence dans une chambre d'hôtel. Pour rejoindre Rosario, elle suit d'abord l'arrivée à Buenos Aires en provenance de Paris. Elle avait alors loué la chambre d'un hôtel qui fut auparavant un immeuble où elle avait habité. Elle s'installe dans la pièce qu'elle préférait, avec vue sur une grande partie de la ville. Elle se filme, de manière floue et en surexposition, et parle de la grâce de se retrouver là. En fredonnant une ritournelle de son enfance, elle peint ses orteils en vert. Elle se protège, en quelque sorte, avant d'entrer dans *el pozo*.

8. Si l'on nous accorde que la représentation cinématographique tout comme la représentation en général, depuis l'invention de la perspective au XVe siècle, permet de configurer la réalité selon un nouveau mode, alors on doit accepter aussi qu'elle peut avoir une importance thérapeutique pour la réhabilitation d'un moi ayant subi une expérience traumatique. Il faut ici se tourner vers un autre type d'appareil : l'appareil psychique. Quand Freud, en 1920, publie *Au-delà du principe du plaisir*[7], il suscite un grand embarras dans la communauté psychanalytique. Mais lui-même a dû affronter ce qu'il tenait jusqu'alors pour

7. Sigmund Freud, « Au-delà du principe du plaisir » [1920], dans *Essais de psychanalyse*, trad. Samuel Jankélévitch, Paris, Payot, Collection « Petite bibliothèque Payot », 1986 [1963], p. 7-78.

inconcevable : il y aurait des pulsions de mort. Accepter cela entraîne un grand remaniement de la théorie : désormais les pulsions de vie seront synthétisées avec les pulsions libidinales sous un seul chapeau, Eros, lequel s'opposera donc à Thanatos. Si Eros relie et synthétise, Thanatos détruit et analyse. La date, 1920, est pour quelque chose dans cet événement théorique, il en ira de même quand Benjamin publiera *Expérience et pauvreté*[8]. Les combattants sont « revenus du front plus pauvres en expérience », écrira ce dernier. C'est qu'ils ont subi de tels traumatismes, précisera Freud, qu'ils sont incapables de dépasser l'épreuve ; la preuve, le rêve, que Freud concevait jusqu'alors comme la réalisation imaginaire d'un désir diurne inconscient, est peuplé de scènes récurrentes de bombardement. D'une certaine manière, la conscience a cessé de servir de pare-excitations pour l'appareil psychique : la psyché a été confrontée *en direct* au bruit et à la fureur, à la destruction comme à la mort, et, désemparée parce que *désappareillée*, elle n'est plus dans la situation d'élaborer des représentations à partir de ce qui n'a même pas fait trace. À partir de là, Freud va montrer qu'il y a deux modes du retour, selon qu'il y a eu des traces du trauma ou pas : soit la possibilité de la mémoire que confortent des représentations de mots (le langage) ou d'images (le strict contenu du rêve), soit la répétition pulsionnelle la plus rudimentaire. Donc, soit la remémoration et la représentation, soit la stricte répétition ou la reproduction. André Green écrit à juste titre que la répétition est une « mémoire amnésique[9] ». On pourrait donc dire que lorsque la psyché a été livrée sans aucune médiation à l'extériorité, quand elle est sortie d'elle-même et s'est exposée *dans le plus simple appareil*, alors, incapable de maîtriser l'événement extérieur par cette suspension, cette mise à distance que rend possible l'*appareil* psychique, elle a été livrée au *destin* : celui de la répétition où la pulsion de mort impose sa loi. Pour Freud, la fonction de l'appareil psychique (*psychischer* ou *seelischer Apparat*) est de maintenir au niveau le plus bas possible l'énergie interne d'un organisme, la « vésicule protoplasmique » d'*Au-delà du principe du plaisir* (principe de constance). La différenciation de l'appareil en systèmes (inconscient, conscient, préconscient) aide à concevoir les transformations de l'énergie (de l'état libre à l'état lié, ce qu'il nomme « élaboration psychique ») ainsi que le jeu des investissements. On peut parler à juste titre de destin, puisque les « sujets » revivent toujours les mêmes scènes, se replacent toujours dans les mêmes

8. Walter Benjamin, « Expérience et pauvreté » [1933], dans *Œuvres II*, trad. Pierre Rusch, Paris, Éditions Gallimard, coll. « Folio essais », 2000, p. 364-372.

9. Voir André Green, *Le temps éclaté*, Paris, Les Éditions de Minuit, coll. « Critique », 2000.

situations, échouent toujours au même endroit et au même moment dans leurs relations aux autres ou dans leurs projets. Ce ne sont pas seulement les blessés « psychiques » de la guerre qui ont alerté Freud, ce sont aussi des échecs répétés dans la cure, l'impossibilité d'établir une véritable relation de transfert — et déjà le transfert lui-même comme répétition projective —, de même que l'observation d'un jeu spécial de son petit-fils : le jeu de la bobine.

9. On fera l'hypothèse ici que, puisque le champ libre a été laissé à la répétition, puisque la psyché a été conçue par Freud comme un appareil sur le modèle optique[10], alors seule l'expérience d'un nouvel appareillage de la psyché de type optique pourra permettre un retour d'Eros. L'analyse du jeu de la bobine[11] peut ouvrir une piste et introduire à l'analyse du travail vidéo de Julieta : Freud a observé que son petit-fils, alors *infans* (ne parlant pas), se livrait à un curieux jeu, à partir de son berceau, lorsque sa mère sortait pour un temps indéterminé. Livré à lui-même, il usait compulsivement d'une bobine attachée à un fil qu'il conservait en main : la faisant disparaître par-dessus le bord du berceau, puis la faisant réapparaître, jeu physique qu'il accompagnait d'une double vocalise « O »/« A » dans laquelle Freud reconnut les mots *Fort/Da*. D'une manière évidente pour lui, l'enfant était en train d'apprendre à maîtriser la perte (provisoire) de sa mère en s'appropriant le double mouvement de disparition et de réapparition. Dans le même temps, sans que l'on doive privilégier nécessairement cet aspect par rapport aux autres, opposant deux sons élémentaires dans la langue maternelle, deux phonèmes, il entrait dans le système des oppositions phonématiques, qui structure tout le langage, lequel n'est autre, selon Saussure, qu'un système horizontal d'oppositions des valeurs. L'*infans* devenait un être pour le langage grâce à un jeu dont l'enjeu ou le risque — la perte définitive de la mère — lui ouvrait la possibilité de survivre malgré tout à l'absence. Certes, ce jeu était répétitif, un jeu de va-et-vient, un jeu sur deux phonèmes, un jeu sur l'apparaître et le disparaître, mais si on lui donne le sens que Freud lui assigne, alors ce jeu primitif est un appareil d'anti-destin : la psyché a élaboré elle-même le plus petit appareil qui lui permette de tenir le destin à distance. Ce que comprendra bien Winnicott, qui décrira des enfants qui n'ont pu maintenir à bout de bras l'absence — décidément trop longue — de la mère et qui ont sombré dans une certitude : la seule relation possible, c'est le non-rapport avec autrui, donc l'indifférence et la dureté.

10. Sigmund Freud, *L'interprétation des rêves*, trad. Ignace Meyerson, Paris, Presses universitaires de France, 1967 [1900], p. 455.

11. Sigmund Freud, « Au-delà du principe du plaisir », p. 15-20.

D'où, les concernant, une indifférence et une dureté quant à eux-mêmes sans partage.

10. Julieta peut se confronter à des reflets : ce qui apparaît du trou de la mise au secret et de l'infamie sur le petit écran de la caméra vidéo numérique. Dans une pièce comme les autres, où pendent des câbles électriques, surgit un petit bureau de maître d'école : le lieu des interrogatoires. De l'intérieur, on comprend qu'il s'agissait d'un appartement donnant sur une avenue passante : on entend des véhicules sur la bande-son. Mais qu'il est difficile de sortir de ce lieu ! La caméra n'en finit pas d'ausculter les pièces et de revenir sur les mêmes, de la même manière que la « couverture » officielle (la préfecture aujourd'hui désaffectée) est filmée et refilmée pour le même parcours, on ne cesse d'y retourner, on est happé par quelque Chose. Toujours les mêmes façades, la même pièce d'écrou (pour quel registre secret ? pour quelle comptabilité ? les listes de disparus existent-elles encore ?). On ne filmerait pas autrement le lieu de rencontre avec l'autre, l'objet d'amour : que faire d'autre que de retourner là où ça a été mis à nu ? Souvent les prisonnières violées répétaient la séduction forcée dans l'après-coup d'une relation effective avec le tortionnaire en devenant des informatrices (comme la Flaca Alejandra au Chili). C'est une situation de cet ordre, au moment de la guerre d'Algérie, qui constitue l'arrière-plan de *Muriel ou le temps d'un retour* d'Alain Resnais (1963). C'est par un saut qu'on passe dans la prison officielle, aujourd'hui quasiment en ruines, puisqu'elle n'est pas conservée comme l'est encore l'autre, devenue un « lieu de mémoire » pour les associations de défense des droits de l'Homme. L'humidité suinte dans les cachots, les grilles sont arrachées. Là, la caméra n'a pas la tentation de s'arrêter, même si la détention a été beaucoup plus longue, même si la prisonnière, ayant peu de contacts avec ses compagnes, s'isolait. On n'est plus dans la « topographie de la terreur », pour reprendre le nom d'une exposition de photos sur les déportations nazies, installée à Berlin dans les caves de l'immeuble détruit de la Gestapo.

11. On peut faire l'hypothèse que l'œuvre vidéographique aura eu pour une singularité (Julieta) la même fonction que ces appareils techniques spéciaux (ni des outils, ni des instruments ou des engins, encore moins des machines) qui ont été inventés ou trouvés depuis toujours par l'humanité pour tenir à distance le risque du retour des morts. Ces appareils configurent l'événement pour le laisser apparaître, car il y a un lien essentiel entre apparaître et appareiller. La « modernité » a inventé ou trouvé certains appareils qui ont en commun d'être projectifs, c'est-à-dire de supposer un « objet » sur lequel les désirs inconscients peuvent se projeter (la perspective, la *camera obscura*, le musée, la photo, le cinéma, la vidéo, etc.)

et cela pour restaurer de la représentation contre l'emprise de la Chose qui se répète, contre la compulsion de répétition qui agit quasi automatiquement. Pour tous ces appareils, l'enjeu a toujours été de *relancer le temps* en inventant de nouvelles formes de temporalités, non pas contre l'inconscient qui est indifférent au temps, mais contre la compulsion de répétition, le destin, l'ennui, l'éternel retour des morts-vivants, tout ce qui est de l'anti-temps.

12. L'installation vidéo de Julieta doit faire partager le risque d'être pris dans une circularité, celle de l'anti-temps, ou mieux dans une succession de mouvements identiques qui ne se réalisent pas, comme si chacun d'entre eux était le premier et le seul, alors que tous sont semblables puisque rien ne s'inscrit, rien ne fait trace, que tout demeure à l'état de perception. Or, comme il n'y a pas de traces au passé, il ne peut y avoir de nouveauté et donc d'avenir. Et, en même temps, on doit comprendre, toujours par la vidéo, que si Julieta a tenu pendant ces mois de mise au secret et d'humiliations répétées et donc si une restauration de la vie psychique a été possible, c'est que les « objets » parentaux (la mère comme le père) avaient été si bien internalisés qu'ils en étaient devenus immortels pour l'inconscient.

C'est dire que les appareils, en premier lieu, ont affaire à des stimuli visuels et à des représentations optiques. Mais cela n'est qu'une orientation récente, provenant de la Renaissance, qui a privilégié le visuel, la vision, l'optique[12]. Ce qui constitue le matériau premier, ce sont des traces mnésiques, conscientes ou non, qui tapissent le fond de la psyché (les objets « internes »). Le péril aurait été tout autre si l'effraction du trauma avait mis à mal ces traces, ou si ces dernières avaient été trop évanescentes. Les autres époques de la culture, ne privilégiant pas nécessairement l'optique (c'est ce que tout Heidegger cherche à faire *entendre*), durent imaginer d'autres ressources, d'autres appareils, d'autres conduites thérapeutiques. Il est fort probable que, pour relancer le temps et le monde des « objets », certaines cultures archaïques, ou tout simplement traditionnelles comme celles, rurales, de l'Italie du Sud ou de la Sicile, donnèrent cette fonction aux danses collectives (selon le rythme de la *tarantella* par exemple). Le rythme avait alors cette fonction de brisure du cycle létal.

Mais n'est-ce point à partir de la succession des disparitions-réapparitions de la mère que l'*infans* invente le rythme du jeu de la bobine ? N'est-ce point sur ce fond que se constitue tout « objet » autonome et toute possibilité de l'internaliser ? Avant toute distinction entre « sujet » et « objet », il y aurait le rythme collectif,

12. Voir Jean-Louis Déotte, *L'époque des appareils*, Paris, Lignes-Manifeste, 2004.

à partir de quoi une singularité peut émerger. Il faudrait, mais ce n'est qu'une piste, considérer que le rythme constitue aussi le milieu de la culture à une sorte de scène primitive ou originaire : ce que le cinéma des frères Taviani mobilise à chaque moment du péril, de *Sotto il segno dello scorpione* (*Sous le signe du scorpion*, 1969) à *Allonsanfan* (1973).

UNTITLED (2001) DE FIORENZA MENINI

Si Julieta Hanono a eu la capacité, par le passage à l'extérieur et la mainmise de la vidéo, de s'extraire d'une pseudo intériorité mortifère, Fiorenza Menini, en position de témoin inconscient de la portée de ce qu'il enregistre, ouvre un questionnement sur la temporalité d'un affect qui ne passe pas.

Fiorenza Menini, de passage à New York, se trouvait face à Manhattan quand la première tour a été touchée le 11 septembre 2001. Sa vidéo est déjà un exploit physique puisqu'elle consiste en un plan fixe de quelques 28 minutes, l'appareil ne disposant pas d'un pied. C'est un peu moins que le laps de temps entre l'écroulement de la première tour et celui de la seconde, qu'on ne verra donc pas.

1. *Untitled* c'est Pearl Harbour filmé par la caméra fixe de Warhol, celle qui avait servi à fixer pendant huit heures l'image de l'Empire State Building. Pearl Harbour a entraîné le déclenchement de la guerre du Pacifique ; le 11 septembre, l'intervention des États-Unis en Afghanistan et en Irak, sans que l'on puisse prédire la fin de la série des enchaînements guerriers. Quelle est l'image qui témoigne le mieux d'un tel événement ? Et déjà s'agit-il d'un événement ?

2. Fiorenza Menini déclare qu'à partir du moment où elle appuie sur le bouton *start*, juste après la chute de la première tour, la caméra enregistre tout, la privant ainsi de toute mémorisation personnelle. L'appareil vidéo a, là aussi, fonctionné comme le système Conscient de *Au-delà du principe de plaisir* de Freud : comme dispositif de pare-excitations. L'appareil vidéo a protégé l'appareil psychique en l'innervant, pour reprendre une expression utilisée par Benjamin, qu'il tenait de Fiedler[13]. Nous vivons une ère historique, celle de l'« esthétique du choc », où il vaut mieux, plus que jamais, que la psyché ne sorte pas en « simple appareil » : ayant à affronter directement les stimuli extérieurs. Plus que jamais, la psyché

13. Voir Asja Lascis, *Profession, révolutionnaire : sur le théâtre prolétarien*, Meyerhold, Brecht, Benjamin, Piscator, trad. Philippe Ivernel, Grenoble, Presses universitaires de Grenoble, 1989 [1972]. On trouve dans cet ouvrage des textes intégrant la conception de Benjamin du théâtre pour enfants et où il se réfère à Fiedler sans le citer précisément.

ne peut être nue (mais elle ne l'a jamais été), d'où le règne mondial des prothèses de communication et d'enregistrement de tous ordres. Ce qui permettra à Fiorenza Menini de tenir sans panique devant le nuage de débris qui s'avance vers elle, c'est qu'elle s'incorpore à un appareil et qu'elle vit à son rythme. Dans bien des vidéos, comme celles de Marie Legros[14], il y va d'une épreuve physique, en général imposée au sujet filmé, comme si une loi inconnue l'assaillait jusqu'à l'exténuation. Ici, l'épreuve a transformé Menini en témoin alors qu'elle ne faisait que passer par là, flânant du côté de Brooklyn, et qu'il lui faudra attendre la chute de la première tour pour que s'impose la décision de filmer.

3. Ce sera la seule qui, parce qu'elle est bien innervée, lèguera un document, lequel est plus qu'un document, dont la fixité relève de la performance physique et psychique. Les autres vidéos que l'on aura pu voir, fort nombreuses, sont tremblantes et souvent chassées par le nuage de débris, qui se révèlera après, toxique. C'est l'appareil qui permet de tenir à distance la scène traumatique, comme le montrait déjà Kracauer, comme nous l'avons dit, qui en concluait avec raison à la nécessité de la représentation, qui tient à distance l'objet qu'elle pose en face d'elle pour lui donner une consistance et pour s'en préserver. Sans représentation, la chose vue est prise dans un flux temporel où elle disparaît. Il en va de même du flux de conscience selon Fiedler[15], le maître de Paul Klee.

4. De l'événement, Fiorenza Menini ne saura rien : au début, elle croit comme tout le monde qu'il s'agit d'un incendie accidentel et comme les pylônes de télécommunication se trouvaient sur l'une des tours, elle ne pourra obtenir aucune information sur l'événement. Cherchant à rentrer dans Manhattan, l'île est bloquée par les services de sécurité, inaccessible, elle restera des jours sans savoir exactement ce qui s'est passé. Ce n'est qu'en rentrant à Paris qu'elle trouvera des individus surinformés par les médias. De la même manière, ceux qui se trouvaient dans la seconde tour n'ont pas su que la première s'était effondrée. Les médias, ce jour-là, ont réussi à créer une brève communauté mondiale et affective dans la synchronie de la *simultanéité*, qui n'est pas la dimension diachronique de la *contemporanéité*. En effet, seuls les appareils nous rendent contemporains les uns des autres (à la différence des médias). Mais comme il n'y a plus aujourd'hui d'appareil dominant du fait de l'imposition de la proto-écriture numérique à tous les anciens appareils projectifs (perspective, *camera obscura*, musée, photo,

14. Je commente ces vidéos dans *L'époque des appareils*.

15. Konrad Fiedler, *Sur l'origine de l'activité artistique*, trad. et éd. Danièle Cohn, Paris, Éditions Rue d'Ulm, coll. « Aesthetica », 2003 [1887].

psychanalyse, cinéma, etc.), alors le sentiment de contemporanéité fait défaut (d'où la désorientation décrite par Bernard Stiegler[16]).

5. Malgré ses conséquences encore incalculables selon une chaîne de causalité prévisible dès le début (le gouvernement des États-Unis ne pouvait pas ne pas lancer une terrible contre-offensive vers un ennemi quelconque, ayant été atteint en plein cœur, pour la première fois sur leur territoire), malgré la nouvelle ligne de front politico-militaire qui est en train de se créer à l'échelle mondiale, l'événement n'aura pas fait époque. Seuls les appareils font époque parce qu'ils structurent l'accueil de l'événement, qui se trouve donc configuré par eux. Un événement sans appareil, sans surface d'inscription, sans support, n'est pas. L'irruption du Vésuve, l'engloutissement de Pompéi et d'Herculanum ne sont des événements que du fait du témoignage de Pline le Jeune et de quelques autres. Il n'y a pas d'événements « naturels ». Ce sont les appareils qui nous rendent contemporains d'un même événement, partageant la même diachronie, générant du *nous*, alors que les médias nous enferment dans la même synchronie d'une illusoire communauté, celle du *on*.

6. *Untitled* est une pure vidéo (le son a été supprimé, la rumeur de la ville blessée ne nous parvient pas) qu'il faut prendre, par chance, au milieu. Comme le disait souvent Deleuze, les choses commencent toujours par le milieu, une plante commence à croître vers le haut et le bas simultanément par le milieu de la graine. Il faudrait, en même temps, remonter vers la source (la première tour vient de s'effondrer) et descendre vers ce qui va se passer : l'effondrement de la seconde tour, qui ne sera pas enregistré, faute de ruban. Le laps de temps de la vidéo (28 minutes) est accidentellement coextensif aux deux effondrements qu'on ne verra pas mais qui l'encadrent. L'événement *a eu* lieu, il *va avoir* lieu (*Aïon*, selon Deleuze, qui distingue[17] chez les Stoïciens *Chronos* et *Aïon*). Au milieu, il y a donc une image grise et fixe. C'est une image sans contenu : un nuage enveloppant tout de cendres, un suaire. Tout sera enseveli. Fiorenza Menini se retrouvera seule sur son ponton, absorbée par la poussière qui, un instant, apparaît sur l'objectif en le révélant. Mais la cendre ne s'inscrit pas sur le verre, d'ailleurs le verre ne retient rien, sauf le diamant[18]. Le verre est sans mémoire, ce qui préserve

16. Bernard Stiegler, *Aimer, s'aimer, nous aimer. Du 11 septembre au 21 avril*, Paris, Éditions Galilée, coll. « Incises », 2003.

17. Voir Gilles Deleuze, *Logique du sens*, Paris, Éditions du Minuit, coll. « Critique », 1969, p. 199 *et sq.*

18. Jean-Louis Déotte, *L'homme de verre. Esthétiques benjaminiennes*, Paris, L'Harmattan, coll. « Esthétiques », 1998.

la fonction de perception de l'appareil psychique selon Freud. Ce gris n'est pas celui de l'écran vidéo bombardé aléatoirement par des électrons. C'est la raison pour laquelle, lors de sa présentation au centre d'arts contemporains Le Plateau à Paris, le flâneur pouvait s'arrêter devant l'installation vidéo en ayant le pressentiment de quelque chose.

7. De retour à Paris, Menini a laissé passer des semaines avant d'avoir la curiosité de voir la bande vidéo. De la bande, elle dit qu'elle est belle. Elle a effectivement le statut d'un *suspens*, c'est-à-dire d'une finalité sans fin qui peut, à l'occasion, rendre possible le jugement esthétique au sens de Kant, lequel est délié du vouloir et donc de l'éthique. Un *suspens* esthétique n'entretient en effet aucun lien avec la loi morale, il n'est pas ici le symbole du Bien. Pour le réintroduire dans la sphère de la loi morale, il faudrait une « intrigue » (terme que Lyotard reprenait à Ricœur), bref un récit. Dès que l'événement aura été diffusé sur les chaînes télés, il sera mis en intrigue. On cherchera des causes et des responsables, on calculera le nombre des victimes, on interviewera chefs d'État et experts, on le fera entrer dans une chaîne causale où il disparaîtra en tant que tel. C'est la fonction des médias de rendre l'événement impensable en rendant impossible un enchaînement sur un *quod ?*, un *qu'arrive-t-il ?* Pour les médias, où une information chasse l'autre selon la temporalité de la *nouveauté*, l'événement n'est-il pas une phrase qui poserait la question du : *comment enchaîner ?*

Au contraire, l'appareil muséal a été le premier qui, en suspendant la dimension cultuelle des œuvres cultuelles, a rendu possible la relation esthétique en termes de contemplation. Dès lors, les œuvres furent pensables comme des événements et inversement. La vidéo entretient aujourd'hui de moins en moins de différences techniques avec le cinéma. Les installations vidéo permettent l'exposition de *suspens* qui auraient pu être prélevés sur la production cinématographique. L'opération de la vidéo sur le cinéma est alors d'ordre muséal.

8. Il peut paraître scandaleux de prononcer l'énoncé : *« c'est beau ! »* à propos d'un crime contre l'humanité. Mais l'on remarquera que Menini ne le dit pas de l'événement, mais du *suspens* vidéo. C'est le *suspens* qui sauve l'événementialité de l'événement, alors que les médias censés en rendre compte l'ont fait disparaître dans une répétition *ad nauseam* sans mémoire. Tout se passe, une nouvelle fois, comme si la Chose, par exemple le 11 septembre, avait été certes vécue, mais que ce vécu n'a aucune consistance tant qu'il n'a pas donné lieu à une représentation écrite ou imagée. C'est Benjamin qui, dans son *Baudelaire*[19],

19. Walter Benjamin, Charles Baudelaire. *Un poète lyrique à l'apogée du capitalisme*, trad. Jean Lacoste, Paris, Éditions Payot, coll. «Petite bibliothèque Payot», 2002 [1969].

donne la formule de cela : soumise à l'esthétique du choc, l'*aisthesis* se dédouble en deux figures de l'expérience et de la mémoire. D'un côté, en réception diurne et désappareillée, inauthentique, au sens où la mémoire ne pourra rien faire de ce qui n'aura pas été inscrit, le *ressouvenir* ne pouvant enchaîner sur les cicatrices psychiques provoquées par les impacts médiatiques. Il n'y aura pas de véritables traces (*Spur*) et donc pas d'archives au sens propre dans ce qui constituera seulement une expérience pauvre (*Erlebnis*) de reconstitution quasi-cybernétique de l'appareil psychique. On aura de la scène certes des documents enregistrés, mais qui ne trouveront un usage que dans *une intrigue de répétition*.

De l'autre côté, il faudra tout un travail d'écriture, sur le modèle proustien de l'écriture nocturne, pour reconstituer des traces et donc des archives, lesquelles ne seront donc rien sans la représentation. On le comprend alors : l'expérience vraie (*Erfahrung*), déliée du vécu, sera la seule à conserver des traces de l'événement, la seule à le préserver pour la *remémoration*, pour une singularité comme pour l'être-ensemble. La trace n'est donc pas un impact, elle est élaborée par sa représentation dans le cadre d'une écriture qui est, dans le cas présent, vidéographique. C'est plus qu'un document produit par les médias et la télévision, ce n'est pas non plus une fiction, nécessairement soumise à l'intrigue. Dans l'ordre de la comparaison, les très nombreuses citations brutes de décoffrage que mobilise Benjamin dans ce chantier inachevé que reste *Paris, capitale du* XIXe *siècle*, ne sont que des débris de l'histoire de même ordre que les cicatrices de la psyché soumise depuis lors à un bombardement intensif d'informations. À la grande surprise du lecteur de Benjamin, ces citations sans guillemets ne donnent pas à penser, à la différence de ses propres fragments écrits qui sont de corps et de caractères typographiques différents dans le même volume. La difficulté de lecture qui s'offre consiste déjà à distinguer les documents que sont les citations-impacts et les archives qui sont des images de pensée. Les documents hyper prosaïques sont comme les débris ramassés par le chiffonnier-historien dans le caniveau des rues du XIXe, les réflexions des images de pensée sont les véritables traces élaborées par l'« historien matérialiste » que voulait être Benjamin. Entre les deux, entre les documents et les traces, il n'y a pas un rapport simple de symbolisation et d'expression, mais tout ce qui est à l'œuvre dans le processus de l'écriture proustienne. Tout ce qui, comme le montre une étude de Sara Guindani[20], appareille la mémoire de Proust, en particulier un certain nombre de prothèses et d'appareils, dont la lanterne magique et ses plaques, le photographique et ses clichés. L'historien d'aujourd'hui qui se penche sur les vidéos prises après les attaques du 11 septembre doit effectuer à partir d'elles une véritable

20. Sara Guindani, *Lo Stereoscopio di Proust. Fotografia, pittura e fantasmagoria nella Recherche*, Milan, Mimesis, 2005.

perlaboration proustienne, tout aussi techniciste que la sienne. Ce fut la tâche de Menini : produire une image de pensée ayant donc une autre temporalité que celle de la diffusion médiatique, dont on dit faussement qu'elle est en « temps réel », puisque que cette notion suppose que pour qu'une action ait lieu en temps réel, elle doit pouvoir s'adapter à la temporalité d'un processus pour l'infléchir.

9. Qu'en est-il de la temporalité de la vidéo d'art, en général ? On pourrait caractériser cet appareil par le privilège accordé au non-développement d'une action. Finalement, ce que nous cherchons à isoler se rapproche de ce que Lyotard, dans un texte posthume, appelait « phrase-affect[21] ». La phrase-affect se présente comme un sentiment, comme un silence dans un discours. Si l'on reprend l'opposition classique, aristotélicienne, entre *phônê* et *logos*, elle est irréductiblement du côté d'une *phônê* inarticulable, du côté des animaux et de leurs cris non discrets, du côté des enfants qui ne connaissent pas encore la loi. On peut en énoncer quelques caractéristiques : la phrase ordinaire, articulée, et la phrase-affect ne peuvent se rencontrer, il y a entre elles un différend. Elle peut en effet faire tort à la phrase articulée, comme un cri qui vient brutalement interrompre une péroraison. Par rapport aux autres phrases, elle ne comporte pas un univers de phrases, elle n'expose pas un monde, mais signale seulement qu'il y a du sens (du plaisir, de la peine). Ce sens ne se rapporte donc pas à un objet extérieur à lui. Elle ne s'adresse à personne, pas plus qu'elle proviendrait d'un destinateur (pas d'axe pragmatique). C'est donc plutôt un état affectif et le signe de cet état (un jugement réflexif). Elle n'est pas totalement en rupture avec le langage, car tout se passe comme si elle « désirait » être articulée, et une phrase articulée peut la prendre en référence, ce que je fais ici en commentant la vidéo *Untitled*. Sa temporalité est celle du *maintenant*, ce qui implique que plus tard on pourra l'évoquer sans pourtant la faire revenir telle qu'elle fut. Tout se passe comme si ce maintenant allait passer sans passer dans le temps : comme une bulle qui l'enferme et qui passe à la surface du courant sans qu'on puisse jeter vers elle le pont qui rend toujours possible la rétention des moments du passé. Elle est donc achevée et sans âge. On pourra dater cette émotion sans pourtant pouvoir l'éprouver à nouveau. L'affect est dans un maintenant non dialectisable. C'est ce que les vidéos comportent, littéralement : des plans-affects, enfermés dans un maintenant et qui, parce qu'ils n'ouvrent pas nécessairement et improbablement à un enchaînement comme le fait la phrase-image cinématographique, sont des apparitions closes. Même si l'installation vidéo peut devenir un certain choix

21. Jean-François Lyotard, « D'un supplément au Différend », dans *Misère de la philosophie*, Paris, Éditions Galilée, coll. « Incises », 2001, p. 43 *et sq.*

d'exposition du cinéma dans un musée, une absorbtion du cinéma par le musée, ce qui distingue ici cinéma et vidéo, c'est la probabilité-nécessité d'enchaîner ou non sur le plan. Ce que confirmeraient d'autres vidéos de Menini, en particulier *Resistance for Ever* (2001) où un sourire fixe de 48 minutes est un laps de temps concentré qui pourrait se dilater indéfiniment.

10. En ce sens, si l'on caractérise le cinéma comme étant un enchaînement de phrases-images selon la régie de figures d'enchaînement, dont Diane Arnaud a donné dernièrement un bel exemple dans ses études sur le cinéma de Sokourov[22], alors on dira que comme tout appareil, le cinéma a un bord, des restes, voire une part maudite, des événements qui frappent à sa porte sans pouvoir y pénétrer. Cela qui n'est pas rien, qu'il ne peut accueillir du fait de sa condition, reste à l'extérieur, tout en faisant pression. Il s'agit d'une certaine détermination du sublime, un *sublime d'appareil*. Cela n'a rien à voir avec l'irreprésentable, l'imprésentable, l'irrelevable ou l'indicible qui appartiennent à l'absolu et dont on a fait des absolus (*Shoah* [1985] de Claude Lanzmann).

Car au fond, le sublime n'est-il pas toujours sublime d'appareil ?

D'une part, le sublime esthétique, chez Kant tout au moins, n'est possible que du fait d'un débordement par la nature de l'appareil de la connaissance, dont le modèle est projectif. Ce n'est que parce que les facultés de la connaissance, l'imagination et l'entendement, ne peuvent plus synthétiser les données sensibles — la nature cessant d'être un référent possible pour la connaissance (tempête sur mer, tornade, etc.) — que la raison peut, en quelque sorte, revenir à elle-même, présenter l'idée de la liberté comme extranaturelle, c'est-à-dire uniquement intelligible. Le sublime peut être dit, comme l'écrit Lyotard : « présentation qu'il y a de l'imprésentable[23] », mais cette présentation n'est possible qu'en raison du désastre de la connaissance objective. Le sublime kantien désigne bien ce que l'appareil objectivant ne peut connaître comme une chose : la liberté comme destination de l'humanité. Rappelons que les conditions en sont, d'une part, le désordre inouï de la nature (l'informe), d'autre part la condition préservée du spectateur.

D'autre part, on pourra dire que tout appareil est travaillé par une certaine forme de sublime, que le sublime d'un appareil pourra être pris en charge par un autre appareil qui aura surgi plus tard. C'est le cas de la vidéo d'installation muséale pour le cinéma. Le cinéma a comme sublime d'appareil la phrase-affect,

22. Diane Arnaud, *Le cinéma de Sokourov. Figure d'enfermement*, Paris, L'Harmattan, coll. « Esthétiques », 2005.

23. Jean-François Lyotard, « Représentation, présentation, imprésentable », dans *L'inhumain : causeries sur le temps*, Paris, Éditions Galilée, coll. « Débats », 1988, p. 133.

phrase qui comporte un affect, phrase qui ne peut exposer un univers de phrases (destinateur, destinataire, sens, référent). La phrase-affect est une phrase-image *au bord de la chute* comme la performance de Menini, *The Fall* (2002). Cette performance a effectivement elle aussi comme point de départ un film : le film de Cassavetes, *Opening Night* (1977). Une jeune femme rejoue une scène du film : souffrant d'une confusion croissante entre réalité et fiction, la comédienne de théâtre incarnée par Gena Rowlands s'écroule, ivre morte, juste avant d'entrer en scène. Dans la performance *The Fall*, on voit une jeune femme, en direct, reproduire cette chute extrêmement violente une dizaine de fois, pendant une heure, munie d'une télécommande qui lui permet de parcourir le film de Cassavetes et de faire des arrêts sur image pour s'ajuster à la scène originale. Ce qu'on ressent avant tout, intensément, c'est qu'on bute sur quelque chose : il n'y a pas d'échappatoire, pas d'autre possibilité que l'ici et maintenant, on est obligé de faire face. Les spectateurs se retrouvent dans la même situation que les corps filmés dans d'autres vidéos : harcelés par une loi dont ils ne comprennent pas la nécessité. La performance et la vidéo ont donc la même nature : pas plus narcissique l'une que l'autre, contrairement aux dires de Rosalind Krauss[24]. Plus précisément, la performance résulte d'une application aux arts traditionnels de la scène (danse, théâtre) d'un appareil technique qui en est la condition : la vidéo.

11. Laurence Manesse montre dans ses travaux[25] que la scène du sublime chez Kant constitue un pont entre l'esthétique et la philosophie politique, à peine ébauchée dans quelques textes kantiens. Le sublime est à mettre en rapport avec l'enthousiasme provoqué au sein du public allemand par les nouvelles provenant de la Révolution française. Si l'impuissance de l'appareil de la connaissance rend possible un retour de la raison sur elle-même, dans le suprasensible, qu'est-ce qui advient du fait de la présentation sensible d'une phrase-affect ? Avec *Untitled*, nous ne sommes plus face à une nature informe (qu'on ne peut mettre en forme), mais face à un effondrement du sens historique. La vidéo nous met dans la même position que les spectateurs harcelés d'une performance comme *The Fall*. L'informe a alors d'autres conséquences : non plus la découverte que nous sommes en tant qu'hommes attendus par une finalité suprasensible qui nous promet la liberté, mais quelque chose comme un « sublime inversé ». Il n'y a plus, du fait de la mise entre parenthèses des facultés du connaître et de la raison elle-même, présentation d'un imprésentable qui serait la loi éthique et sa finalité,

24. Rosalind Krauss, « Video: The Aesthetics of Narcissism », *October*, n° 1, printemps 1976, p. 50-64.

25. Laurence Manesse, thèse de doctorat en préparation, Université Paris VIII, 2007 (à paraître).

mais présentation d'une phrase-affect qui ne déclenche ni enthousiasme ni mélancolie. L'événement du 11 septembre ne dit rien par lui-même, mais constitue une butée, une limite. Il n'est plus question alors de sublime d'un appareil, ce n'est pas la connaissance objective qui est invalidée, mais la norme de légitimité qui a nom : *délibératif*, laquelle subsumait jusqu'alors les sociétés démocratiques-capitalistes modernes[26]. La vidéo s'intitule : *Untitled*. Ce qui est sans titre n'entretient plus de rapport avec la loi du langage. On dira d'un comportement qui est sans rapport avec la loi qu'il est anomique[27], ou totalement désorienté. Notre postmodernité anomique voit le retour des autres normes de légitimité : religieuses, en particulier celle de la révélation (« Dieu bénit l'Amérique »), mais sans limites, puisque le théologique absorbe le politique, voire archaïques : celle de la narration, laquelle concerne l'échange-don, le sacrifice, la vengeance-contre-vengeance, est là aussi sans limites, puisque c'est la proclamation d'une justice infinie qui n'est que l'autre face d'une vengeance infinie. C'est cela le sublime anomique que présente *Untitled*.

12. En fait, il n'y aura pas de témoins pour les disparitions qui eurent lieu à l'intérieur des tours, seulement pour les chutes des corps. À la différence d'un décès, on ne peut jamais dire qu'une disparition est avérée. C'est un paradoxe, celui d'un événement sans lieu. Mais un événement n'a pas eu lieu s'il n'a pas de lieu. C'est là la source de l'anomie : la disparition de masse, comme une masse noire d'anti-matière, provoque l'anomie d'une société entière qui alors court à sa perte.

En effet, si l'on reprend ce qui caractérisait la démocratie en Amérique selon Tocqueville, sans sursaut, cette société court à la ruine en détruisant ses valeurs fondatrices : liberté d'expression contrée par le *Patriot Act* ; loi d'hospitalité contrée par la fermeture aux étrangers et en particulier aux lettrés provenant des pays musulmans ; droits de l'homme par les camps d'interrogatoire où l'on pratique des méthodes d'action psychologique héritées des guerres coloniales françaises, ouverture de prisons secrètes en Europe et ailleurs, prélude à une politique individualisante de disparition. La disparition engendre la disparition, cycle de la répétition de l'anti-temps.

Au fond, la difficulté, c'est la question de l'événement. On élude en général la question en prenant la posture de l'historien-enquêteur, qui sait qu'il y a des disparus, des sans trace, qui part à leur recherche, qui raconte son périple, qui interroge les témoins. Bref : qui sait qu'il y a eu l'*événement* de la disparition.

26. Jean-François Lyotard, *Le différend*, Paris, Éditions du Minuit, coll. « Critique », 1983.

27. Emile Durkheim, *Le suicide, étude de sociologie*, Paris, Felix Alcan, 1897.

Mais en fait, cela ne se passe pas comme cela dans les familles de disparus. La famille ne sait rien. Elle n'est pas dans l'état d'enquêter. Elle est en train de devenir folle. Folle d'espoir et d'angoisse. Pour elle, il n'y aura pas eu d'événement tant qu'un corps n'aura pas été retrouvé. On sait qu'un événement arrive selon la logique de l'après-coup. Le témoin n'est jamais témoin en temps réel. Certes, il le devient, mais il le deviendra pour ce qui aura été un événement. Au contraire, la disparition n'arrive pas. Elle n'est pas ce *quod?* ce *qu'arrive-t-il?* dont on peut se demander ce qu'il est. On ne peut pas enchaîner sur la disparition. Ou seulement par la question: *où est-il (elle)?* Ce qui implique que la disparition n'est pas un événement qu'on pourra plus tard déterminer, mais un *lieu* en connexion avec un *nom propre* de singularité. Une place à nommer où l'on ne sait pas ce qui a eu lieu, comme dans les deux tours du *World Trade Center.* Or, une place, c'est un nom de lieu et assez vite la connaissance d'une destination. Si, en 1944, j'avais demandé, où est mon cousin Jim? et qu'on m'eût répondu à Fresnes, j'aurais pu en déduire qu'il était vivant, mais en prison. On est donc en pleine logique des noms. Il y a disparition quand on ne peut plus connecter un nom propre de singularité et un nom de lieu et donc un nom et une destination[28]. Mon cousin résistant Jim Greenaway a été porté disparu quand l'État français n'a pas pu en 1945 attacher son nom à celui de Dachau ou de Neuengamm. La disparition est déjà une mise en défaut ontologique de la nomination avant d'être un trouble de la représentation. Ces noms propres, ainsi que la date, sont nécessaires à l'affirmation d'une existence en dehors du strict champ de perception. D'où la paralysie et la compulsion de savoir de la famille et l'anomie d'une société. Et c'est bien ce qu'attendent les artisans de la disparition: que la paralysie gagne tous ceux qui pourraient s'identifier, de près ou de loin aux disparus. C'est une arme de terreur aux mains d'acteurs impassibles: des hommes qui ont appris, et ils en sont fiers, à casser en eux la « passibilité ». Ils ont appris à « marcher à l'instinct », selon les ordres du cerveau reptilien: ce qui paradoxalement suppose bien une anesthésie totale. À suspendre la sensation présubjective et à lui préférer l'information objective (d'où l'importance des équipements informationnels du casque du combattant du futur). Sentir, mais ne rien ressentir: surtout ne pas s'identifier à l'autre, ne pas se poser la question des buts de l'action, s'en tenir aux moyens, aux procédures, aux techniques, aux faits matériels. Être un bon technicien.

28. La date, nom dans la chronologie, deviendra un enjeu, mais plus tard, dans l'enquête. Quand on pose la question: « où est-il? », la date est confondue avec le moment de la prise de parole. C'est encore un quasi-déictique.

L'événement de la disparition — qui n'est pas un événement — pourrait être appelé un archi-événement, précédant tout événement possible. Dans ce sens, l'appareil vidéo, qui entretient par essence de bons rapports avec les phrases-affect — ce qui constitue la relation minimale entre un événement et un appareil, le minimum pour qu'il y ait de l'accueil et de l'enregistrement (un *quantum* de relation) — était le plus à même de rendre possible la confrontation avec la disparition.

The Sounds of Disappearance

David Guimond

THE PHYSICALITY AND TEMPORALITY OF APPEARANCE AND DISAPPEARANCE IN *THE DISINTEGRATION LOOPS*

In 2001, William Basinski, a sonic artist who had experimented with tape loops for nearly 30 years, rediscovered one particular set of tapes that he had recorded in 1982 but which he had never used or altered on his own. He immediately went about transferring the reel-to-reel tapes to digital format, but time had ravaged the integrity of the actual magnetic strips. As the tapes began to roll, the iron oxide covering the tapes began to disintegrate, small flecks of it falling off as they were scraped away by the reeler head, leaving random bare spots on the tape, while at the same time the fragile tapes began to stretch past the point of their normal taut integrity, both processes warping the structure and melody and sound of each loop as they were being recorded digitally. He eventually released *The Disintegration Loops* as four disks comprising nine unique tracks, each one ranging anywhere from 10 minutes to well over an hour, with a running time of just over 5 hours.

The effect of this unintended alteration on the music is unmistakable. Each track employs one loop throughout the piece—mostly short snatches of brass band, interspersed with shortwave radio static, characterized by a lush string melody and backed by atmospheric arpeggio countermelodies—which, due to the deterioration process, is constantly changing from one repetition to the next. The tracks may begin as thoroughly bold orchestral melodies, their sound crisp and even; however, one begins to hear, sometimes imperceptibly, the tapes literally deteriorate with each turn of the reeler head. Letting silences and static bleed through the cracks, the sound slowly unravels as the loops stumble out from and back into the void, the structure of the original loop changing with every re-emergence, the process slowing down and increasingly warping every subsequent loop's melody and rhythm. The integrity of the individual loops become increasingly problematized as they then start to seep into each other, opening up an "inter-texture-ality" of ever more mutated echoes, staggered silences, and misshapen spaces, "somnambulant sounds that drift in and out; sounds that tiptoe around the house like ghosts."[1] The music eventually becomes just a shadow of itself, painfully reduced to intermittent bursts of sound that simultaneously resemble nothing like the opening loop yet are still recognizable, haunted as they are by the hazy ghost of its original structure, but now completely dismantled and warped. Reduced to but a whispered outline of this structure, even these gasping chords, towards the end barely perceptible as the last loop tortuously tries to force itself into appearance only to fade away quietly, disappear along with the whole track, into nothingness, "leaving a stunningly beautiful metaphor—an impression of a world disappearing."[2] In these ways, just like sound, *The Disintegration Loops* exist through a simple modulation of appearance and disappearance, each loop appearing, vibrating, expending energy, being heard and disappearing.

Common responses by reviewers to this process within the work is that *The Disintegration Loops* is framed most apparently as a meditation on the nature of time, musing on birth, entropy, decay, and how these reverberate in memory. It is evident that time is crucial to *The Disintegration Loops* not just as a musical unfolding, the loops, a slow diffusion of waves, coming into being and fading away, but also at the level of the process of disintegration where time has literally bled into and ravaged the tapes. The mediatic disintegration that occurs in chorus with the sonic disintegration speaks to a conception of sound that can never be separated from its simultaneously occurring temporality and materiality. The mediatic materiality of the loops, are folded into time such that its sounds only emerge through them, serving as a not just a marker of passing (linear) time but also the "place" where the materiality of time is crushed, stretched, and warped. In this sense, time and sound, media and materiality, are inextricably bound to the emergence and production of each other such that they are impossible to separate, bridging the divide between metaphorical and material disappearance. More specifically, as with anything in nature, the loops are captured by the remorseless nature of entropy, and so the theme of death looms over and is interwoven in the work, one which also fades in and out of the metaphor/mediatic divide. Tapes that reappear after 20 years are literally disappeared as they are reworked, killed off in their transplant from a slowly dying analog media (and rebirthed again digitally), making their entropic ruin the (un)structured principle by which the loops unfold their metaphorical deaths where, as one reviewer frames it, "transforming a throbbing atmosphere of delicate infancy rememberings into a flesh-tearing

1. Audra Shroeder, New Times – Broward Palm Beach, 6 May, 2004, 2. Retrieved on 15 July 2004 from www.newtimesbpb.com/issues/2004-05-06/shortcuts3.html.

2. Alexander Provan, June 30, 2004, §3 Retrieved on July 15, 2004 from www.dustedmagazine.com/reviews/1444.

interruption," they all die very individual deaths.[3] This is the law of entropy insinuated into the media's materiality becoming translated metaphorically into music, in which any and every sound struggles to emerge, becomes less frequent and more mutated, the spaces between them becoming longer and more drawn out. Because of this, reviewers hear in the piece a sense of mourning and loss haunting the music as it unfolds its own life, the loops gently slipping away, "the sound of life as it decays and dies before our ears. And like all living things, these sounds struggle and claw for life with their last, dying breaths."[4] The loops, like life itself, fade softly into silence. However, despite this somber mood, there is also an undercurrent of hope and renewal, Basinski simultaneously engaging the theme of birth and rebirth throughout, himself acknowledging this in his liner notes: "Life and death were being recorded here as a whole: death as simply a part of life: a cosmic change, a transformation."[5] From the musical loops being materially "born" in 1982 and "reborn" in their rediscovery in 2001, to the musical births of each new loop as it assumes a new shape, sound and structure after each individual disintegration, the loops have been read as mediatically and metaphorically contemplating not only the moment of creation, but also regeneration. One reviewer writes that he imagines that "life within the womb might sound something akin to [this],"[6] while another that "[the music] brings to my mind the effort of [...] giving birth to [Basinski's] creature: repetition and the ongoing pulverizing of sound resemble the extreme force of life desperately wanting to overcome."[7] And overcome it does, as each death is an eventual rebirth, through the repetition of the loops and the cyclic nature of the work (where the first track and the last track employ the same loop[8]) which as a whole becomes a circular epic, "the soundtrack of unbelievable destruction and new possibilities."[9]

As elusive and haunting as the loops themselves, memory becomes the ethereal substance that connects these various themes, with Basinski both mourning

3. Massimo Ricci, Touching Extremes, no date. Retrieved on July 15, 2004 from www.spazioinwind.libero.it/extremes/touchingAD.htm (website deactivated).

4. Michael Heumann, no date, §6. Retrieved on 15 July 2004 from www.hauntedink.com/25/basinski-disintegration.html

5. William Basinski, Liner Notes in *The Disintegration Loops*, 2002 (2062 Music).

6. Joe Tangari, 9 April 2004, §3. Retrieved on July 15, 2004 from www.pichforkmedia.com/record_reviews/b/basinski_william/disintegration-loops.shtm

7. Massimo Ricci. Touching Extremes.

8. Basinski had recorded two copies on tape of this particular loop so that, while the first and last track employ the same loop, their sound, through different degrees of disintegration, is warped differently.

9. Just Add Noise, no date, §4. Retrieved on July 15, 2004 from www.justaddnoise.com/reviews/b/basinski_disintegration_I.htm

and accepting the loss of his own memories: "tied up in these melodies were my youth, my paradise lost, the American pastoral landscape, all dying gently, gracefully, beautifully."[10] Time may have decayed the ideals the loops once represented, but the loops become, at one level, the preservation of those memories—musically in its echoes, structurally in its cyclic nature—that were once youthful and fresh. This is where some reviewers have found the humanity of the work so deeply felt, where, as transient beings, we feel "the implicit, human need to remember, to hold on to things going away forever,"[11] and in this sense, the music becomes "a long reflection on what's become of us after so many beautiful moments of our life."[12] However, the untrustworthy instability of memory prevents this, such that at another level, the loops also represent the impossibility of memory, the difficulty of remembering the moments of our life as how they happened, where time, like the disintegration process, warps and "disappears" everything. Ultimately and poignantly, the tapes and the music are the sound of fading and shifting memories, losing microscopic fragments with every loop until the tiniest molecule of sound is gone, "until the last screen veiling the music's moment of extinction is lowered, upon which vague memories of people and times long forgotten are projected, little shadows dancing on."[13]

THE HETEROGENEITY OF APPEARANCE AND DISAPPEARANCE IN THE VIBRATORY FABRIC OF SOUND

Sound discernably follows a temporal trajectory from appearance to disappearance, emerging into, existing and then fading from first a medium and then perception. However, once opened up beyond the temporality that functions as the most apparent modulation of its appearance/disappearance and analyzed at the level of its physical micro-operations, sound displays an ability to engender simultaneous registers of appearance and disappearance on numerous levels. Imbued with both materiality and ephemerality at once, sound's appearances and disappearance come to be characterized by frenetic levels of heterogeneous activity which invite us to eschew their simple dichotomization by constantly pushing forth and allowing to dissipate different meanings and histories of sound. In other words, examining sounds' physical properties shows us that its appearance and disappearance are not mutually exclusive and that they can neither be clearly separated nor properly distinguished as a here/not-here or a now/not-now, as easily

10. William Basinski, Liner Notes in *The Disintegration Loops*.

11. Logoplasm. Retrieved on July 15, 2004 from www.logoplasm.org/sagita/diffusion (website deactivated).

12. Massimo Ricci.

13. Logoplasm.

done if only considered through its temporality. Rather, the power of sound functions specifically because it forever intertwines its appearances and disappearances simultaneously in the creation of the sonic event with the listening subject.

To begin considering sound's heterogeneity, we should look at the context in which a sound unfolds. Compared to how light waves characterize vision, the higher wavelength and mechanical nature of sound waves dictate that their propagation is more diffuse and slow as they rely on the qualities and large-scale stress and relaxation of whatever elastic medium through which they are transmitted, accounting for our heightened sense of the movement, flux and contingency of sound. As such, sound waves are not only necessarily bound to a context in order to propagate but are also influenced by the general configuration of that environment. This inseparability, as the wave's unfolding travels has it changed by each interaction with the environment as it reflects off and is absorbed by all objects, means that "a sound wave arriving at the ear is analogous of the current state of the physical environment."[14] Therefore, the compositional makeup of a sound wave is one in which the structural simplicity or purity of its qualities become increasingly complicated or tainted through its interaction with all of the objects (including other sonic objects) in the path of its diffusion in the environment; a complication which simultaneously opens up the multiplicities of sound's appearance and disappearance. As it emanates out, the energy that comprises a sound wave simultaneously disappears exactly as it is expended and appears in the medium, while at the same time the measure of the physical qualities (frequency and amplitude) that comprise the (original) wave are shifting constantly through various appearances and disappearances: they disappear as the wave's energy is constantly transferred and appears in other objects and media which are in the path of its diffusion; they are altered as the wave reflects off everything in its path; and they are supplemented by the appearance of the qualities of other sound waves that are either already present in the medium.

These shifting appearances and disappearances also hold true for a sound wave's interaction with other sonic objects, which can be either existing sound waves (already traveling through the environment) or those that have emerged from being forced into vibration by the original sound wave. For example, in the phenomena of resonance and forced vibration,[15] the pressure created in the

14. Barry Truax, *Acoustic Communication*, Westport, CN, Ablex Publishing, 2001, p. 17.

15. Resonance occurs when one vibrating object elicits vibration from another because they share the same natural frequency and are connected by surrounding particles. However, even if objects do not share the same natural frequency, the nature of vibrations is such that the pressure created in the medium by a vibrating object will force any adjoining or interconnected object into vibrational motion, and this phenomenon is known as forced vibration.

medium by a vibrating object will elicit some degree of vibration from any object with which it is interconnected (through particles of the medium). The object forced into vibration will emanate a different vibratory pattern, but one which is forced to interact with and become incorporated with the original sound wave. In this interaction, parts of the original sound wave disappear in favor of the appearance of qualities emanating from the object forced into vibration, producing a new sound wave that is structurally different from the one that emanated from the original vibrating object. For example, in attempts to produce a truly pure tone in acoustic laboratory tests under controlled conditions "it is doubtful whether by the time the tone has reached our ears it has not been corrupted by resonances picked up on the way."[16] Even a solitary sine wave, describing one element of a sound, "once given life in a room, will excite its harmonics in sympathetic bodies."[17] Because of these interactions, a sound wave is never fixed: as some qualities emerge and others dissipate in a constant process of disappearance and appearance in the diffusion of a sound wave through the environment, constantly changing its structure and texture as it becomes enmeshed with and comes apart from other media and vibrations, ultimately, at the point of emergence, a sound represents "the fused sum of all the vibrations to reach this point in time and space." (SI, p. 14)

The sum of this interaction between a sound wave and the environment creates a complex, vibratory fabric composed of an infinite, multiplicity of sound waves in which we are forever immersed in both its materiality (as a substance that moves through us and rubs against us) and its immaterality (as a substance that cannot be held, contained or seen). Underlying the sound that we hear is this vibratory fabric which, when disturbed, tenses and relaxes to produce a sound, but when "at rest" is still comprised of an endless ocean of different sound waves, overlapping and layered, each one comprised of various frequencies and amplitudes, struggling violently against each other in such a dense flux that it is impossible to demarcate when the qualities that comprise a sound appear and when they have disappeared. While the sound we eventually hear requires specific thresholds to be reached, even when not coming to appearance in the form of an audible sound, all of these qualities are still forever there, surrounding and penetrating our body, waiting to unfold in a sonic event:

16. Henry Cowell, "The Joys of Noise," in Cristoph Cox and Daniel Warner (eds.), *Audio Culture: Readings in Modern Music*, New York, Continuum, 2004, p. 23.

17. Aden Evens, *Sound Ideas: Music, Machines and Experience*, Minneapolis, University of Minnesota Press, 2005, p. 47. Henceforth, references to this text will be indicated by the initials "SI," followed by the page number, and placed between parentheses in the body of the text.

> Every vibration, every sound, hangs in the air, in the room, in bodies. Sounds spread out, they become less and less contracted, they fuse, but still they remain, their energy of vibration moving the air and the walls in the room, making a noise that still tickles the strings of a violin playing weeks later. Every sound masks an entire history of sound, a cacophony of silence. (SI, p. 14)

The physical properties of how a sound wave interacts with the vibratory fabric are such that what is eventually heard as one sound contains within it the continually supplemented appearance of the histories of other potential sounds to itself, but is also defined by its own histories, and by other potential sounds that have disappeared and decayed along the way. Through this heterogeneity, this "entire history of sound" speaks to how an individual sound, even before coming to perception, is in a constant state of fluid and overlapping appearances and disappearances, troubling the ability to determine how and when these occur.

And yet, even if we reduce our scope from the sonic fabric to an individual sound wave, it remains capable of producing multiplicities through its heterogeneity. Consider one sound wave. While what we eventually hear as one sound appears uniform, the compositional makeup of a sound wave is not only a complex of heterogeneous sine waves describing its various physical characteristics, but its compression at a particular frequency is not a uniform process. A compression acts as a centre of power for sound, bringing together a vast array of different sine waves describing various parts and qualities of the sound wave and then imposing on this chaotic irregularity a uniformity such that, in sound's sounding, the repeatable iteration of these high pressure areas will appear to be a stable expression that falls within the range of human hearing. However, when attempting to impose this uniformity, the compression process must rely on rarefactions, the area where the physicality of sound's energy has dispersed; in this way, disappearances insinuate themselves into and help comprise the quality of the eventually-heard sound on numerous levels. At the first level, in drawing sonic elements together, each compression pulls into itself and thus implicates some of the properties of the compressions and rarefactions that come before it and, as such, it becomes implicated in those that come after it; thus, some of the sonic properties of rarefactions become drawn into compressions. It is this operation of a compression's "overflow" which allows the ear to hear, for example, individual notes that comprise a sound both as individually distinct and as part of a movement. At another level, while some of the properties of unused vibrations are never drawn into a compression and remain in the low-density area, they can still influence the hearing process because a sounding needs rarefactions to present itself as a variation in pressure for the ear to vibrate. In these ways, rarefactions subvert the uniformity and power of compression by implicating the properties and histories of a series of not-sounds and disappearances into what will eventually be heard in the sonic event, now to be underscored by shifting patterns of loss.

By gathering *heterogeneous* sonic elements, by opening itself to rarefactions, by containing elements that came before it, and by opening itself to have its own elements drawn into compressions that come after it, the compression—despite what may be the uniformity and smoothness of a heard sound—does not "gather into a uniform whole but collects *heterogeneously*, making an assymetrical, weighted duration that spills over its edges." (SI, p. 40) As such, each compression that comprises one sound is itself both related to and unique from other compressions. The continual appearance of certain qualities of the sound wave marks it as a part of a movement that as it has been chosen to be made uniform forms its relationship to other compressions. It is at the same time unique because each compression is differentially composed of various degrees of disappearance, dependent as it is on the qualities of the rarefactions it is related to. Thus, even at the subatomic level, when the physical elements of a sound wave are compressed into the character of a sound (*i.e.* those qualities which make the various histories of a wave's appearances appear as a sound appears), each compression includes the histories of its own various disappearances, ones that are eventually heard in the sound's quality. That which appears as sound is heard this way because the compression process makes other qualities disappear from the heard sound, but in such a way that their disappearance still affects the quality of the heard sound.

These peculiar operations again point to the constant production of heterogeneity at various levels of sound, in its movement, interaction, composition, compression and continuous corruption and reconstitution, all folded into the vibratory fabric that surrounds the emergence of each heard sound. As soon as an object is set into vibration, even if a sound's sounding may appear to us in perception as texturally smooth or constant or uniform, once dissected it is exposed to be a chaotic composition of its multiple histories of appearance and disappearance. The various levels of heterogeneity in sound detail an excessive multiplicity which refuses to let its appearances and disappearances exist as a simple dichotomization, of a fading in and then fading out; while "the whole of sound is contracted each time, as noise gathers the entire history of sound into each point," (SI, p. 18) when a sound appears, part of this history necessarily includes its very own not-sounds that have disappeared.

APPEARANCE, DISAPPEARANCE AND THE LISTENING SUBJECT

When we come to the level of the heard sound, while the vibratory fabric of sound may constantly surround us, it is only in the perception of sound that it inscribes the body its heterogeneous histories of appearances and disappearances, the continual perception itself a continual inscription on the body. Just as sound requires a disappearance of sonic elements to be perceived as a heard sound as it appears *to* the body, its disappearance *from* the body as its energy fades is its simultaneous appearance *in* the body as it marks the subject with its histories through the process of memory in the co-constitution of the sonic event with the listening subject. Further, this process is perpetually being reconstituted in such a way that this appearance is never stable, never complete, thus leaving its resolution always open to renegotiation by the listening subject.

By implicating *heterogeneous* sonic elements that come before it and after it, the compression becomes "a weighted hearing that is open to the next moment precisely because it retains the last one," (SI, p. 42) spilling over the edges of its own meaning and resolution. This asymmetry ensures that it neither creates a homogeneous block of time-sound nor resolves itself into a specific sound. Rather, it pushes forth a series of sonic singularities, specific but not specified moments in the substance of sound that bend towards the ear, "implicating worlds of forces not yet unleashed but whose reserve powers the music, drives it along," (SI, p. 17) each one containing its various pasts and potential futures, each one necessarily open to further articulation by the hearing subject, ensuring that whatever the heard sound will eventually be is only implied rather than resolved in its compression:

> What is implicated is not an obscure version of the music yet to come, not a specific direction for the music to take, nor even a bunch of possible directions. Implication does not gather within it the specific vibrations that will be expressed as variations in air pressure. Rather, the implicated is obscure by its nature, incorporating not so much the clarity of sound waves as the singularity of events, historical events, musical events, masking within it affect apart from object and percept without subject. The implicated contracts noise, an entire history of sound, but the contracted events, percepts and affects are still inarticulate, too relaxed to be clear. They are singular but not specific. Unlike expectation, implication does not specify the resolution, the harmonic possibilities, the melodic continuation, though it does establish the realm from which the possibilities for these specifics can be drawn. In contracting noise to the point of clarity, implication brings close to the surface some of the depth of noise, powering the music while focusing the next contraction, the next repetition. (SI, p. 20)

In other words, a compression implicates the sonic singularities of the past, "the history of sound", and pushes these towards a future without specifying a direction or resolution for the sound, but rather bringing both of these "close to the surface" of hearing. It is the hearing subject who must then actively compress a *heterogeneity* of "inarticulate" *heterogeneous* compressions into its perception, resolving all of the various physicalities of sound into a heard sound by bringing them from "the point of clarity" into a uniform and constant texture. In this way, the body is at the centre of this process, crushing time and opening the implied in sound, just as it is sound itself that opens the body to inscription.

Transpiring in the body, the locus of this inscription by sound is in memory specifically, where even at the physical level of sound's qualities, the body must remember:

> To hear pitch and timbre, one must remember the last few vibrations of the air. These few milliseconds are compressed, drawn together, their interval difference extinguished, covered, or crossed by the compression. One does not hear a variation of air pressure, a difference over time, but only the effect of this difference, the steady quality of pitch and timbre. (SI, p. 41)

But because every compression and sound wave are composed of histories of vibrational appearances and disappearances, when a sound is contracted into perception it indelibly marks the body with these histories, being inscribed into us through the need to remember its sonic qualities. What first appeared *to* the body, as sound waves approach us through our immersion in the sonic fabric that surrounds us, these histories of sound now appear *in* the body in perception. Part of what is implicated, that which will forever be pushed forth as sonic singularities to be resolved by the listening subject, include sound's own histories of appearance and disappearance. In this way, how sound appears to us in its materiality partially shapes our subjectivity through its disappearance. I say partially because we cannot discount the role of the listener in shaping the sonic experience; our immersion in sound should not only be looked at in terms of how its force can unidirectionally constitute the sonic event and thus the subject in a total way. While we can say that there is a sonic envelopment that brings forth sonic singularities and that there will always be something in sound that seems beyond listeners' control, auditory perception is much more being subjected to these, and powerless, because the final constitution and reconstitution of the sonic event can only be co-determined with the listening subject. Simply, in the sonic event, while the "sound must be bent to invite the listener to share in its meaning," the listener must, as Evens insists, "bend [their] hearing just so, in concert with the sound [he or she] hears." (SI, p. 28) Within the sound, this "bending" is evident in how each compression is a sonic singularity that does not specify its own resolution but establishes a field of possibilities from which specific meanings can be drawn, simply bringing sound to the point of clarity. It is at this point that the active listener draws from this "realm" of possibilities their own meaning of the sound and helps constitutes the sonic event, the resolution of which transpires only with the listening subject "bending" his or her ear to the sound. As we have already discussed, within this event and the actual physical properties of a sound are histories of appearance and disappearance in every compression, in every wave and thus in every contraction into perception. So in the process of "bending" towards the sound, its physical properties mark the body with these histories through the process of memory, which places together the movement of the weighted durations to make sense of them. But at the same time, the resolution of these possibilities and histories implicit in sound's rhythmic physical qualities occurs in conjunction with the histories of the subject whose listening is bent in an aesthetic of bodily involvement, the body itself taking sound's histories and implicating its own. Therefore, the continual bringing forth of sound's histories and movement is a continual working on the subject who partially resolves the multiple possibilities because of and within his or her own history in the coproduction of the sonic event, such that what a sound "is," is a personal incorporation of histories that cannot be generalized, but whose resolution of the sonic event inevitably makes it a political one because it is a corporeal one. However, the resolution of the sonic event forever remains only partial because sound's perpetual movement constantly re-enacts this process in hearing: "[...] the contraction is always repeated, the implicated always implicates itself again [...] this repetition, this reimplication that moves sound forward, pushing music along," constantly bringing forth the different histories and singularities of sound in its opening up to the future possibilities of resolving the sonic event, as "[...] contracted sound immediately relaxes again, falling back into the noise it rose out of and allowing other contractions to come to the fore." (SI, p. 18) Therefore, just as the heard sound begins its own disappearance *from* the body, this entire process begins again with new compressions, new waves and new sounds, making the process and its resolution forever unstable, always partial and never complete, and, because of this, bursting with histories that are always open to reconstitution by the hearing subject.

Taking the physical qualities of sound seriously, therefore, "does not mean that we have to give up on the discursive formation of subjectivity," rather, as Revill contends, "one might argue that if, as many cultural theorists believe, we as human beings in society are inevitably pitched into discourse, and if discourse is fundamental to our 'being-in-the-world', then the discursive is embodied in sound, in rhythm, timbre and vibration."[18] Subjectivity spreads out and merges with the sonic histories of appearances and disappearances that are folded into sound waves and the sonic fabric, caught in a constant mutual constitution of self

18. George Revill, "Music and the Politics of Sound: Nationalism, Citizenship, and Auditory Space", *Environment and Planning D: Society and Space*, Vol. 18, No. 5, 2000, p. 604.

and other as their boundaries dissolve, leading to a sonic fragmentation of the subject who becomes what Connor has referred to as the "phantasmic soft body, held in suspension in the synaesthetic coilings of the ear, between the inside and the outside, the self and the other."[19]

APPEARANCE AND DISAPPEARANCE IN THE SOUND OF *THE DISINTEGRATION LOOPS*

There are many structural similarities between the elements of the vibratory fabric that help sonically constitute subjectivity and the overall form/content/process of *The Disintegration Loops*. There is an entire process of action and interaction between tape, tape head, the sound of the original loop, its disintegration and the sounds of the disintegrating loops, such that each track can be considered a vibratory fabric in its own right, characterized by the constant activity of vibrating objects, a temporality necessary for it to unfold and a heterogeneity of the sonic properties of each loop. By constantly pushing forth the disintegrating loops as individual sonic singularities which are structured and characterized by both appearances and disappearances, their unfolding brings these histories into appearance for the listening subject, only to disappear, their repetition marking the body but signaling the continual and mutual re-constitution of the event.

To elaborate, if one imagines the original loop of a track as an object that undergoes vibration, the disintegration as the process which initiates vibration, the actual physical object of the magnetic tape onto which the loops were recorded as a medium akin to the medium necessary for the transmission of sound and the subsequent loops of the track as the resulting sound waves emerging and flowing from the vibrating object, one hears *The Disintegration Loops* behaving much like the various processes of sound just discussed, as a dense and active flux that complicates modulations of appearance and disappearance by refusing to be fixated in the proliferation of its multiple histories, and refusing to separate the metaphorical from the material. The disintegration of tape translates an evident elasticity of a medium into the sonic stress and relaxation of the loops which changes the sound and structure of each loop and produces areas of sound/compressions and not-sound/rarefactions in the piece, such that the sound of the loops are bound to and inseparable from the context of that medium. Like any vibrating object, once the original loop begins disintegrating, it sets into motion a series of interconnected, vibrating loops which, much like

19. Steven Connor, "Edison's Teeth: Touching Hearing," in Veit Erlmann (ed.), *Hearing Cultures*, New York, Berg Press, 2004, p. 171.

sound waves, diffuse slowly outwards from it, each loop disturbing and interacting, reflecting and overlapping, with its nearing neighbor, both being absorbed into or absorbing other loops and transferring this energy throughout the whole track. In this disintegration, the loops have no clear boundaries between them, spreading out in an autonomous spatial and temporal existence away from the original loops, bleeding into and interacting amongst themselves and changing their spatiotemporal vectors and sonic qualities each time. In this way, the loops follow patterns of appearance and disappearance similar to sound waves: both are manifested energy and contingently affected, material and ephemeral. This dynamism ensures that their everchanging properties are characterized by the appearances and disappearances of other loops and waves. Like sound waves and vibrations, listening to the loops, as they vibrate, propagate, dissipate, their energy conserved as they move away from the original loop but expended throughout the piece, is like listening to the vibratory fabric of sound waves that surrounds us. The whole becomes a dynamic environment distributing sound's energy across its medium in a continuous variation of pressure heard in the shifting sounds of each loop, each loop comprised of different and interacting sonic properties, their unfolding comprised of different sounds which at different times emerge, overlap, compete, crash headlong, relax and then dissipate, underscored by a pattern of appearances and disappearances which shape the vibratory fabric in its unfolding. The energy and integrity of the loops eventually become less stable yet still affect the sonic unfolding of the next loop, the stress and relaxation of the tape dancing on the thresholds on sound/not-sound, heard in the struggle for the loops to emerge and remain heard, until this energy expends itself, fading into silence at the end of the track.

We can also extrapolate Evens' ideas on compressions into the action that transpires in *The Disintegration Loops*. If we reduce our scope and cast the original loop of a track as a uniformly heard sound, the disintegration process can be heard as an opening up of this uniformity and an emerging of all the heterogeneous sonic elements that actually comprise it, constantly changing the sonic properties of the sound. Beneath each loop as a compression of sound and each disintegration as its rarefaction, lies a chaotic and dynamic multiplicity of space, time and sound. Just like every compression, each loop similarly acts as a gathering of heterogeneous sonic properties trying to impose a uniformity in its sounding, but different each time—corrupted as it is by the interpenetrating resonances and forced vibration of the disintegrating loops changing the quality of the heard sound—becoming a "weighted hearing" that simultaneously absorbs the properties of the preceding loop and influences the properties of the next loop. Containing its own past and its own future, these asymmetries allow a loop to simultaneously relate to both the preceding and following sound while remaining differentiated in a duration that spills over its edges, as each loop bleeds into others. Furthermore, the continual repetition of the original loop (whose structure we can still discern despite its disintegration) is similar to the process by which the compression process continually attempts to impose some sort of uniformity on the chaos of sound waves in an attempt, however doomed, to master and control their heterogeneity (and thus the "meanings") inherent in sound. Thought of in these terms, the sounds of *The Disintegration Loops* are not infinitely plastic. The reappearance of the original loop, however dissolved its structure, becomes a sign of the power of sound that saturates the vibratory fabric as it works on the body. In this repetition we hear the forcible reiteration of this power and the histories implicated by that loop as they struggle to sonically emerge in various forms to mark the body. On the other hand, the disintegration process equally represents a sign of the ability of sound's alterity—its rarefactions—to resist this power and allow for the possibility of a number of different future resolutions of the sonic event *with* the listener (rather than imposed *on* the listener), because sound's heterogeneous disappearances open up the potential for other histories to emerge that can destabilize what appears to be the totalizing sonic unity of the original loop. Much like rarefactions existing in relation to the stronger forces of compressions, the disintegration process continues to dismantle the power of the original loop, insinuating itself into the functioning of that order over and over again over the course of a track, until the entire structure of the original loop's constellation of power—and therefore sound—has changed.[20] So while the repetition of the original loop may force its own order and discourse, its histories, to re-emerge, the disintegration process differentially structures and sounds each loop by pushing forth a sonic mass of otherness—other discourses, other histories, other sounds—including disappearances, which represents the possibilities of different resolutions of the event, opening the door for the subject to invent other meanings and other discourses. In the loops, we can hear the continual appearance of possibilities to reconstitute the sonic event and the listening subject through the very otherness of their sonic disappearance, either as rarefactions or as disintegration, where even their not-sounds or not-power still persist as being inextricably linked to the larger discursive vibratory fabric; disappearance not only structures how the sound is heard, but how it *could* be heard. In this way, the loops come to represent a series of sonic singularities

20. Especially if one considers that the original loops represent a particular discursive unity and formality of Western canonical music in its metered rhythm, harmony and melody, localizing the power of this discourse within the boundaries of its one loop, and with it, its implicit notions of musical time and space.

constantly re-opening to further articulation, related to but not statically defined by the other temporal spans of the other loops. However, the sonic warping of the disintegration makes these singularities "still inarticulate, too relaxed to be clear," the resolution of each loop not specified but "powering the music" while "focusing the next contraction, the next repetition." As such, the completion of each loop is forever but a partial resolution of the event, the loops' movement ensuring a constant reproduction of the event. As we have seen, the production of the sound, the subject and the resolution of the sonic event, whether in the vibratory fabric or in listening to music, are simultaneous to the extent that there is no final meaning of sound that pre-exists its doing or its subjects but is created only as it unfolds in conjunction with a listener who resolves these sonic singularities. In this sense, not only can the form/process of the loops serve as representing the operations of sound, speaking to the process of the sonic fragmentation of the subject, but listening to loops also initiates this fragmentation because it *is* sound, the continuous and shifting looping simultaneously multiplying the sonic events and possibilities while fragmenting the subject according to its own sounds and histories.

By actively engaging the loops, barriers between interiority and exteriority dissolve, the subject negotiates with its fluid, fragmented, decentered sounds and emerges itself as a dispersed sonic topography filled with the potential for future negotiations of sound and self. But at the same time, it also shapes subjectivity, through the processes described, according to complexifications of appearance and disappearance because *The Disintegration Loops* presents a complex and radically non-linear challenge to the temporality of appearance and disappearance. Basinski's piece represents an exploration of the dynamic interplay of how time and history, appearance and disappearance, are active and integral forces that must be acknowledged when considering sound, and is done in such a way that the overlapping flow of random periods of both appearance (the repetition of the original loops) and disappearance (their disintegration) are not subject to a predetermined dialectical linearity but in fact trouble the "essence" of what sound is because both function simultaneously to influence the quality of heard sound. In the very unfolding of each loop, the decaying process problematizes the search for the essence of a self-contained centre of pure sound marked by strict temporal measures of appearance/disappearance. A track's everchanging structure acknowledges the very impossibility of this essence: each disintegrating loop, while a repetition of the same original loop, is differentially contextualized and temporalized in each unfolding, revealing its appearance and dispersing its disappearance in a different way, the music constantly emerging as a differential iteration of multiple and overlapping sonic events bleeding into each other and tainting the idea of the "pure" and unitary temporal sound event characterized by a strict dichotomization according to a coming to and a fading away. Further than this, being structured by the unfolding of the previous loop, the appearance of each loop is forever tied to its past, while at the same time, its own unfolding and disappearing structure structures the following unfolding loop and is thus forever tied to its own future; each loop is an instantiation of a dynamic and causal temporality and history marked simultaneously by both a loop's appearance and disappearance. Similarly, while sound can eventually be resolved in a sonic event with the listening subject, this event cannot have an independent existence marked by clear-cut temporal lines of "having appeared" or "having faded;" history always precedes it, informs it, shapes it, and then continues to live on following its inscription in the listening subject. Sound is literally a "coming into being"—it penetrates our bodies, our selves, our identities—and while sound's fading is this physicality literally draining away or "disappearing from being," it does so only after its own histories of appearances and disappearances have appeared in the body in such a way that the fluidity of the process which characterizes the constitution of the sonic event leaves the possibility that these appeared histories could once again disappear if reconstituted by the listening subject. In this sense, neither music nor sound are placed above or beyond the forces of history, in an empty temporality in which the pure essence of sound can exist independently and be strictly made to either appear or disappear. There is no such thing as a sound beyond history, or more specifically, a sound that is beyond the history of its overlapping and intertwined appearances and disappearances. *The Disintegration Loops* not only acknowledges this historical genealogy on numerous registers, where history in the form of the dynamism of decaying loops is its (un)structured principle, but incorporates this understanding into the very flows of the loops' appearances/disappearance which, much like the sonic process itself, dissolves their strict temporal dichotomization within the subject as he or she resolves these histories in a sonic event.

Faire et contrefaire : les disparitions d'un auteur

CORINNE FASSBINDEN

On sait que l'originalité et ce qu'Harold Rosenberg a nommé la « tradition du nouveau » sont devenus des maîtres mots de l'art moderne alors même que la conscience sociale supposait une égalité de droit entre les individus. Dans une telle configuration des valeurs, le problème est de savoir comment tout un chacun peut être légitimement différent de tout le monde. En effet, chaque artiste doit à la fois être potentiellement n'importe qui (puisque l'art n'est pas seulement accessible à une minorité privilégiée soit par l'éducation ou l'apprentissage, soit par la naissance ou l'héritage) et nécessairement un être à part, hors norme (par la grâce de son génie ou par la puissance de son travail). Sartre en avait remarquablement développé l'ambiguïté en racontant dans *Les mots* comment s'était configuré son destin de génie des lettres, tout en clôturant son autobiographie par la célèbre phrase censée le décrire : « tout un homme fait de tous les hommes, qui les vaut tous et que vaut n'importe qui[1] ». C'est bien de valeur sociale qu'il est question et de la constitution de cette valeur. Ce n'est pas un hasard si une des notions les plus importantes du Sartre philosophe pour caractériser l'être humain est celle d'un « universel singulier » : il y exprime en fait l'idée même de l'artiste de la modernité.

Nathalie Heinich, dans son récent ouvrage sur « L'élite artiste », a judicieusement analysé les paradoxes constitutifs de l'artiste dans le « régime démocratique » en montrant comment il doit simultanément briller par son excellence et se fondre dans l'égalitarisme démocratique, faire parti d'une élite tout en refusant le pouvoir qui s'y trouve associé. Le XXe siècle aurait ainsi connu une redéfinition de l'identité d'artiste non seulement par le déplacement du normal au hors norme, mais aussi par « le déplacement sur la personne de l'artiste du travail

1. Jean-Paul Sartre, *Les mots*, Paris, Éditions Gallimard, coll. « Folio », 1977 [1964], p. 214.

de la création, de la stylisation et de la singularisation jusqu'alors investi sur les œuvres — l'authenticité de la personne venant garantir la crédibilité de l'œuvre[2] ». Autrement dit, il ne s'agit plus simplement de faire de soi-même une œuvre (comme pour le *dandy*), mais de donner du crédit aux œuvres par l'apparition singulière de soi. Et Nathalie Heinich note bien la difficulté dans laquelle ne cesse de se trouver l'artiste contemporain : comment rendre crédible des œuvres en fonction de sa position singulière et ouvertement marginale dès lors que ce crédit accordé par des institutions (marchands d'art, critiques, historiens de l'art, musées) leur ôte justement leur marginalité ? Une solution consiste à ne pas jouer de l'apparition de sa singularité, mais juste au contraire de sa *disparition organisée*, et, puisque l'affaire joue sur de la valeur et du crédit, il s'agit de disparaître en fonction même de ces usages également économiques.

L'artiste chypriote sur lequel je voudrais maintenant me pencher, Prodromos Alethinos, en propose un modèle, je crois, inédit. Il a commencé sa carrière dans les contrefaçons. En choisissant ce nom, il est bien entendu déjà en train de nous proposer une contrefaçon ironique du nom d'auteur, puisqu'on peut le traduire approximativement en français par « Précurseur véritable », mais il est aussi en train de nous indiquer que la question centrale que pose toute forme de contrefaçon est justement celle de la vérité, de l'antériorité, de l'originalité et du nom, puisqu'il s'agit de vendre des produits qui n'ont d'autre valeur que le nom qu'ils portent (une montre Cartier n'est pas d'une qualité supérieure à une montre Watch, mais celle-là a un nom éminent, dont l'originalité a été déposée légalement, l'autre un nom quelconque).

En quoi consiste l'activité artistique de Prodromos Alethinos ? À proposer des contrefaçons d'artistes dont les noms d'auteur jouent en fin de compte le rôle de marques déposées. Il disparaît comme auteur pour mieux apparaître comme artiste et apparaît comme artiste pour mieux disparaître comme voleur. Peut-être même peut-on discerner chez lui un refus farouche de toute une idéologie de l'art où l'artiste est censé rendre visible l'invisible, voire parfois rendre visible le visible (qu'on ne voit jamais et qui est donc devenu, là aussi, invisible) : pour Prodromos Alethinos, l'affaire de l'art n'est pas encore séparée de la magie (ou de l'illusionnisme utile aux trafiquants et aux escrocs) où, s'il arrive de faire apparaître des pigeons dans un chapeau, l'essentiel est de pouvoir faire disparaître les choses et les gens, en finissant par soi-même.

Il est important, pour comprendre les enjeux politiques et esthétiques des « œuvres » de Prodromos Alethinos, de rappeler quelques éléments de l'histoire

2. Nathalie Heinich, *L'élite artiste. Excellence et singularité en régime démocratique*, Paris, Éditions Gallimard, coll. « Bibliothèque des sciences humaines », 2005, p. 281.

de l'île de Chypre, dans la mesure où la paradoxale originalité d'Alethinos tient, en partie, et à la situation marginale de Chypre dans le marché mondial de l'art et à l'économie parallèle de la contrefaçon qui y a fleuri depuis une quarantaine d'années.

Les communautés grecques et turques formaient depuis longtemps une mosaïque complexe dans l'île sans pourtant provoquer de nombreux affrontements. Sous contrôle anglais depuis 1879, Chypre faisait partie de ces pays qui, après la Seconde Guerre mondiale, réclamaient et luttaient pour leur indépendance. Les chypriotes grecs voulaient un rattachement pur et simple à la Grèce, la minorité turque (environ 18 % de la population à l'époque), encouragée autant par la Turquie que par le Royaume-Uni (qui préférait, selon l'adage classique, diviser pour mieux régner), en rejetait le principe et voulait une indépendance de l'île. En 1960, avec les garanties du Royaume-Uni, de la Grèce et de la Turquie, Chypre acquiert enfin son indépendance avec une représentation bipartite dans le conseil législatif et des droits de veto accordés aux représentants des deux communautés. Cependant, les violences entre les deux communautés s'accroissent, les vetos se succèdent de part et d'autre de façon caricaturale. Les représentants turcs décident alors de boycotter le conseil législatif et les Grecs en profitent pour voter des mesures qui les défavorisent. En 1967, est instaurée en Grèce la dictature des colonels. En 1974, les colonels fomentent un coup d'état à Chypre et tentent d'y imposer leur loi. Aussitôt, l'armée turque intervient et renverse ce nouveau pouvoir. Après la chute des colonels et le rétablissement de la démocratie à Chypre, les Turcs refusent de repartir et profitent de la situation pour imposer de force des déplacements de population et la partition de l'île, avec pour bilan 6 000 morts et des centaines de disparus — morts et disparus qui n'ont pas eu souvent les honneurs des médias dans la triste litanie des déplacements forcés de population. Depuis, les Chypriotes grecs ne cessent de dénoncer la politique d'Ankara visant à faire de l'île une colonie de peuplement turc par l'intermédiaire de mesures financières favorables, ce qui permet d'altérer profondément la composition démographique et culturelle de l'île.

Celui qui a pris le nom de Prodromos Alethinos serait né en 1955 (d'après la biographie qu'il a lui-même composée, mais dont rien ne permet de savoir si elle est exacte[3]) et aurait vécu un tel déplacement, puisque sa famille habitait le nord de l'île avant d'être brutalement rejetée en zone grecque. Il raconte que son

3. Mes informations sur Prodromos Alethinos viennent d'entrevues faites avec les acheteurs de ses œuvres et de quelques articles de journaux chypriotes qui demeurent anecdotiques et prennent d'emblée le parti de l'escroquerie. Il me semble que le cas est plus intéressant, précisément, par ses ambiguïtés.

père et sa jeune sœur sont morts pendant ces troubles. Sa mère a trouvé refuge chez un oncle et c'est dans cette nouvelle famille qu'il aurait été élevé, près de la frontière dont il voyait la ligne verte barrer obstinément le paysage. Son oncle était un petit contrebandier et c'est ainsi que lui-même a commencé sa carrière dans la contrefaçon.

En effet, depuis la partition de l'île de Chypre en 1974, la frontière n'a pas servi seulement à séparer les Grecs des Turcs, elle a aussi permis l'élaboration d'un fructueux trafic de produits illégaux, fabriqués du côté turc et écoulés du côté grec dans le cadre d'une industrie touristique en plein essor[4]. La mondialisation et le libre-échange revendiqué par les grands pays capitalistes ne consistent pas tant dans la disparition des frontières que dans leur judicieuse exploitation (par exemple, dans les paradis fiscaux qui jouent justement de leurs frontières pour échanger un faible taux d'imposition contre l'installation d'entreprises étrangères). Cette frontière instaurée entre le nord et le sud de l'île est, bien sûr, le résultat d'oppositions culturelles et religieuses et l'effet de luttes politiques que l'on a très rapidement escamotées, dans la mesure où elles ne semblaient constituer, pour l'Europe, qu'un conflit aux marges de son territoire, presque hors de ses frontières naturelles[5]. Pourtant, le problème se pose, à nouveau, de manière symptomatique, depuis que Chypre fait partie de l'Union européenne et que la Turquie, qui voudrait aussi y adhérer, refuse toujours de reconnaître la partie grecque de l'île. La question des frontières, de leur présence ou de leur

4. En particulier, des disques pirates importés d'Extrême-Orient, des CD audio (vendus sous forme de copies grossières, présentés dans une enveloppe plastique, et dont la pochette est photocopiée) et des logiciels et jeux vidéo piratés. Ces articles contrefaits sont vendus librement dans les nombreux kiosques, vidéoclubs et magasins de souvenirs que compte l'île. Les touristes sont également une cible privilégiée pour les articles de contrefaçon dans le domaine du prêt-à-porter et de l'industrie du luxe (parfums, accessoires, articles de maroquinerie, etc.). La lutte contre la copie illicite ou la contrefaçon a significativement progressé ces dernières années, la volonté des autorités accompagnant un renforcement du droit en la matière, consécutivement à l'adhésion de Chypre à l'Union européenne. Une politique de lutte contre la contrefaçon commence à être mise en place de façon conjointe entre les services du Ministère du Commerce, de l'Industrie et du Tourisme, et ceux de la Police et des Douanes. Ainsi, la loi 31(I)/2002 a introduit des mécanismes de contrôle à la frontière, conformément à l'accord ADPIC (Accord sur les aspects des droits de propriété intellectuelle touchant au commerce). Les règlements communautaires n° 1383/2003 et n° 1891/2004 sont venus renforcer ce dispositif.

5. Il est caractéristique que Chypre, d'un point de vue purement géographique, se situe dans le sud-ouest de l'Asie, tandis que, d'un point de vue culturel, les Chypriotes grecs revendiquent fortement leurs origines européennes.

possible disparition demeure donc d'une brûlante actualité dans ce petit coin du monde.

Ce sont aussi des frontières que ne cesse de mettre en jeu Prodromos Alethinos, à commencer par la séparation même entre l'œuvre originale et la contrefaçon illégitime. Lorsqu'un des critères majeurs de l'art devient, en effet, l'originalité, l'expression d'un sujet artiste, tout déni de cette expressivité pose sans cesse le problème de savoir s'il s'agit bien d'art. Depuis les ready-made de Duchamp jusqu'aux soupes Campbell de Warhol, ce sont là des sujets souvent exploités par les artistes. L'originalité d'Alethinos dans ce concours de la non-originalité consiste à jouer avec les notions économiques mêmes sur lesquelles se fonde aussi la valeur esthétique, au point de brouiller complètement la démarcation, la frontière entre la démarche artistique et l'escroquerie manifeste. Plus encore, il en annule la séparation en transformant en fait l'escroquerie en un art et de la disparition nécessaire du voleur une esthétique de la disparition. C'est en quoi le milieu de Chypre apparaît particulièrement favorable à l'éclosion d'un tel « talent » : les nouveaux riches chypriotes en mal de reconnaissance cherchent des œuvres d'art qu'ils pourront acquérir facilement même s'ils ne sont pas à même de se fournir aussi immédiatement sur le marché européen ou américain, ainsi les habitudes de la contrefaçon de luxe trouvent leur prolongement dans les escroqueries artistiques et les fantasmes nationalistes de l'appartenance à la Grèce permettent d'embarquer sans sourciller dans toute forme esthétique récupérable localement afin de mieux valider le pseudo héritage de l'art antique.

Le premier essai connu des activités de Prodromos Alethinos reprend le travail d'un des artistes qui a, parmi les premiers, joué explicitement de la dimension immatérielle de la production artistique : Yves Klein. Alethinos raconte qu'il avait appris le français pour lire Gide dans le texte et qu'il avait fini par être plus fasciné par les déclarations à l'emporte-pièce d'Yves Klein. *Les Faux-Monnayeurs* cédaient le pas au fameux « saut dans le vide » de l'artiste. C'est un tel saut dans le vide, à la fois trucage et geste esthétique, qui l'intéressait[6]. Une notion utilisée par Yves Klein lui semblait centrale, celle de « sensibilité picturale », car elle faisait justement disparaître l'expressivité subjective de l'artiste qui était jusque-là le porteur explicite de toute forme de sensibilité, qui avait à l'exprimer, pour la remplacer par la sensibilité du milieu ou du support lui-même (sur le modèle de la plaque sensible du dispositif photographique). Si l'intermédialité « étudie comment textes, images et discours ne sont pas seulement des ordres de lan-

6. Pour la mise en scène du saut dans le vide, voir Terhi Génévrier-Tausti, *L'envol d'Yves Klein. L'origine d'une légende*, Paris, Area revues, 2006.

gage, mais aussi des supports, des modes de transmission, des apprentissages de codes, des leçons de choses[7] » et insiste donc sur les « dispositifs sensibles », alors la « sensibilité » mise de l'avant par Yves Klein provoque la disparition de l'artiste au profit du médium (au sens large du terme). L'artiste devient plutôt un metteur en scène des façons institutionnelles et des configurations matérielles, comme dans le célèbre exemple de l'exposition « du vide » (ainsi nommée après coup) où Yves Klein avait recouvert de son fameux bleu les vitres de la galerie, empêchant ainsi de discerner l'intérieur et installé pompeusement deux gardes républicains à cheval à la porte d'entrée, devant un dais bleu sous lequel devaient passer les visiteurs, avant d'être pourvus d'un cocktail bleu et d'entrer enfin dans la galerie qui ne présentait que des murs impeccablement blancs. Cette exposition plaçait les spectateurs dans cette « sensibilité picturale » pure recherchée par l'artiste en jouant sur la mise en scène exagérée du caractère institutionnel de l'exposition et du déplacement entre le bleu extérieur et la simple peinture au rouleau des murs de la galerie qui offraient leur blancheur vide de tout tableau à la contemplation méditative des assistants[8].

Prodromos Alethinos a repris ces éléments pour l'inauguration de la maison d'un riche armateur chypriote (Anatoli Scoufarides) à qui il avait fait croire qu'il détenait les droits sur les brevets déposés par Yves Klein. Celui-ci, en effet, avait déposé ce qu'on appelle en France des « enveloppes Soleau » à l'Institut national de la propriété industrielle. Ces enveloppes ne sont pas des brevets, mais de simples garanties d'antériorité en cas de conflit. Alethinos les a fait reproduire par la main d'un habile faussaire qui avait imité l'écriture d'Yves Klein, y avait ajouté une lettre lui accordant un droit de reproduction spécifique pour toute la Méditerranée orientale et les avait déposés, à la suite d'un faux cambriolage, dans les archives du Musée des beaux-arts de Nicosie[9]. Il est inhabituel de faire un cambriolage pour *introduire* des éléments étrangers dans un musée, mais la disparition plausible d'Alethinos comme auteur supposait l'apparition légitime d'Yves Klein comme garantie. C'est ainsi qu'il fut largement payé pour peindre avec

7. Éric Méchoulan, « Intermédialités : le temps des illusions perdues », *Intermédialités*, n° 1, « Naître », printemps 2003, p. 10.

8. Voir Denys Riout, « Imprégnations : scénarios et scénographies », dans Camille Morineau (dir.), *Yves Klein. Corps, couleur, immatériel*, catalogue d'exposition, 5 octobre 2006-5 février 2007, Paris, Éditions du Centre Pompidou, 2006, p. 40-41.

9. Une affaire du même type s'est passée plus récemment à la Tate Gallery à Londres à propos de deux faux dessins de Giacometti « authentifiés » par des fausses lettres de l'artiste glissées dans les archives du musée. Voir Agnès-Catherine Poirier, « Une fraude sans précédent agite le milieu de l'art britannique », *Le Monde*, 25 juin 1996.

un (faux) bleu IKB (International Klein Blue) la porte massive de la demeure de l'armateur et pour proposer un salon qui, en guise de fresque, présentait des murs d'une blancheur exemplaire, exigeant même qu'aucun meuble ne vienne jamais en rompre l'harmonie, ce à quoi l'armateur s'engagea par contrat signé devant notaire (renforçant par là l'impression qu'il s'agissait bien d'une œuvre d'art puisque l'inaltérabilité en fait classiquement partie).

Fort de cette première réussite, Prodromos Alethinos continua avec une autre proposition d'Yves Klein : « Les zones de sensibilité picturale immatérielle d'Yves Klein le Monochrome sont cédées contre un certain poids d'or fin ». L'achat de ces zones permet de recevoir en échange de l'or un reçu. Cependant, ce reçu à l'inverse de sa propriété habituelle ôte à l'acquéreur « toute l'authentique valeur immatérielle de l'œuvre, bien qu'il en soit cependant le possesseur ». Pour que la valeur immatérielle réapparaisse, en quelque sorte, il faut que l'acquéreur brûle le reçu, c'est-à-dire le fasse disparaître. En échange, Yves Klein s'engage à jeter en présence d'un directeur de musée la moitié de l'or à la mer[10]. C'est exactement le dispositif qui fut reproduit par deux fois, les 7 décembre 1976 et 9 janvier 1977 par Prodromos Alethinos. À ceci près que, une fois le reçu brûlé et toute preuve escamotée, l'or sous la forme d'un petit lingot de deux kilos fut jeté du haut d'un quai de Kourion, dans la baie d'Episkopi, sous le regard narquois d'un faux sous-directeur du musée du Louvre et avec un plongeur caché au fond de l'eau pour le recevoir tranquillement.

Comme le remarque très bien Yve-Alain Blois[11] :

> Ce que Klein touche du doigt, et avec tout le savoir-faire avant-gardiste accumulé depuis Wagner, c'est une des conditions essentielles de l'art moderne, au moins depuis Courbet et Manet [...], à savoir le risque du faux, le risque de se voir rire au nez et dire que l'empereur est nu, mais aussi le devoir qu'a toute œuvre d'affronter ce risque — plus encore de le solliciter, de le défier — si l'on veut prétendre à la moindre authenticité.

Le paradoxe consiste, en effet, à apparaître d'autant plus authentique dans sa démarche, donc dans ses œuvres, que l'on pourrait facilement disparaître comme auteur des œuvres. Prodromos Alethinos en révèle la logique contradictoire tout en en profitant matériellement.

10. Voir Yves Klein, « Règles rituelles de la cession des zones de sensibilité picturale immatérielle », dans *Le dépassement de la problématique de l'art et autres écrits*, Marie-Anne Sichère et Didier Semin (éds.), Paris, École nationale supérieure des beaux-arts, coll. « Écrits d'artistes », 2003, p. 278-279.

11. Yve-Alain Blois, « L'actualité de Klein », *Yves Klein. Corps, couleur, immatériel*, p. 75.

Il saisit aussi la nouvelle donne économique qui, depuis les années cinquante, met de plus en plus de l'avant l'économie qu'on appelle justement « immatérielle ». En ce sens, Éric Méchoulan a sans doute raison, dans l'article inaugural de la revue qu'il a fondée, de mettre en relation l'intérêt pour l'intermédialité et la croissance de la valeur immatérielle, bien qu'il n'insiste pas suffisamment sur la configuration artistique contemporaine qui s'y joue de façon fondamentale en résonance avec le développement du capitalisme que l'on dit parfois « postindustriel ». Il faut suivre ici l'analyse sociologique de l'authenticité proposée par Luc Boltanski et Ève Chiapello. Face à la dénonciation de l'inauthenticité des produits de masse standardisés, « la réponse du capitalisme [...] fut de l'endogénéiser. Cette récupération prit la forme d'une marchandisation, c'est-à-dire la transformation en "produits" [...], de biens et de pratiques qui — en un autre état — demeuraient auparavant en dehors de la sphère marchande[12] ». Or, les pratiques artistiques de l'immatériel se jouent précisément à la frontière problématique de l'authenticité d'une démarche et de l'inauthenticité d'un produit, montrant que, de même que les relations de services fonctionnent sur la valeur immatérielle du capital humain de chaque individu, les réalisations esthétiques font du rapport entre l'auteur et le spectateur-acheteur une affaire de crédit accordé à une production immatérielle. C'est bien sur ces opérations de crédit que s'exercent les activités de contrefaçon de Prodromos Alethinos.

À la fin des années 1970, il va exploiter ainsi les usages du *landart* (développé depuis les années 1960 par des artistes comme Robert Smithson, Walter de Maria ou Dennis Oppenheim) en les ramenant à leur source en fait industrielle dans les ready-made. En effet, le land art est parfois perçu comme un retour à la nature en même temps qu'une sortie de l'espace de la galerie et du musée. Si les impressionnistes aimaient « peindre sur le motif », le land art remotive la nature comme production esthétique. Sous le nom de Richard Dong, Alethinos choisit alors le centre exact de l'île, un peu au sud de la capitale Nicosie, et forme un carré de 100 m de côté en marchant pendant trois heures au milieu d'un champ de blé : à force de fouler sur une même ligne ce champ, il trace ainsi par la reproduction de pas identiques sur un trajet toujours semblable le carré

12. Luc Boltanski, Ève Chiapello, *Le nouvel esprit du capitalisme*, Paris, Éditions Gallimard, coll. « NRF essais », 1999, p. 533. Je renvoie aussi aux théories du management depuis les années 1980 qui mettent l'accent sur le capital humain (le terme ancien de « bureau du personnel » change de façon significative, à ce moment-là, pour « direction des ressources humaines ») et sur les relations de service, que le développement des technologies de la communication ne va qu'amplifier.

dont « l'entrée » sera marquée par une pancarte de bois où l'on verra écrit : « Du champ ». Ainsi, le titre désigne à la fois génériquement la frontière tracée par la marche obstinée et allusivement l'inventeur des ready-made (par un de ces jeux de mots qu'il affectionnait) en laissant seulement des traces de son passage, une fois son corps matériellement disparu, apparaît soudain un espace sensible circonscrit et le concept qui lui est lié (il ne fait pas simplement de l'art conceptuel, mais de la production matérielle de concept par l'exemplarité de l'isolement, puisque l'exemple donne à un événement singulier une valeur générale en le coupant de son contexte[13]). Par ailleurs, il signe Richard Dong, en hommage aux lignes et traces laissées par Richard Long depuis la fin des 1970. Il déforme donc le nom tout en jouant sur sa référence. Il va aussi vendre à un exportateur d'huile une collection de 2197 noyaux d'olive disposés en un cercle d'un mètre de diamètre, reprenant un dispositif exploité par Richard Long avec des pierres ou des bouts de bois. Ce cercle de noyaux devait être exposé sur un carrelage vert sombre évoquant la couleur des feuilles oblongues de l'olivier et disposé selon un schéma dessiné très précisément par l'artiste (qui indiquait qu'il était lui-même né sous un olivier un 13 mars et qu'il avait mangé ces olives le jour de son anniversaire : le nombre de 2197 correspondant à 13 au cube). Nous avons là des références évidentes aux gestes simultanément parodiques et auto-valorisants de l'artiste contemporain. Inscription biographique sous un pseudonyme transparent, marque de consommation de produits à la fois naturels et commerciaux, dispositif magique du cercle et matériau misérable des déchets, vente ironique à un marchand d'huile de ce qui ne lui sert à rien, tous ces éléments concourent à créer un crédit paradoxal où l'auteur n'apparaît que pour mieux disparaître, recraché dans un cercle de petits noyaux noirs et secs.

À peu près dans les mêmes années, reprenant les pratiques de Manzoni signant des corps comme s'ils étaient des ready-made, Podromos Alethinos a également signé l'épaule gauche de la fille d'un nouveau riche (Andreas Papasavvas), en face du sanctuaire d'Aphrodite sur la côte sud de l'île, du nom de la firme de son père. En signant ce corps de jeune fille, il en fait une œuvre d'art (puisque l'on suppose qu'il a un crédit d'artiste dont le propre est de signer des créations), il

13. On peut le comparer à ce que Jacques Rancière dit de la biographie : « Son principe est de faire voir le général dans le particulier, le siècle dans l'instant, le monde dans une chambre. Et elle le peut au nom de ce principe philosophico-poétique qui révèle *le ce que* dans le *comment*, l'essence dans la manifestation. ». Cette manifestation impliquant aussi l'imbrication de la vie et de l'écriture qui « ne va pas sans une certaine indiscernabilité du réel et du fictif. ». Jacques Rancière, *Politique de la littérature*, Paris, Galilée, coll. « La philosophie en effet », 2007, p. 198 et 204.

la reproduit comme double d'Aphrodite dans la mesure où elle porte un vêtement à l'antique et a été coiffée comme la déesse, mais il en fait aussi une marchandise (dont la photo est reproduite et vendue) et une marque déposée (puisque c'est le nom de la firme du père qui est inscrite et non son propre nom). L'artiste n'est plus ici que le médiateur de pratiques simultanément artistiques et commerciales dont la séparation n'est plus possible : il est devenu une sorte d'« administrateur délégué » de l'institution esthétique[14]. Ce qui lui permet d'apparaître sur la scène artistique comme main signataire sans engager sa responsabilité et, donc, de disparaître sous sa propre main qui signe d'un nom qui n'est pas le sien une œuvre qui n'est pas de lui.

Une autre « œuvre » consiste dans le corps d'un vieillard aveugle qui porte seulement un short et mendie, exposé dans une rue commerciale de Paphos, pendant qu'un message enregistré sur magnétophone diffuse en continu le texte suivant : « ceci n'est pas mon corps » et qu'on voit bien dans la main ouverte que présente le vieillard qu'il a été signé du nom d'Œdipe. Trois références s'entremêlent ainsi : la tragédie grecque, la parole du Christ et le mot de Magritte. Le scandale qui consiste à signer un corps repose sur l'idée moderne que chaque individu possède son propre corps (Locke est sans doute le premier à en rendre possible l'affirmation[15]). Or, l'originalité consiste à donner une tournure individuelle aux mots de tout le monde ou aux pratiques ordinaires. Signer un corps, ou mettre ses excréments dans une boîte de conserve intitulée *Artist's Shit* comme le fait aussi Manzoni, c'est marquer l'ancrage profondément matériel en même

14. Dans une certaine mesure, il s'agit là du paradigme dégagé par Benjamin Buchloh quand il indique que l'art conceptuel remplace « l'esthétique d'un univers de production et de consommation industrielles par une esthétique de l'organisation administrative et légale de la validation industrielle » (Benjamin Buchloh, *Essais historiques II : art contemporain*, trad. Claude Gintz, Villeurbanne, Art Édition, coll. « Textes », 1992, p. 172), liant cette esthétique à l'établissement d'une classe moyenne chargée d'administrer un travail qu'elle ne contribue plus à produire (je reviens plus loin sur ce développement de l'économie immatérielle et de la logique des services).

15. Pour les juristes, cette propriété n'est pas évidente, car elle permettrait alors de considérer son corps comme un bien et de le vendre. Voir Jean-Pierre Beaud, *L'affaire de la main volée : une histoire juridique du corps*, Paris, Seuil, coll. « Des travaux », 1993. L'auteur montre bien qu'une main séparée accidentellement de son possesseur devient un bien commun qui ne peut être légitimement réclamé par son ancien « propriétaire ». Cependant, récemment, aux États-Unis, un homme dont les cellules avaient été utilisées par les médecins et les biologistes qui l'avaient traité pour en tirer des produits pharmaceutiques a gagné son procès précisément sur la base que ces cellules, même extraites de son corps, demeuraient sa propriété.

temps que le processus trivial de la « production personnelle ». C'est alors simplement une trace qui vaut pour une signature qui est en même temps une œuvre[16]. Cependant, le propos de Prodromos Alethinos ne se limite pas ici à des effets de matérialisation, mais bien d'*immatérialisation* : comme dans tout *happening*, la présence des corps est importante, la situation fait événement esthétique, mais c'est le réseau des références intellectuelles qui génère le trouble le plus important. La reprise de la déréférenciation de la peinture à la Magritte ou de la dépersonnalisation du corps à la Manzoni, croisée avec l'inversion de la parole par excellence de la représentation et du signe classique (*hoc est corpus meum*)[17] et la grande histoire œdipienne de l'autoaveuglement intellectuel puis physique, déconstruit totalement les jeux rituels de l'identité et l'adéquation entre un sujet d'énonciation, un corps matériel et une capacité à la fois autoréflexive et autoindexicale. D'autant que cette saisie esthétique se joue sur le fond d'enjeux économiques : le don réclamé par un mendiant et l'achat de cet événement par un organisateur de spectacles (qui pensait y trouver une manière originale de promouvoir les représentations d'*Œdipe roi* et d'*Œdipe à Colone* qu'il allait organiser à Polis, Nicosie et Paphos). Il montre ainsi que le don est d'abord un spectacle et le marché la condition historique de l'art (qui s'est développée conjointement avec l'esthétique du désintéressement ou de l'art pour l'art), mais du coup, il nous fait saisir que si l'on entend penser le phénomène esthétique en dehors de ses vertus reproductives ou de sa valeur financière, on se leurre en donnant un sens mystique, voire christique, à la grâce du don ou du talent[18]. Le leurre n'est donc

16. Sur ces questions, voir Hugues Marchal, « Une esthétique de la trace ? Le geste créateur comme image de soi dans la poésie contemporaine », *La voix du regard*, n° 12, printemps 1999, www.voixduregard.org/12-marchaltrace.pdf consulté le 8 mai 2007.

17. Voir sur ce point l'analyse magistrale de Louis Marin, qui fait très justement remarquer que, dans la parole du Christ, « le sujet d'énonciation substitue à sa présence invisible dans la généralité vide de la chose en général, la figure où il se représente, où il se détermine dans le discours comme la signification "corps". En cela, "mon corps" n'est pas l'index du "corps de Jésus-Christ", comme le pensent les logiciens, mais du sujet de l'énonciation. » (Louis Marin, *La critique du discours : sur la « logique de Port-Royal » et les « Pensées » de Pascal*, Paris, Éditions de Minuit, coll. « Le sens commun », 1975, p. 297)

18. « L'authenticité, ici déplacée, ne repose pas sur la liaison consubstantielle entre l'artiste et son œuvre. Elle implique plus trivialement le respect d'une procédure. Dès lors, si l'irreproductibilité de l'objet, par définition singulier, est sauvegardée, celle de l'œuvre en tant que telle semble compromise. L'authenticité, dans sa version traditionnelle, nécessite le contact de l'artiste qui met la main à la pâte et elle conjecture qu'une part de son intériorité, de son moi profond, s'est communiquée à son objet, alors susceptible d'être élevé à la dignité d'œuvre. Ce modèle opératoire évoque la logique fonctionnelle des

pas tant dans l'escroquerie potentielle que représente ce pseudo-*happening* que dans les schématisations idéologiques de l'art qu'il dénonce. Le fait même que le nom propre apposé sur la main qui mendie ne soit ni celui de l'artiste ni celui du mendiant ni celui du destinataire indique le fonctionnement immatériel et institutionnel de la signature[19].

Évidemment, le mouvement de dénonciation de l'art se retourne facilement en profit pour l'artiste, comme le souligne Nathalie Heinich. La paradoxale honnêteté de Prodromos Alethinos consiste à le reconnaître en exploitant sans vergogne des procédés déjà utilisés. À un certain niveau, on peut simplement le prendre pour un profiteur qui abuse du marché de l'art et des incertitudes générées par les développements récents des artistes contemporains pour mieux gruger les gogos dénués de goût et les nouveaux riches sans culture esthétique. À un autre niveau, il exploite ces modèles pour mieux disparaître sous leurs identités, exploitant cette fois la logique esthétique elle-même qui exemplifie et rejette du même mouvement l'identification d'une originalité extrême et la reproduction d'une parfaite trivialité.

Sa dernière « œuvre » le montre exemplairement. C'est à cette occasion qu'il raconte son parcours allant des contrefaçons d'objets de luxe pour touristes de son enfance aux contrefaçons d'œuvres d'artistes contemporains reconnus. Il a fait distribuer à tous les acheteurs de ses précédentes « œuvres » cette microbiographie où il expose en détail l'élaboration et la vente de ce qu'il nomme indifféremment ses « escroqueries » ou ses « monuments d'art ». Ce texte se termine en annonçant que seule sa dernière œuvre pourra décider du statut exact

reliques. » (Denys Riout, « Le parti d'en sourire (à propos d'œuvres de Rauschenberg, Spoerri, Manzoni et de quelques autres) », dans Véronique Goudinoux, Michel Weemans (dirs.), *Reproductibilité et irreproductibilité de l'œuvre d'art*, Bruxelles, La Lettre volée, coll. « Essais » 2001, p. 112)

19. Sur ces questions de l'art en situation et des enjeux troubles de l'autorité de l'auteur et du rapport entre original et copie, voir Martha Buskirk, *The Contingent Object of Contemporary Art*, Cambridge, Massachussetts, MIT Press, 2003, en particulier les deux premiers chapitres. Une des rares mentions faite par Prodromos Alethinos de sa « formation esthétique » est son aveu (authentique ?) d'avoir visité la fameuse exposition organisée par Szeemann à la Kunsthalle de Berne en mars-avril 1969 où se trouvaient réunis, pour la première fois dans une institution reconnue, 69 artistes mobilisant pour la plupart l'art in situ, le land art ou les productions éphémères. Il raconte que ce qui l'a frappé le plus, en fait, c'était que la firme de cigarettes Philip Morris avait dépensé 100 000 francs suisses pour financer l'exposition. L'éphémère et le tout-venant n'étaient pas nécessairement étrangers à l'argent.

de ce qu'il a fait et s'il mérite la prison ou le musée. Il n'en précise pas la manière, le temps de composition, le lieu d'exposition ni comment chacun en sera averti. Il se contente de dire que cette œuvre verra le jour, et que, cependant, le temps n'en est pas encore venu, non parce qu'elle serait trop en avance sur son temps (idéologie du progrès de la modernité), mais juste au contraire parce qu'il s'agit de produire une œuvre *en retard*, peut-être même de *faire du retard une œuvre*[20].

Cette manœuvre lui permet d'ouvrir complètement l'enjeu temporel crucial de l'esthétique moderne tout en en exhibant le caractère étrange : rien n'indique le succès de telle ou telle pratique transgressive, hormis le temps passé et l'évaluation progressive par l'institution, la critique ou les autres artistes. Un artiste n'est, en réalité, jamais en avance sur son temps : il produit des œuvres qui sont, *a posteriori*, jugées signifiantes. Pour un Klein ou un Manzoni, combien de jobards disparus ? En même temps, pourquoi Manzoni et Klein n'ont-ils pas été pris pour de petits plaisantins sans intérêt ? La bonne question n'est peut-être pas tant : pourquoi ces artistes sont-ils apparus ?, que : *pourquoi n'ont-ils pas disparu ?*

Or, c'est précisément en disparaissant de la scène artistique tout en annonçant une œuvre à venir en retard que Prodromos Alethinos fait sans doute apparaître une des vérités de la logique esthétique contemporaine. Il n'a pas seulement souscrit au mot d'ordre égalitaire du régime démocratique en s'appropriant des formes artistiques qu'il n'avait pas inventées (alors même que nombre d'artistes cherchent à reproduire la banalité, ils tentent toujours de la reproduire avec grande innovation et sens de la transgression inédite : l'originalité est bien toujours présente — ce serait donc la plus grande originalité d'Alethinos que d'avoir rejeté *a priori* toute forme d'originalité), il a surtout fait de l'investissement dans l'immatérialité du temps le moment ultime du sens et du sensible esthétique. Or, cette immatérialité du temps, il la réinvestit dans la dimension historique de l'île de Chypre en donnant au retard (politique et économique) et à la contrefaçon les caractères typiques de son pays.

20. Étant donné les références explicites à Marcel Duchamp, il est raisonnable de penser qu'il y a là une allusion au *Grand verre* (1915-1923) dont Duchamp ne fait pas que différer dans le temps la réalisation ou la publication des notes, mais nomme de façon équivalente tableau et retard : « Employer "retard" au lieu de tableau ou peinture ; tableau sur verre devient retard en verre — mais retard en verre ne veut pas dire tableau sur verre — c'est simplement un moyen d'arriver à ne plus considérer que la chose en question est un tableau — en faire un retard dans tout le sens général possible, pas tant dans les différents sens dans lesquels retard peut être pris, mais plutôt dans leur réunion indécise. » (Marcel Duchamp, *Duchamp du Signe : Écrits*, Michel Sanouillet (éd.), Paris, Éditions Flammarion, 1976, p. 41)

Pour finir, revenons sur le principe même de la contrefaçon en fonction des marques. Une marque ne cherche pas à définir quelque chose de réel, mais de vrai. Peu importe la qualité de mes chaussures de sport, ce qui compte est que ce soit des *Nike*, autrement dit qu'elles se distinguent au sein même de l'égalité générale des marchandises. Comme le souligne Jean-Pierre Lalloz :

> Le vrai, dont le bannissement se réitère à chaque instant dans l'injonction à la trivialité qui définit la société marchande (tout n'est que marchandise y compris soi-même, le seul accomplissement subjectif envisageable étant de « profiter » de la vie), nous venons de découvrir qu'il résiste ! [...] les marques commerciales qui accomplissent la société marchande retournent l'injonction constante à la trivialité en injonction constante à la distinction. Car si les produits qu'il faut acheter doivent être vrais, le fait qu'ils soient des biens ne compte plus, comme ne compte plus l'universelle nécessité de « profiter » des choses et d'en avoir pour son argent. Les marques commerciales arrachent par conséquent l'existence à sa confusion avec le service des biens, non pas en la supprimant comme le ferait une libération révolutionnaire mais en l'accomplissant.
>
> Rien de plus aliéné spirituellement et socialement que le service des marques : misère des identifications de masse, accumulations des frustrations génératrices de violence, etc., on l'accordera sans hésiter. Il n'en reste pas moins que ce service n'est plus celui des biens, et que l'existence de chacun s'en trouve distinguée de l'inhumanité à quoi l'universelle réduction de tout et de tous à la marchandise semblait l'avoir condamnée — inhumanité qu'on peut désigner sans perte en parlant du bannissement du vrai. [...]Ce maintien du vrai au cœur même de son bannissement, et par conséquent ce maintien de la distinction humaine au plus extrême de son aliénation, comment les nommer, sinon résistance[21] ?

C'est en ce point que l'on peut noter ultimement une perspective politique dans le propos de Prodromos Alethinos. Tous ses acheteurs, tous ceux dont on peut se dire qu'il les a escroqués, sont pris dans des trompe-l'œil qui reproduisent non seulement les effets de l'art et de l'institution de la critique, mais aussi les mécanismes du marché postindustriel. Il fallait sans doute se trouver aux marges du monde occidental et des sociétés postindustrielles pour y apparaître aussi facilement comme artiste, ou disparaître aussi aisément comme voleur. Chypre avec son lot de touristes, de nouveaux riches et de contrebandiers est le microcosme idéal pour y répéter à l'envi les tournures contemporaines de l'art.

En sachant jouer de ses paradoxes, Prodromos Alethinos fait disparaître également les frontières sacrées entre la pratique esthétique et l'escroquerie. C'est une affaire de compétence : en se mettant en marge des savoirs et des disciplines

21. Jean-Pierre Lalloz, « Une résistance du vrai. Réflexion philosophique sur le phénomène des marques », 2 mai 2004, http://www.dossierduret.com/articles152.html.

constituées dans la modernité, en devenant le lot potentiel de n'importe qui, l'artiste ne peut plus revendiquer des assises socialement reconnues pour légitimer ses œuvres comme art plutôt que trucage ou n'importe quoi. La remarque habituelle selon laquelle « un enfant pourrait faire aussi bien » touche simultanément très juste et à côté. Il est vrai que le savoir technique n'est plus mobilisable et que les compétences sociales ne font pas l'objet de circuits scolaires ou de reconnaissances légitimes. Mais c'est que l'artiste engage *tout ce qu'il est* dans le moindre trait ou le plus petit happening. C'est pourquoi l'artiste est devenu le modèle sous-jacent de la nouvelle économie et de ce que l'on nomme le « capital humain » (l'ensemble des savoirs et des compétences propres à chacun) précisément dans la mesure où il n'offre en guise de capital que lui-même (sans compétence particulière), mais totalement : ce sont ses manières d'être et de faire, son style qu'il doit désormais vendre comme « force de travail ». Il est aussi exemplaire du fonctionnement parallèle du « capital social » (l'ensemble des relations dont on peut jouer pour valoriser ses productions personnelles), car, à l'évidence, les œuvres créent et se fondent sur ces reconnaissances sans lesquelles elles ne seraient rien[22]. Ce n'est donc pas simplement qu'il existe un marché de l'art (que certains exploitent mieux que d'autres), mais bien que l'art opère sur les frontières du capitalisme, tantôt apparaissant, tantôt disparaissant, comme une contrefaçon dont on s'apercevrait qu'elle est plus vraie que l'original.

En se glissant sous les productions des autres, Prodromos Alethinos détourne le principe esthétique de la modernité tout en jouant justement de ses opportunités. Il détermine ainsi, par ces trompe-l'œil, une opacité de la présence des œuvres[23] là même où il disparaît le plus sûrement, une résistance des événements à apparaître pour ce qu'ils sont (ou seraient). C'est que la disparition elle-même désigne un mode d'être. Elle ne constitue pas simplement une sorte de défaut ou de manque. Elle ne soustrait pas quelque chose au monde des objets et des hommes. Au contraire, elle configure les modes d'apparition des phénomènes, des événements et des êtres.

22. Sur ces notions et leur reconnaissance institutionnelle, voir le récent rapport de l'OCDE (Organisation de coopération et de développement économiques) : Tom Healy, Sylvain Côté, *Du bien-être des nations. Le rôle du capital humain et social*, Paris, Les éditions de l'OCDE, 2001.

23. Sur le lien entre opacité de la présence et trompe-l'œil, voir Louis Marin, « Représentation et simulacre », *De la représentation*, Paris, Gallimard, Le Seuil, 1994, en particulier p. 303-304. Pour les problèmes de la *mimesis* dans l'art contemporain, je renvoie au texte de Catherine Perret, *Les porteurs d'ombre. Mimésis et modernité*, Paris, Belin, coll. « L'extrême contemporain », 2001.

Gardens of Things: The Vicissitudes of Disappearance

Anita Starosta

There is no shortage of means to confirm that the Soviet Union no longer exists. It is gone from contemporary maps, absent from current public discourse. Any wonder at this fact now can only be produced artificially—by shaking one's head, perhaps, or by recalling that, just a few years before the Soviet Union disappeared, "it seemed so impossible, inconceivable" that it ever would. One might even add a quiet "and yet!" With the passage of time, it has become increasingly difficult to muster the requisite incredulity.

The notion of disappearance comes with a set of tropes different from those offered by other accounts of historical change; it forces us to assert that radical change (must have) happened at the same time as it casts doubt on the possibility of such change. It propels thought backward in time, to a now irrecoverable moment. Disappearance necessarily evokes modes of appearance—at the same time as it calls that appearance into question. In *La possession de Loudun*, which examines 17th century diabolic possessions and trials for sorcery as indicative of the shift from a vanishing paradigm of religion to an emerging paradigm of science, Michel de Certeau notes that "*Loudun est un monde intermédiaire entre ce qui disparaît et ce qui commence.*" He calls attention to the strangeness of history that manifests itself in transitional, intermediate times and places. "*L'histoire,*" he concludes, "*n'est jamais sûre.*"[1] The lens of disappearance opens to view a dimension of history always hidden by narratives that, one way or another, manage to do away with the strange, the disorderly, and the uncertain.

One version of such available narratives relies on the trope of collapse. To speak of the fall or the toppling of the Soviet Union means to imagine the Soviet State as a concrete, material structure, both before and after its fall. The entity

1. Michel de Certeau, *La possession de Loudun*, Paris, Éditions Juillard, coll. "Archives", 1970, p. 9.

may have fallen into pieces—but it is easy enough to locate the remains, to clean up the debris or to re-use it for something new. The ruins, after all, are chunks of the same matter of which the military bases, monuments, communist party buildings, schools, and factories had been made—even if, contrary to the literalist imagery of collapse, for every broken-down wall dozens of other structures remain in place. In any case, these are not actually expected to topple at all. Collapse is only a figure. But memories, social formations, hierarchies of power, and habits of thought do not fall as easily as deposed statues. Thus, in both the literal and the figural senses, "the fall of the Soviet Union" entails little actual ruin. For all its dramatic imagery, underneath the rubble, the trope of collapse offers a manageable sense of continuity.

Another account of history avows continuity to the point of error, as it gives up on change altogether, insisting that cultures and regions are basically stable throughout time. Here, no amount of revolution can shake the foundation of a people laid down by centuries. Such is the view of history in *The Origins of Backwardness in Eastern Europe*, for example, where "the great transformations that have taken place since 1500 have been channeled into streams whose banks were partially formed before that time" and where "underneath the structures that aped Western state institutions [...] the past remained to constrain the paths toward the future."[2] Accounts like this one reduce cultural and political life to nothing more than people living out their fate and grant them neither agency nor consciousness of their own limitations—while the quality of this fate is closely tied to their place in an intricate global hierarchy. Failures of revolutions are evidence of an essential permanence.

The notion of transition, finally, only seems to make sense of the simultaneous continuity and change; instead, it merely contains the contradictions. It subjects everything to the rule of change, reassures that the contradictions will pass, as it holds out a normative ideal of development, the way things should be. Like the notions of radical change and radical constancy, "transition" does not explain historical change but is a way to manage it.

For de Certeau, the historian "*a reçu de la société* [...] *une tâche d'exorciste. On lui demande d'éliminer le danger de l'*autre."[3] The dissolution of the Soviet Union—devoid as it may be of diabolical possessions of the kind witnessed in

2. Daniel Chirot, (ed.), *The Origins of Backwardness in Eastern Europe: Economics and Politics from the Middle Ages until the Early Twentieth Century*, Berkeley, University of California Press, 1989, p. 6 and 17.

3. Michel De Certeau, *La possession de Loudun*, p. 327.

Loudun—has undergone its own share of exorcisms through the models of collapse, continuity, and transition. The notion of disappearance intervenes here to unsettle such narratives, to dictate a path of inquiry attentive to problems of materiality and mediation. Disappearance is, by definition, tied to the sensory sphere: it appeals to the senses at the same time as it shows them to be unreliable and betrays them. For, if an object has vanished from sight, how can one be sure it was once there to be seen to begin with? To take the disappearance of the Soviet Union literally is to ask by what means, and to what degree of certitude, one might verify it. It is not enough simply to observe that the object is nowhere to be found. To say that it has disappeared is, at the same time, to acknowledge its absence and to recall the modes of its past appearance, and thus to keep in mind two moments at once—the moment of the past (which is in doubt, by virtue of its pastness) and the moment of the present (which is marked by an absence). Disappearance puts into question not only the observer's senses, but also the very materiality of the disappeared object.

The lens of disappearance reveals a profound instability of knowledge even as it demands concrete evidence. The more one aims to approach a material ground of inquiry, the more elusive it becomes. As an amalgam of institutions, practices, physical structures, and geographical sites, the Soviet Union was material and immaterial at the same time, only partially perceptible; it thus seems especially difficult to apprehend as an object alongside others, occupying registers at once affective, epistemological, ethical. How might such an object have made its presence known and now make its absence felt? But the Soviet Union's status *as* an object is in question not merely because it was so vast, but precisely because it has disappeared. Evidence for its past existence must be appropriately trivial for the task, as material as possible, because that is where the Soviet Union made itself most concretely apprehensible: in urban landscapes; in school celebrations of Soviet anniversaries; in irony; in alcoholism; in poetry; in shame; in distorted history; in my father's drawer mysteriously filled with medals. If the Soviet Union is itself elusive, then it must be traced in its displacements onto other objects—caught in the act of organizing them, giving them a certain value, imposing specific constraints on thought and action, which also means creating the conditions of possibility of specific kinds of resistance.

Here, then, is one point of departure in my attempt to locate the Soviet Union. I must be six, at most seven, years old. I'm carrying a watermelon home, proudly resting it on my stomach as I embrace it with my arms. Having waited in a long line, I acquired it from the back of a truck that must have traveled far, from someplace very exotic. The Soviet Union was, actually, a mere hundred kilometers to the east, but that was inaccessible to me then; instead, I knew exactly what the watermelon was worth, and its value to me was determined by the entity just across the border.

The scene is appropriately ordinary and yet, inconveniently—because suddenly there was a watermelon in a place without watermelons, or because it happened to a child—it is also somewhat exceptional, difficult to extricate from a degree of nostalgia. In trying to explain that, to a child, the Soviet Union manifested itself in a certain value of a watermelon, I do not want to repeat the gesture of nostalgia for pre-1989 Eastern Europe expressed in renewed interest in Communist-era objects of daily utility. Despite its claims, *Ostalgie*—a German neologism that combines "nostalgia" with "the East"—is not a simple return to old values, but a form of commodification of memory, a retroactive attachment to a past that has already acquired a new value—as a quaint phenomenon marketable to museum curators, a belated resistance to the onslaught of the free market that has proven more alienating than Soviet-era artifice of planning and rationing.[4] *Ostalgie* is an extreme response to the Soviet Union's disappearance, an attempt to recreate what has disappeared. It denies the temporal movement of the object—by fixing it in a point in time and then transporting it, as if intact, back into the present.

So there are pitfalls inherent in any attempt to account for disappearance through lived experience. Self-implication in the disappeared object and the very fact of its pastness distract from the task. The mere effort of reflecting on disappearance may easily be confused for nostalgia, which, as Svetlana Boym has put it, "tantalizes us with its fundamental ambivalence; it is about the repetition of the unrepeatable, materialization of the immaterial."[5] It is important to remain sober and keep the Soviet Union in focus as an object inflecting smaller objects, granting them specific values, because that is where it is most visible—even if that is also where it threatens to get lost again, amid all the affect.

Later, when I am older, my sister tries to weaken my resistance against leaving Poland. In America, she tells me, you can have all the watermelons (and peaches!) you want. I am not seduced, because my sense of dignity depends on disavowing the desire for mere abundance. Yet I leave all the same, and abundance is what awaits me. Watermelons, in the meantime, have become commonplace everywhere. This provisional object is elusive, it's temporality shifting.

4. See Charity Scribner, *Requiem for Communism*, Cambridge, Massachusetts, The MIT Press, 2003.

5. Svetlana Boym, *The Future of Nostalgia*, New York, Basic Books, 2001, p. xvii.

I abandoned it at the same time as the worlds I traveled between were themselves changing. Historical time and lived time fail to converge in the watermelon, and yet that is where I turn.

The trivial memory of the watermelon is not a pure memory at all but is, retrospectively, shaped by familiar narratives of Soviet-era scarcity and isolation, tinged with flavors and textures of childhood. Thus, any attempt to locate a disappeared object is subject to over-determination, different sources providing an uncertain basis of knowledge. The story of the watermelon serves, nonetheless, to fix in place the incongruous references, sights, and sounds that flood the mind as I try to account for the disappearance of the Soviet Union. The detail of daily life puts in question the notion of historical continuity and, with it, the notion of historical rupture.

The story of the watermelon reveals two dimensions of history, perceptible only through the lens of disappearance. The first points to the instability of objects that may have already vanished and the disorientation they effect, subject as they are to overdetermination and displacement. This dimension poses a challenge to normative history because it confronts the specificity of objects—however different their degrees of materiality—with the threat of interchangeability. The second dimension turns attention to the fact that obsolescence is a complex process marked by the shifting values of things. Turning to aesthetic as well as ordinary objects that bear traces of the Soviet Union, I want to ground the Soviet Union's disappearance in the interplay of economic, aesthetic, and ethical values with which these objects have come to be invested. My watermelon is thus only a tentative ground. Accounting for disappearance requires attention to the uncertain, and not wholly verifiable, ways in which historical change is mediated.

II. UNSTABLE OBJECTS

It is one thing to admit the possibility that the autobiographical and the fictional may not exist in a relation of direct synchrony with the historical; it is another to make sense of the anachronisms. Ryszard Kapuściński, who as a foreign correspondent spent his life chronicling revolutions and upheavals, has no shortage of means to explain the changing worlds he observes: facts of the present moment mix with autobiographical reflections and details of witnessed lives. In *Imperium*, he follows the lifespan of the Soviet Union as it overlaps with his own.[6] He tries to capture history as it is happening, and to render the ways in which public

6. Ryszard Kapuściński, *Imperium*, Warszawa, Czytelnik, 1993.

events inflect ordinary lives. Both in his own voice and in the voices of others, he juxtaposes the trivial and the tragic, attending to what can be seen and what remains invisible.

Kapuściński's "first encounter with the empire" takes place in September 1939, when he is seven years old and his small town of Pińsk is ravaged by the beginnings of war. There, the Soviet Union makes itself known first in the dust and panic of refugees, and then, more ominously, in hushed voices, disappearances of his classmates, the foreign Russian alphabet inexplicably taught beginning with the letter "s"—for "Stalin." The changed tones in which adults now speak, the gravity of sounds after the curfew, the new rules in effect at school — this is how a child knows that his world has been altered. Kapuściński focuses attention not only on the new events; it is just as important to show *how* one knows something, *how* a new reality—all-encompassing and palpable, yet enigmatic—announces itself. In this way, he renders a mode of the Soviet Union's first appearance.

If it is possible to describe the encroachment of the Soviet Union in a more or less linear narrative, then its dissolution poses a greater challenge. Toward the end of *Imperium*, set in the 1990s, the Soviet Union's vanishing proves as elusive as it is indisputable. In one of the last chapters, "Pomona of the Little Town of Drohobycz," Kapuściński travels through the Ukraine, with Drohobycz as his final destination. Along the way, he offers reports of events surrounding the republic's independence alongside descriptions of landscapes, cities, and people. Bronisława, an elderly woman from Lvov who survived the great hunger of the early 1930s, is one of the people he meets. Six of her ten children died. We learn that the famine was engineered by the Soviet state, which, attempting to force peasants to comply with collectivization, confiscated their crops. The scenes that follow are horrifying. A boy steals a fish from a market and is beaten to death by an angry mob. A father hangs his children and himself. Whole villages kneel down and wail for help whenever a train—prohibited from stopping in the countryside—goes by, carrying unknowing city dwellers. Millions of people die from hunger.

Bronisława seems to be "carrying an invisible weight," and speaks "as if what she is recounting had to do with her in some other incarnation, with which she, the one now sitting in front of me, has nothing in common. When I thought about her later," writes Kapuściński, "I was reminded of a sentence by old Paul Claudel: 'I look at my own former life as if it were an island receding on the horizon.' [...] Within us live several personae simultaneously, nearly indifferent toward one another, even contradictory."[7] The point is not just that the Soviet Union, not easily shaken off with a declaration of independence, continues to mark people's lives. Bronisława's calm demeanor and cheerful gratitude for having survived testify to its passing as well. The simultaneous persistence and disappearance of the Soviet past are baffling, but the incongruity is, for the time being, well explained in the metaphor of multiple characters inhabiting a person, a time, a place.

If Kapuściński thrives on anachronism, there is a moment in *Imperium* when he seems to fall prey to his own formula; whether the breakdown is staged or genuine does not detract from its rhetorical force. This moment will be instructive in apprehending disappeared objects—a moment when Kapuściński attempts to force incongruous temporalities to cohere.

He goes to Drohobycz to pay homage to Bruno Schulz, the Polish Jewish writer and artist who earned his living teaching arts and crafts, and died at the hands of a Nazi officer during the war. Schulz's stories record a child's daily enchantments and struggles against the mundane, and are full of passages like this one, from "August" in *Cinnamon Shops*:

> Adela returned from the market, like Pomona emerging from the flames of day, spilling from her basket the colorful beauty of the sun—the shiny pink cherries full of juice under their transparent skins, the mysterious black morellos that smelled so much better than they tasted; apricots in whose golden pulp lay the core of long afternoons. And next to that pure poetry of fruit, she unloaded sides of meat with their keyboard of ribs swollen with energy and strength, and seaweeds of vegetables like dead octopuses and squids—the raw material of meals with a yet undefined taste, the vegetative and terrestrial ingredients of dinner, exuding a wild and rustic smell.[8]

7. "Dźwigająca niewidoczny ciężar, mówi [...] jakby to, co opowiadała, dotyczyło jej, ale w jakimś innym wcieleniu, z którym ona, ta, która teraz siedzi przede mną, nie ma już właściwie wiele wspólnego. Kiedy myślałem o niej później, przypomniało mi sie zdanie starego Paula Claudela: 'Patrzę na swoje dawne życie jak na oddalającą się wyspę.' [...] W wielu z nas żyje jednocześnie kilka postaci, niemal obojętnych sobie, a nawet nawzajem sprzecznych." (Ryszard Kapuściński, *Imperium*, p. 285; our translation).

8. "Adela wracała w świetliste poranki, jak Pomona z ognia dnia rozżagwionego, wysypując z koszyka barwną urodę słońca—lśniące, pełne urody pod przejrzystą skórką czereśnie, tajemnicze, czarne wiśnie, których woń przekraczała to, co ziszczalo się w smaku; morele, w których miąższu złotym był rdzeń długich popołudni; a obok tej czystej poezji owoców wyładowywała nabrzmiałe siłą i pożywnością płaty mięsa z klawiaturą żeber cielęcych, wodorosty jarzyn, niby zabite głowonogi i meduzy—surowy materiał o smaku jeszcze nie uformowanym i jałowym, wegetatywne i telluryczne ingrediencje

Guided around Drohobycz by Alfred Szrejer, a former student of Schulz, Kapuściński is struck by the concreteness, and the size, of the town. "The life of the great Schulz passed in this little [...] triangle between Floriańska Street, Zielona Street, and the square by the bakery. Today, people can walk this distance in a few minutes, pondering the mystery of his extraordinary imagination."[9]

In Drohobycz, Kapuściński is not looking for traces of history but rather of a fiction that he has come to revisit as if a home. He ventures a question, even if he knows it to be absurd:

> "Mr. Alfred, and where were the cinnamon shops?" Szrejer stops, with a mix of surprise, irony, and even disapproval in his eyes. "Where were the cinnamon shops, he repeats. But they were precisely in his imagination! That's where they glittered. That's where they smelled in that inimitable way!" Abashed as he is, Kapuściński persists. When Alfred points to an empty lot—"You see these dry twigs?"—he takes another chance: "Is this where the idiot girl Tłuja might have had her bed?" "Maybe she could have," the guide uncertainly concedes.[10]

Kapuściński is prepared for the cinnamon shops to have vanished, but not for the possibility that they never existed. Schulz's world has disappeared, and yet its material remains are there to be found, in his stories and in the town of Drohobycz, even as these two remnants fail to converge. The momentary confusion of Schulz's real life with his fictional works happens because both refer to the past, and are thereby rendered parallel, as kinds of knowledge of uncertain status. The disorientation, however, is magnified by yet another shock:

> Everything is so unclear, so inconceivable. Schulz wrote *Cinnamon Shops* in 1933. This was the worst year of the Great Hunger in the Ukraine, and thus not far from Drohobycz. Schulz surely did not know about this tragedy, so well concealed from the world. But what kind of forces are at work here, what currents, what undetected

obiadu o zapachu dzikim i polnym." (Bruno Schulz, *The Street of Crocodiles* [1933], trans. Celina Wieniewska, New York, Penguin Books, 1977, p. 25)

9. "Życie wielkiego Schulza upłynęło więc w tym małym miasteczku, a nawet w zupełnie małym trójkacie między Floriańską, Zieloną i skwerem przy piekarni. Dzisiaj ludzie mogą przejść tę trasę w kilka minut, zastanawiając się nad tajemnicą niezwykłej wyobraźni Schulza." (Ryszard Kapuściński, *Imperium*, p. 292; our translation).

10. "Dlatego zupełnie niedorzeczne jest moje pytanie: Panie Alfredzie, a w którym miejscu były sklepy cynamonowe? Szrejer przystaje, w jego wzroku jest mieszanina zaskoczenia, ironii i nawet nagany. Gdzie były sklepy cynamonowe?, powtarza. Przecież one były w wyobraźni Schulza! Tam świeciły. Tam pachniały w taki niepowtarzalny sposób! [...] Te suche badyle, które pan widzi? [...] Czy mogła tu mieć swoje łóżko ta zidiociała dziewczyna Tłuja? Może mogła mieć." (Bruno Schulz, *The Street of Crocodiles*, p. 292-293; our translation)

associations, relations, and oppositions, that make it so his book begins with such a grand, intoxicating vision of satiety?[11]

Most difficult for Kapuściński to apprehend of all is that the fact of history—the hunger and death caused by the Soviet Union—is nowhere to be found in the scene of Adela's return from the market in "August." The famine is unrepresented, more absent than Schulz himself or than his fictional world. But why should this finding—that a history, verifiable beyond a doubt, happens to be contradicted by a story—be more affecting than concrete evidence, the full account of the Ukrainian nightmare already given by Bronisława? He has already found its traces. Why then be troubled by *not* finding it in Drohobycz—or, rather, in a story written in Drohobycz, a story whose own past reality proves so difficult to verify?

Kapuściński's shock results not so much from the fact that absence may be more difficult to account for than presence. Rather, absence and presence, disappearance and appearance, become indistinct. In Drohobycz, historical sequence and historical concurrence break down, while the detail of daily life captured in fiction (the maid Adela as Pomona, the Roman goddess of orchards, returning from the market) fails to converge with history and geography (the concurrent events of a famine and of a child's joy at the sight of bountiful food, separated only by a short distance). What Kapuściński sees fails to match what he knows.

Such a moment of disorientation—true to disappearance—occurs because he attempts to revisit discordant objects of the past in person, to see them for himself, to ground them in the material world he witnesses. Schulz's failure to represent all of these objects at once—and Drohobycz's failure to show traces of them all—proves baffling because Kapuściński attempts to force an encounter between the distinct personae inhabiting the small town, and tries to impose order on the incongruous registers and temporalities that he knows, in a sense, coexist in this place. But they cannot all be rendered visible simultaneously. They are determined by intractable and multiple sources of knowledge of uncertain status.

11. "Wszystko jest takie niejasne, takie niepojęte. Schulz pisał Sklepy cynamonowe w 1933 roku. Był to najstraszniejszy rok Wielkiego Głodu na Ukrainie, a więc niedaleko od Drohobycza. Schulz o tej wielkiej tragedii, tak skrywanej przed światem, z pewnością nie wiedział. Ale jakie działają tu siły, jakie prądy, jakie nie znane nam skojarzenia, związki i opozycje, ze jego książka zaczyna się wielką, odurzającą wizją sytości?" (Ryszard Kapuściński, *Imperium*, p. 293; our translation).

III. OBSOLESCENT ETHICS

Disappearance is an ambivalent guide. If to disappear means both to cease to be seen and to cease to exist, then disappearance admits the possibility of a lag between when an object passes out of sight and when it passes out of existence altogether. Taking the disappearance of the Soviet Union literally means opening the possibility of disorientation. It forces the mind to return and return to the time before disappearance, a time when the Soviet Union did exist, to ask what difference it made and how it shaped daily life. Attempting to verify what vanished with it and what has been left behind—not in a balance sheet, not as a record of a stage of transition—makes it clear that there is no clean break between before and after. And so we must not look for clean breaks—and it will not be out of a simple nostalgia, or mere attachment to the past because it happens to be our own, but out of fidelity to disappearance as such.

In *Dreamworld and Catastrophe*, Susan Buck-Morss does not hide her disappointment with the immediate aftermath of the Soviet Union's demise:

> The revolutions of 1989 were in fact no revolution at all. [...] The real surge of critical political energy, including the great dissident literature, belongs to the period before the fall of the Wall. The dissolution of critical thinking began almost immediately thereafter, and it is striking how little original thought subsequently emerged. There was no widespread intellectual renaissance, no cultural rebirth, but rather a recycling of earlier dissident literature.[12]

The political and economic changes, for her, should have engendered new cultural forms—as if the Soviet Union was supposed to have taken all of its effects and displacements with it, rendering obsolete anything that failed to disappear along with it. The response to this circumstance is read under the sign of inadequacy, and the post-Soviet world seen as unable to produce new ideas. The frustrated expectation of rebirth turns into an accusation: culture lags behind history, fails to keep up with the times. But what if we reverse the direction, and look at culture's lagging or not lagging behind, rather than at objective political events. The fate of objects—both ordinary and aesthetic—and of the values attached to them may be instructive in finding a different account of historical change, one that, grounded first in the sensory and the everyday, takes the vicissitudes of disappearance as a guide.

Zbigniew Herbert's "Elegy for the Departure of Pen, Ink and Lamp" (1990) may be read as a response to a charge such as Buck-Morss's. Published, it seems, at the very brink of the Soviet Union's disappearance, the poem offers a plea

12. Susan Buck-Morss, *Dreamworld and Catastrophe: The Passing of Mass Utopia in East and West*, Cambridge, Massachusetts, MIT Press, 2000, p. 228-229.

against abrupt judgments. The speaker is skeptical about the view of history as propelled by an impersonal force imposing arbitrary laws:

I never believed in the spirit of history
an invented monster with a murderous look
dialectical beast on a leash led by slaughterers

nor in you—four horsemen of the apocalypse
Huns of progress galloping over earthly and heavenly steppes
destroying everything worthy of respect old and defenseless[13]

Instead, the forward movement of history entails leaving behind small things, especially when they are not yet ready to be abandoned. The old-fashioned pen, ink and lamp of his childhood—the poem's addressees—did not simply depart but were discarded. Because of his own implication in their disappearance, the speaker has no recourse to simple nostalgia or mourning. He addresses his "dear companions" in order to issue a warning:

Lightheartedly we leave the gardens of childhood gardens of things
shedding in flight manuscripts oil-lamps dignity pens [...]

I paid for the betrayal
but I did not know then
you were leaving forever
and that it will be dark[14]

The poem may at first appear merely nostalgic, tinged as it is with childhood innocence and with regret, but it refuses to treat the disappearance of the "dear companions" as a simple passing away that could be explained by the exigencies of history. It is, instead, oriented toward the future, as a warning about what is to come—the free market, perhaps, or the pressure to keep up with the times—which will render still-useful things disposable and replace them with "arrogant objects / without grace / name / or past."[15] The locus of ethical resistance is in small things.

13. "Nigdy nie wierzyłem w ducha dziejów / wydumanego potwora o morderczym spojrzeniu / bestię dialektyczną na smyczy oprawców / ani w was—czterej jeźdzcy apokalipsy / Hunowie postępu cwałujacy przez ziemskie i niebieskie stepy / niszcząc po drodze wszystko co godne szacunku dawne i bezbronne." (Zbigniew Herbert, *Poezje Wybrane/ Selected Poems*, trans. John and Bogdana Carpenter, Kraków, Wydawnictwo Literackie, 2003, p. 172-181)

14. "Lekkomyślnie opuszczamy ogrody dzieciństwa ogrody rzeczy / roniąc w ucieczce manuskrypty lampki oliwne godność piora [...] zapłaciłem za zdradę / lecz wtedy nie wiedziałem / że odchodzicie na zawsze / i że będzie ciemno"

15. "Aroganckich przedmiotów / bez wdzięku / imienia / przeszłości"

"Elegy for the Departure" raises the possibility that aesthetic objects and ethical values may be subject to the same process of abandonment as ordinary things. "There are still so many good thoughts in you," the speaker addresses the old inkwell in an apology. The poem may be read as a protest against viewing obsolescence as an objective condition—and, perhaps, against Herbert himself being too readily consigned to the past. For an assault on things "small / warm / faithful"[16] did come, not only from outsiders who aided economic and political restructurings after 1989, or from well-meaning if disappointed Western critics, but also from within. In Poland, for example, the *brulion* group of poets, named after a journal launched in 1986, challenged the primacy of dissident tradition and the weight of messianic views of the nation. They gave voice to the desire "to establish a normal state and a normal society, and have normal earnings and normal inflation, as well as a normal literature that no longer had anything to do with ethics, politics, or theology."[17] Their attack was aimed precisely at writers like Herbert, whose own earlier work—according to the logics of progress, of the clean break, and of direct relation between politics and aesthetics—should have quietly given way to new ideas by 1989. "Elegy for the Departure" warns against a naïve view of history as an inexorable force and protests against lighthearted abandonment of ordinary objects, for they have come to be invested with ethical values. A much earlier poem by Herbert, "The Envoy of Mr. Cogito" (1974)—a manifesto of the kind of austere ethical values associated with anti-Soviet resistance—is itself an object threatened with disposal. It is addressed directly to the reader:

> Go where those others went to the dark boundary
> for the golden fleece of nothingness your last prize
>
> go upright among those who are on their knees [...]
>
> you were saved not in order to live
> you have little time you must give testimony [...]
>
> and do not forgive truly it is not in your power
> to forgive in the name of those betrayed at dawn[18]

16. "małą / ciepłą / wierną"

17. Piotr Śliwiński, "Are Things Worse or Is This Normal? Polish Poetry in the 1990s," *The Chicago Review*, Vol. 46, No. 3-4, 2000, p. 340.

18. "Idź dokąd poszli tamci do ciemnego kresu / po złote runo nicości twoją ostatnią nagrodę / idź wyprostowany wśród tych co na kolanach [...] / ocalałeś nie po to aby żyć / masz mało czasu trzeba dać świadectwo [...] / i nie przebaczaj zaiste nie w twojej mocy / przebaczać w imieniu tych których zdradzono o świcie"

The ethical injunction is both absolute—such a life carries no earthly rewards except "the whip of laughter" and "murder on a garbage heap"—and impossible to follow to the letter, addressed as it is to the average person. Without a hope of consolation, one must "repeat old incantations of humanity fables and legends" in order to be "admitted to the company of cold skulls."[19] This is a weighty command, fit for a solemn time. But what would it mean to follow it once the Soviet Union has disappeared, to be righteous in a time of the free market? When there is no longer a Soviet Union, the kind of ethical corruption it enforced seems to have disappeared as well. This is how "The Envoy," an object mistakenly affixed to the time of the Soviet Union, comes to be declared obsolete.

A tentative literary history of the first post-Soviet decades already exists, tracking the fate of dissident ethos as it moved out of favor in the late 1980s and back to reverent popularity by the end of 1990s—avant-garde revolt followed by the cooling of passions, an experiment with freedom giving way to a reconciliation between the old and the new.[20] Such a literary history attempts to account for the sentiment that, with the dismantling of the Soviet State, "the past fell to pieces and became extinct," that millions of people "lost their future because they lost their past," and that "history left no time for preparation,"[21] but it must also account for the fact that the past turned out not to be lost after all. It partakes first of the notion of collapse (to avow a sudden break) and then makes use of the notion of transition (to explain the unexpected persistence of the past).

Read together, Herbert's "Elegy for the Departure" and "The Envoy" can help resist such a linear—if fraught—narrative. The poems suggest that ordinary things, aesthetic objects, and ethical values do not simply pass away on their own, but have to be discarded. If a poem such as "The Envoy" itself could be taken for an object firmly lodged in the Soviet past, then its refusal to vanish along with the Soviet Union—the object that appears to have produced it—may be considered a sign of cultural lack, of an inability to move on. Such a judgment, precisely, is what the later "Elegy for the Departure" contests. Thus, the apparent void of original thought after 1989 was not simply a space filled by recycled dissident ideas. Instead, it was a space of intense negotiation of ways in which culture

19. "Chłostą śmiechu zabójstwem na śmietniku [...] powtarzaj stare zaklęcia ludzkości bajki i legendy [...] idź bo tylko tak będziesz przyjęty do grona zimnych czaszek"

20. Krzysztof Koehler, "Carrying the Burden of Freedom: Some Thoughts on Polish Literature after Ten Years of Freedom," *Toronto Slavic Quarterly*, No. 3, winter 2003, http://www.utoronto.ca/tsq/03/koehler2.shtml.

21. István Rév, *Retroactive Justice: Prehistory of Post-Communism*, Stanford, Stanford University Press, coll. "Cultural Memory in the Present", 2005, p. 8.

ought to reconstitute itself after one of its major reference points—and one of its major constraints—disappears.

IV. ILLEGIBLE GHOSTS

The ambivalent dynamic of disappearance may best be captured not in a dialogue staged between literary traditions, but in a film, which can render visible what may be on the verge of vanishing. Krzysztof Kieślowski's *No End* (*Bez końca*, 1984) documents a moment of heightened cultural crisis prompted by the imposition of martial law in Poland after the Solidarity movement's defeat. The film's story begins a few days after an idealistic lawyer, Antek Zyro, dies of a heart attack. He leaves behind a grieving widow and a client, Darek, a young factory worker due to stand trial for organizing a strike. Darek's friends manage to enlist the apolitical, mournful widow Ula in finding a lawyer trustworthy enough to continue the defense. Labrador, Antek's old teacher, agrees to take on the job. The film's attention is divided between Ula's private mourning and the political events in which her husband had been involved, with Antek's ghost watching over everyone like a guardian angel.

No End portrays a clash between two impossible ideals produced but not completely determined by the Soviet Union. The first of these ideals, state socialism, is treated as legitimate by the courts. Antek embodies the second ideal, that of uncompromising resistance, even as this embodiment takes the form of a barely-legible trace after his death. The struggle between these ideals takes place on the ground of the juridical, as well as on the ground of Darek's body as he engages in a hunger strike in prison.

The film itself reflects on the making of history from within, without the benefit of knowing the outcome—the eventual demise of the Soviet system. Thus, it works like a historian who, "by recording concurrent events which [...] sometimes lack apparent connections, [...] might be able to restore the uncertain, open quality of history as experienced *in eventu*."[22] With the benefit of hindsight, it may be tempting to say that, with the impending fall of the Soviet Union, the characters are merely waiting for history to take its course. In such a reading, their ethical dilemmas may seem artificial because they are attached to the Soviet Union, whose fall will render them definitively obsolete. The characters may seem like puppets, living an illusory life not of their own making. As a record of "history as experienced *in eventu*," however, *No End* attends to various modes

22. István Rév, *Retroactive Justice*, p. 12.

of the Soviet Union's appearance—in State-socialist ideology on the one hand, and in dissident ethos on the other—at the same time as it shows these modes to be already in some sense ghostly—not because they are about to disappear, but because both are impossible to realize, or to make apparent, to the letter.

Fig. 1. "I died:" Antek (Jerzy Radziwiłowicz) addresses the viewer, with Ula asleep in bed. Krzysztof Kieślowski, *No End* (*Bez końca*, 1984). © Courtesy of Kino International.

Antek haunts the film in his ghostly incarnation, by appearing on the screen to the viewer. (fig.1) To the characters, he is visible only twice: when Ula's visit to the hypnotist, who offers to help her forget her husband, turns instead into a séance, a conjuration of the dead; and at the end of the film, when the courtroom empties out after Darek's trial and the defendant suddenly notices Antek's presence. Antek also haunts the film in his legacy, acting as an embodiment of resistance and arbiter of integrity even after his death. The question of what Antek would have done were he alive is a common reference point. His righteousness—reminiscent of Mr. Cogito's in its austerity—is taken for granted yet, for the viewer, there is little direct access to his actual ethical principles. Antek cannot give account of them himself; instead, they are made apparent in half-pronounced hints, sometimes mediated by Ula's unreliable translation. At one point, she tries to decipher Antek's notes on the case, but can make out only inconclusive fragments: "if the law turns against community, loyalty or trust, it is... immoral" and "the law... kills what is most precious among people." "Here's a question mark... or an exclamation point," she says uncertainly, and confesses to Labrador: "I could never read him."[23] (fig. 2) Another time, an old friend tells Ula that Antek always wanted to be free. "Was he?" she asks, as if she had given little thought to her husband's work.

Fig. 2. Ula (Grażyna Szapołowska) reads Antek's notes on the case to Labrador (Aleksander Bardini). Krzysztof Kieślowski, *No End (Bez końca*, 1984). © Courtesy of Kino International.

The answer to what Antek would have done comes most clearly in the figure of Darek, who invokes him at every turn to defend himself from the threat of compromise. Yet the deceased lawyer's ethical principles come to be increasingly difficult to decipher and confused even here, as Darek attempts to remain faithful to him by refusing all the options offered him. "Mr. Zyro said I wouldn't have to do this," Darek protests at the idea of pleading ignorance. "He said one must find one's own way," he insists when he's asked to claim an extreme political position. Darek says he never wanted to smash the State. He just wanted to make Poland a better place for everyone. "Which Poland do you mean, son?" old Labrador asks. "Our Poland—there's no other one," Darek replies, forced to concede that he cannot imagine a Poland other than the socialist one.[24]

23. "Jeśli prawo jest przeciw wspólnocie, lojalności czy ufności jest niemoralne"; "Prawo zabija to co najcenniejsze między ludźmi"; "Znak zapytania czy wykrzyknik... nigdy nie mogłam go odczytać." (Our translation)

24. "Mecenas Zyro powiedział, że nie będziemy robić takich rzeczy"; "Każdy musi sam znaleźć drogę"; "W jakiej Polsce?"; "W Polsce—w naszej. Nie ma innej." (Our translation)

The verdict in Darek's case is a suspended sentence—a limbo, neither a defeat nor a victory. It may have been easier and more dramatic to be punished. Attempting to be faithful to Antek's legacy, Darek is denied the reward of unequivocal resolution because everyone involved wants most of all to survive and to retain dignity. There is no uniformity of response in *No End*, no common values, as every character offers a different version of what it means to live in such a time and place. Antek is a common reference point, but he fails to make coherent the communities he has left behind.

Susan Buck-Morss has written that, "told as an economic story, the collapse of Eastern European and Soviet socialism loses its heroic dimensions, becoming yet another chapter in the general narrative of global industrialism."[25] But the ethical and the aesthetic dimensions of anti-Soviet resistance are not suddenly rendered profane when juxtaposed with the economic. The fate of material things is connected to that of ethical values and aesthetic objects. "The day I can buy toilet paper in a Polish store, I'll discuss politics," Kieślowski once said.[26] Dissident ethos was never a matter of mere poetry. It was always grounded in the everyday struggle to maintain integrity.

Accounting for disappearance demands a confrontation of incongruous elements, forces an interaction between distinct personae that inhabit a time and a place. Declaring that objects grounded in the Soviet past are necessarily obsolete—declaring, that is, a definitive historical rupture—entails an exorcism of ghosts such as Antek's. If to disappear means to vanish from sight and/or from existence, then the film (like, perhaps, all films) effects a contradictory movement: it shows what has disappeared; it thematizes death and mourning even as it brings Antek back to life; it mobilizes the visible only to undermine certainty. And if, in turn, to disappear is taken in its transitive sense—to *render* something invisible or nonexistent—then the film refuses to participate. The Soviet Union has left behind an organization of values of different registers, vested in objects of different orders of materiality.

Its disappearance demands the recognition that the objects thus inflected may outlive their cause.

25. Susan Buck-Morss, *Dreamworld and Catastrophe*, p. 263.

26. Quoted in Annette Insdorf, *Double Lives, Second Chances: The Cinema of Krzysztof Kieslowski*, New York, Miramax Books, 1999, p. 68.

The Disappearing Medium: Remarks on Language in Translation

George Varsos

In translation studies, there is an insightful critique of what is frequently considered the dominant tradition of literary translation in the West. Said tradition favours methods that aim to produce "fluently" readable texts, smoothly integrated into the established literary modes of the target language. Specifically, translation must avoid archaism and jargon, as well as idioms or otherwise foreign syntax; it should clarify what remains obscure and attenuate what is rhetorically strange in the original, smoothing over disparities or inconsistencies. In so doing, however, it risks eliding not only specificities of the original text, but also the very fact that a different language is at stake in the process. Antoine Berman qualifies this type of translation as "ethnocentric,"[1] while Lawrence Venuti emphatically denounces the political implications of what he identifies as the normative "invisibility" of the translator. The "forcible replacement of the linguistic and cultural difference of the foreign text with a text that will be intelligible to the target-language reader,"[2] writes Venuti, inheres within the construction of state-national identities and is concomitant with the hegemony of English in the global order of today. With respect to a poetics of translation, an opposition is drawn between strategies that are "domesticating" and those that are "estranging" or "foreignizing," as Venuti prefers.[3] Friedrich Hölderlin and Ezra Pound are often cited as paradigms of the latter, in that they allow their work to be drastically marked by, to bear visible traces of, the linguistic shift. In both their cases,

To Lili Florakas, my grandmother (Apeiranthos, 1910 – Montreal, 2007)

1. Antoine Berman, La traduction et la lettre, ou l'Auberge du lointain, Paris, Éditions du Seuil, coll. "L'ordre philosophique", 1999, p. 26 and following.

2. Lawrence Venuti, *The Translator's Invisibility*, London & New York, Routledge, coll. "Translation studies", 1995, p. 18.

3. The terms are those of Venuti, in his *Invisibility*, p. 20 and following.

this shift is largely historical, from an ancient or medieval to a modern language.[4] More recent studies[5] have focused on the underlying tension between domesticating and estranging strategies in cases involving, on the one hand, languages such as English or French and, on the other, living languages deemed marginal with respect to hegemonic Western ones.[6] The question of the degree and mode of correlation between the poetics and politics of translation remains, of course, both delicate and intricate. Equally so, is the underlying theoretical issue of how language relates to history and culture, which I would like address.

The normative invisibility of the translator stipulates that, as the language of the original is supplanted, the linguistic materiality of the original should not only disappear but should do so entirely: both the signifying mechanism of the original and the reading experience of it is swept aside, leaving a putative transposable signified content presumably more or less intact. Critique of this premise,

4. Translations of Homer can give us a tangible sense of differing translation strategies. Compare the opening of Ezra Pound's "Canto I" to the translation of the corresponding passage of The Odyssey (Book XI) by Allen Mandelbaum. Pound gives us his noted agrammatical beginning, broken pentameter and overall archaic tone: "And then went down to the ship, / Set keel to breakers, forth on the godly sea, and / We set up mast and sail on that swart ship, / Bore sheep aboard her, and our bodies also/ Heavy with weeping, and winds from sternward / Bore us out onward with bellying canvas, / Circe's this craft, the trim-coifed goddess." (*The Cantos*, London, Faber and Faber, 1986, p. 3). Mandelbaum's writing is clearly domesticating in certain respects, especially at the level of rhythm: "We reached the shore and ship. We drew our craft / down to the gleaming sea. We stepped the mast / and set our sail, embarked our sheep; downcast, / in tears, we went aboard. Then fair-haired Circë, / the awe some goddess with a human voice, / sent forth a friend who favored us, a wind / that swelled our sail and spurred our ship's dark prow." (*The Odyssey of Homer*, Berkeley, University of California Press, 1990, p. 217).

5. See Sandra Bermann and Michael Wood (eds), *Nation, Language and the Ethics of Translation*, Princeton, Princeton University Press, coll. "Translation-transnation," 2005.

6. Consider, for instance, translations of 18th century Bengali poetry associated with the figural tradition of the "motherly" goddess, Kali. Gayatri Spivak compares her own foreignizing English version with an earlier domesticating French one. In Spivak's English: "Mind, why footloose, from mother? / Mind mine, think power, for freedom's dower, bind bower with love-rope / in time, mind, you minded not your blasted lot." The French version from the twenties: "Pourquoi as-tu, mon âme, délaissé les pieds de Mâ? / Ô esprit, médite Shokti, tu obtiendras ta délivrance. / Attache-les, ces pieds saints, avec la corde de la dévotion." (Gayatri Chakravorty Spivak, "The politics of translation," in Lawrence Venuti (ed.), *The Translation Studies Reader*, New York and London, Routledge, 2000, p. 374).

be it from a political or a poetic point of view, echoes an acute understanding of the crucial role of the signifier with respect to the signified: the disappearance of the linguistic medium, when passing from one language to another, is an event that must be acknowledged as such and taken into account, both practically and theoretically. The problem is not simply that of the distinct signifying role which specific lexical units or grammatical mechanisms play in one language or another—and with which every translation somewhat contends. There emerges, furthermore, the issue of whether the overall linguistic identity of the original has some specific character or significance that affects the linguistic shift and marks or should mark the translated text: is there something in a language which runs through its established means and techniques of eloquence, its diverse versions or usages, its modalities and rhythms of change, and which presents a distinct challenge to translation, even when specific problems of vocabulary, grammar and rhetoric in a given text have been adequately addressed?

Translation thus kindles awareness of the fact that at work are also individual languages: structural wholes of uncertain nature and implication. Samuel Weber has recently questioned the pertinence of terms like "natural" or "national" with regard to the notion of individual languages, further remarking that:

> [the] difficulty of finding a generic term that would accurately designate the class to which individual languages belong is indicative of the larger problem of determining the principles that give those languages their relative unity or coherence—assuming, that is, that such principles really exist.[7]

Weber herein discloses one of the blind spots among the insights of critiques of ethnocentric translation: the latter often take the nature of individual languages for granted, failing to probe systematically the corresponding theoretical difficulties. To be sure, certain basic premises are routinely acknowledged in this respect. Venuti, for instance, specifies that "the foreign in foreignizing translation is not a transparent representation of an essence that resides in the foreign text and is valuable in itself, but a strategic construction whose value is contingent on the current target-language situation."[8] More generally, we are put on our guard against the ever-present temptation of "essentialism" or invited to rethink translation "in historical and temporal terms rather than in ontological and spatial

7. Samuel Weber, "A Touch of Translation: On Walter Benjamin's 'The Task of the Translator,'" in Sandra Bermann and Michel Wood (eds), *Nation, Language and the Ethics of Translation*, p. 66.

8. Lawrence Venuti, *Invisibility*, p. 20.

ones."[9] At times, however, there is a tendency to correlate language and culture on grounds of categories warranted by rather crude ontological assumptions. Linguistic difference is then readily seen as synonymous with radical cultural otherness or foreignness: "A translated text", Venuti claims, "should be the site where a different culture emerges, where a reader gets a glimpse of a cultural other, and resistancy [reminds the reader of] the unabridgeable gaps between cultures."[10] Linguistic homogeneity, along with resistance to translation, tends to be assumed as an attribute of all cultures as in the following postulate of Berman:

> [...] *toute culture résiste à la traduction, même si elle a besoin essentiellement de celle-ci. La visée même de la traduction — ouvrir au niveau de l'écrit un certain rapport à l'Autre, féconder le Propre par la médiation de l'Étrange — heurte de front la structure ethnocentrique de toute culture, ou cette espèce de narcissisme qui fait que toute société voudrait être un tout pur et non mélangée. Dans la traduction il y a quelque chose de la violence du métissage.*[11]

In order to investigate effectively the implications of the disappearance of a language in translation, along with the correlative issue of the nature of individual languages, we need to revisit the ways in which relations between linguistic and cultural identity are conceived. This presupposes the critique of the very juxtaposition of historical and ontological perspectives. I would like, very briefly in the following pages, to examine two lines of inquiry into the matter, both of which serve as fundamental references in translation studies. The first derives from those early 19th-century German thinkers, usually associated with Romanticism, who have broached the disappearance of a language, in translation, as a practical and theoretical problem and elaborated the modern distinction between domesticating and foreignizing translation, championing the latter. I refer, specifically, to Wilhelm von Humboldt and Friedrich Schleiermacher and would like to draw attention to the ontological premises subtending their key concept of historical culture (*Bildung*) and its connection to language.

The second line of inquiry is the one of Walter Benjamin, an equally influential but perhaps more intriguing advocate of estranging translation techniques. His theory of translation is in many respects a stepping-stone in the elaboration of a theory of languages as individual wholes. His approach presupposes, in a sense, the insights of German Romanticism, but it also drastically destabilizes their

9. Sandra Bermann, "Introduction," in Sandra Bermann and Michel Wood (eds.), *Nation, Language and the Ethics of Translation*, p. 6.

10. Lawrence Venuti, *Invisibility*, p. 306.

11. Antoine Berman, *L'épreuve de l'étranger: Culture et traduction dans l'Allemagne romantique*, Paris, Éditions Gallimard, coll. "Les essais", 1984, p. 16.

claims, especially those concerning the link between language and culture. At the same time, he insists on critically reconfigured historical but also ontological problematics without in any sense discarding the pertinence of the latter.

My comparison of Benjamin and German Romantic thinkers is, indeed, based largely on ontological grounds, as it involves the notion of *form*, which is crucially central in both. By form, I mean a philosophical notion that pertains, as the *Oxford English Dictionary* explicates, to the essential principle of a thing—to the principle that allows the thing to emerge or manifest itself as a determinate kind of being and thus to appear as phenomenon. Considerations of form in this sense have often been understood to close discussion of what is essentially at stake with phenomena that emerge or disappear—in our case, linguistic phenomena. However, the question of form can also be raised as an *aporia* that keeps the discussion ever open and indeterminate—the discussion, that is, of whether and in what way languages *qua* individual wholes constitute significant components of given textual or other kinds of linguistic formations.

A passage from the beginning of Aristotle's *On Interpretation* sets the basic terms with which Humboldt configures his idea of language. The passage identifies language as an exemplary instance of mediation; it explains also how elusive its mediating function can be, presupposing as it does successive instances of transformation:

> Now spoken words [*ta en te phone*] are symbols [*symbola*] of affections in the soul, and written marks symbols of spoken sounds. And just as written marks are not the same for all men, neither are spoken sounds. But what these are in the first place signs [*semeia*] of—affections of the soul—are the same for all; and what these affections are likenesses [*omoiomata*] of—actual things [*pragmata*]—are also the same. (16a3)[12]

There is, quite clearly, the image of a chain here, the links of which, however, are not all of the same nature. Through an initial mediation (which, we presume, is that of the senses) things (*pragmata*) affect the soul. Their marks are simulacra (*omoiomata*), that is, mental images bearing their likeness—so much so that both things and mental images can be assumed to be the same for all. The relation changes drastically, however, as we pass, via a second mediation (that of language), from mental images to things of the voice [*ta en te phone*]. This time the link is of a symbolic (*symbola*) or semiotic (*semeia*) nature, such that relative stability or universality gives way to indeterminacy and variation. Now, Humboldt's conception of language presupposes this Aristotelian schema in a decidedly Kant-

12. Aristotle, *Categories and De Interpretatione*, trans. by J. L. Ackrill, Oxford, Clarendon Press, coll. "Clarendon Aristotle Series", 1963, p. 43.

ian inflection. He understands affections of the soul to involve a complex correlation between, on the one hand, elementary forms of intuitive experience and, on the other, forms elaborated via categories of conceptual understanding. Imagination intervenes as an effective but also intricate link between the two. Language, in turn, emerges from within the interplay of imagination and understanding, and possesses, as such, a characteristically dual articulation: its basic elements have an imagistic or iconic affinity, not to things themselves but to forms given by experience, as well as a more abstract component, closer to the status of signs associated with conceptual elaboration. At the level of its most fundamental and general structures, language is thus close enough to the basic shemas of human experience and concepts of rational understanding to acquire a universal dimension; but it is also decisively linked to the culturally conditioned work of imagination, as the latter stimulates and enacts the relations between experience and understanding. Language is thus composed of sounds which imitate universal forms of human reason but only by culturally configuring them while transpose them to a state of sustained ideational dissolution:

> All signs of language are symbols [*Symbole*], not the things themselves, not signs [*Zeichen*] agreed on, but sounds which find themselves, through the mind in which they originate and keep originating, in a real and, so to speak, mystical connection with the things and concepts they represent; which contain the objects of reality dissolved, as it were, in ideas [*aufgelöst in Ideen*]. These symbols can be changed, defined, separated and united in a manner for which no limit can be imagined. A higher, deeper or more tender sense [*Sinn*] can may imputed to these symbols, which happens only if one thinks, expresses, receives, and represents them in a certain way; and so language is heightened to a nobler sense, extended into a medium which shapes in more complex ways, without any really noticeable change.[13]

The determinant link can thus be established, as Humboldt will do, between individual languages and specific modes of culture (*Bildung*) in history. The distinct ontological premises of this linkage are echoed in the metaphorical use of

13. Wilhelm von Humboldt, "A theory of translation," p. 41-42, André Lefevere (ed.), *Translating Literature: the German Tradition*, Amsterdam, Van Gorcum, 1977, p. 40-45. The text comes from Humbold's introduction to his translation of Aeschylus' Agamemnon (Einleitung zu Agamemnon, 1816). I have consulted the original in the bilingual edition of: Wilhelm von Humboldt, *Sur le caractère national des langues et autres écrits sur le langage*, trans. by Denis Thouard, Paris, Éditions du Seuil, coll. "Points. Essais," 2000, p. 33-47. This edition contains texts and fragments dating form 1816 to 1824. On the relations between Humboldt and the Kantian tradition, as well as for a series of insightful approaches to different aspects of Humboldtian linguistics, see Jürgen Trabant, *Humboldt ou le sens du langage*, Liège, Mardaga, coll. "Philosophie et langage," 1992.

the natural organism which configures the structure and dynamics of collective historical identities:

> The human species is a natural plant, just like the species of lions and elephants. Its different tribes and nations are natural products like races of Arabic and Island horses. There is, however, this singular difference: within the very seeds of their culture [*Bildung*] the idea of language and freedom finds a more or less favourable soil and connects to forces which are manifested to us in no other way. Any singular individual is an individual with respect to its nation in the same way that a leaf is one with respect to its tree; and degrees of individuality can thus extend for nation to people and form there to race and to the human species.[14]

Each singular individual could very well be seen as having its own culture and language, as could the human species itself, as an individual whole. The most crucial connection is that established between individual languages and national communities: "Fundamentally [...] in its identity to the thought which is made possible by it, language is the nation itself, it is properly speaking the nation [*die Nation selbst, und recht eigentlich die Nation*]."[15] What is most important, however, is that the essence of an individual language is seen as concomitant with the essence of a cultural anthropological entity—which could be situated at any level of organisation of the different species of human life. It is, in a sense, the essence of an essence: the "unmediated breath of an organic essence [*unmittelbarer Aushauch eines organischen Wesens*]."[16]

This essence of languages as totalities corresponds to their internal linguistic form (*innere Sprachform*), a pivotal notion in Humboldtian linguistics. On the basis of this *Sprachform*, every language reproduces itself incessantly and is constantly present in its entirety and complete unity in forms that range from elementary grammatical rules and simple phrases to larger linguistic constructs. It is both moulded in accordance with a corresponding human culture and moulds the evolution of this culture through history, all the while engaging its distinct

14. Wilhelm von Humboldt, "Betrachtungen über die Weltgeschichte", p. 568-569, in *Werke in fünf Bänden*, I, Andreas Flitner and Klaus Giel (eds), Darmstadt, Wissenschaftliche Buchgeselschaft, 1980, p. 567-577. The lecture dates from around 1820. I translate.

15. Wilhelm von Humboldt, "Ueber den Einfluss des verschiedenen Charakters der Sprachen auf Literatur und Geistesbildung." p. 124, in Humboldt, *Sur le caractère national des langues*, p. 124.

16. Wilhelm von Humboldt, "Ueber das vergleichende Sprachstudium in Beziehung auf die verschiedenen Epochen der Sprachentwicklung," p. 68, in Humboldt, *Sur le caractère national des langues*, p. 64-111.

perspective on the world (*Weltansicht*). The *Sprachform* is not envisaged, however, as a static or homogeneous mental structure or worldview. Rather, it is a kind of energy (the Greek *energeia* is Humboldt's term of choice) that sustains dialogical dynamics proper to the language concerned, throughout its variation and evolution. As such, it runs through all specific literary genres and works in which the specific "character" of a language develops. However, it also allows for the Humboldtian postulate according to which all languages ideally converge on the common ground of the universality of human reason in world history.

It is from the standpoint of their internal forms that languages become the object of comparative study for Humboldt. The specific grounds and criteria for such comparison, an issue to which he persistently returns in his writings, bring up the question of what it is we are dealing with when we speak of the individual nature of a language. There is a decisive tension, in this respect, between, on the one hand, the typological and inescapably prejudicial distinction between poor and rich (or primitive and cultivated) languages and, on the other, the awareness that linguistic entities may be incommensurate and therefore scarcely comparable.

We can suggest that Humboldt tends towards a kind of cultural historicism which is very close to August Wolf's contemporaneous reformulation of the philological paradigm and to the parallel emergence and development of modern historical hermeneutics. The workings of "living" languages are seen as sustaining the development of corresponding national or other cultural entities, also enabling intercultural relations; while the written traces of "dead" languages allow the knowledge of ancient cultures according to their position in historical temporality. Literary texts provide the most salient manifestations of a language and its culture. Their traces, often inadequate, worn out or obscure are subject, as such, to philological criticism and restoration in accordance with the principles of their historical, that is indistinguishably linguistic and cultural identity. As for translation, it hereby acquires a theoretically contentious significance, since its task spans not simply linguistic differences but boundaries separating distinct organisms. The disappearance of a language in the substitution of the original text in literary translation turns into a singular theoretical and practical concern, to the precise degree that it risks entailing the disappearance of a historically positioned form of human life—either of its active presence, when living languages are involved, or of its memory, when texts of dead languages are at stake.

In the introduction to his translation of Aeschylus' *Agamemnon*, Humboldt explains why translation can be considered, in certain respects, impossible. He goes on to add that, in its inevitability, translation should somehow echo the foreign character of the original, avoiding all the while making the language resound awkwardly with strangeness: translation is successful as long as one senses "*nicht die Fremdheit sondern das Fremde.*"[17] However, it is Friedrich Schleiermacher, the theoretician of modern hermeneutics, who is most often credited as having provided us, in his essay on various methods of translation, with a typically modern formulation of the dilemma surrounding domesticating and foreignizing translation techniques:

> In my opinion there are only two [roads]. Either the translator leaved the author in peace, as much as possible, and moves the reader towards him; or he leaves the reader in peace, as much as possible, and moves the author towards him. The two roads are so completely separate from each other that one or the other must be followed as closely as possible, and that a highly unreliable result would proceed from any mixture, so that it is to be feared that author and reader would not meet at all.[18]

A strictly linear conception of temporality is what makes the two paradigms incompatible and the choice between them inevitable: the translator must choose between moving backward or forward in time. Schleiermacher opts, in principle, for the first of the two. The translated text should transmit to the reader not simply a vague feeling of linguistic foreignness, but a specific sense of determined otherness (*etwas bestimmtem anderm klingen*).[19] It should allow him to distinguish between translations of antique and modern texts, as well as among different modern languages and their corresponding cultures.

It is entirely characteristic of cultural historicism that estranging translation strategies are considered preferable, though they risk turning translation into what Schleirmacher admits is a somewhat mad enterprise (*thörichtes Unternehmen*[20]) or even an unnatural one: the translator resembling "those parents who abandon their children to acrobats, of bending his mother tongue to foreign and unnatural dislocations instead of skilfully exercising it in its own natural gymnastics."[21] Indeed, the idea of distinct cultural entities in history entails, for

17. Wilhelm von Humboldt, "Einleitung zu Agamemnon" p. 39, in Humboldt, *Sur le caractère national des langues*.

18. Friedrich Schleiermacher, "On the Different Methods of Translating," p. 74, André Lefevere (ed.), *Translating Literature*, p. 67-89. Schleirmacher's "Über dies Verschiedenen Methoden des Uebersezens," was originally given as a conference in 1913. I have consulted the original essay in the bilingual edition of: Friedrich Schleiermacher, *Des différentes méthodes du traduire*, trans. Antoine Berman and Christian Berner, Paris, Éditions du Seuil, coll. "Points. Essais," 1985.

19. See Friedrich Schleiermacher, *Des différentes méthodes du traduire*, p. 66.

20. See Friedrich Schleiermacher, *Des différentes méthodes du traduire*, p. 44.

21. Friedrich Schleiermacher, "On the Different Methods of Translating", p. 79.

Schleiermacher, the firm principle of a single national culture and language for each human group or individual: "Just as a man must decide to belong to one country, just so he must adhere to one language, or he will float without any bearings above an unpleasant middle ground."[22]

One of the reasons Walter Benjamin's work remains acutely relevant today, lies in the fact that its critique of Romantic historicism stands at odds with dominant trends in contemporary translation theory. Instead of casting ontology aside, in favour of the notion of culture, Benjamin persists in coupling historical and idiosyncratic ontological problematics, meanwhile disengaging the idea of language from that of culture. In doing so, as I will try to show, he approaches translation from a standpoint that is *not* predominantly that of cultural difference or of foreignness as opposed to domestication.

In his early essay on the task of the translator, Benjamin explicitly connects the notion of translation to that of individual languages as such, in their totality or as language-wholes: translation pertains *"auf die Sprache als solche, ihre Totalität"* or *"auf eine Sprache im ganzen."*[23] It is thus all the more intriguing that he never recurs, in this regard, to schemas or thematics involving relations between a given language and a national culture, a world-perspective or the spirit of a people; and that, furthermore, he has no systematic recourse to the Romantic notion of *Bildung* as a theoretical concept or analytical tool. What is also quite characteristic of his approach is that he explicitly discards the idea that individual languages would be foreign to each other:

> As for the posited innermost kinship of languages, it is marked by a peculiar convergence. This special kinship holds because languages are not strangers to one another [*einander nicht fremd*], but are, *a priori* and apart from all historical relationships [*von allen historischen Beziehungen abgesehen*], interrelated [*verwandt*] in what they want to express.[24]

22. Friedrich Schleiermacher, "On the Different Methods of Translating", p. 84.

23. Walter Benjamin, "Die Aufgabe des Übersetzers," p. 16, in Walter Benjamin, *Gesammelte Schriften*, Rolf Tiedemann and Herman Schweppenhäuser (eds), Frankfurt am Main, Suhrkamp Verlag, 1972-1989, Vol. IV. 1, p. 9-21. Henceforth, references to this text will be indicated by the initials "AU," followed by the page numbers, and placed between parentheses in the body of the text.

24. Walter Benjamin, "The Task of the Translator," trans. Harry Zohn, in Walter Benjamin, *Selected Writings*, Marcus Bullock and Michael W. Jennings (eds.), Cambridge MA, Belknap Press / Harvard University Press, 1996, Vol. 1, p. 255. Henceforth, references to this text will be indicated by the initials "TT," followed by the page numbers, and placed between parentheses in the body of the text. The German quotation in this passage comes from AU, p. 12.

The idea of the interrelation or convergence of different languages, equally present in Humboldt but only as a rather tentative or abstract hypothesis, assumes crucial importance in Benjamin. It allows the opening of a field of inquiry parallel to the study of given historical conditions; it is concomitant with the idea that languages, as individual wholes, cannot be rightly understood as entirely correlative with the historically determined cultural traits of their speakers' modes of life—they exceed, in some sense, the lives of their speakers. From this point of view language-wholes constitute what Benjamin identifies as distinct modes of intending or indexing (*Art des Meinens*) pure language (*reine Sprache*):

> Rather, all suprahistorical kinship [*überhistorische Verwandschaft*] between languages consists in this: in every one of them as a whole, one and the same thing is meant. Yet this one thing is achievable not by any single language but only by the totality of their intentions supplementing one another: the pure language. (TT, p. 257; AU, p. 13)

The concept of pure language springs from arguments elaborated in Benjamin's earlier essay on human language.[25] The semiotic character of any human language, directly linked as it is to cultural parameters of life and practices of communication, is always coupled with a non-semiotic or pure dimension that cultural conditions cannot contain. This dimension, Benjamin claims, concerns languages as individual wholes and pertains to the very fact of human-linguistic intercourse. Language at this level communicates nothing but the essence of humanness in its communicative and communicable dimension: it bespeaks the singular capacity of humans to identify things according to different modalities of naming. This idea removes us from the confines of Aristotelian "affections of the soul," and orients us toward an inquiry quite different from the one Humboldt traces in his own conception of the dual articulation of language. Benjamin's approach allows, of course, for the fact that all linguistic practices, including literary works, are concomitant with the cultural patterns of their historical emergence and life while also involving universally human basic forms of conceptual understanding. It also suggests, however, that linguistic constructs, especially literary formations, involve, at the level of their language as a whole, the enigmatic form of a purely human-linguistic essence, irreducible to the workings of human mind and experience. That form elucidates a perspective which,

25. I am referring to the 1916 text addressed to Gershom Scholem and entitled "Über Sprache überhaupt und über die Sprache des Menschen," published in *Gesammelte Schriften*, Vol. II.1, p. 140-157. English translation, "On Language as Such and on the Language of Man," trans. Edmund Jephcott, in Benjamin, *Selected Writings*, p. 62-74.

although not historical in the current sense of the term, is neither ahistorical, and can indeed be better qualified as over or supra-historical. It undoes, to some extent, the pertinence of forms proper to cultural conditioning. So, while it has a lot to do with the specificity of all human life as essentially linguistic, it is irreducible to given historical circumstances and modes of semiosis, which pertain to attributes of linguistic formations that could be qualified as contingent.

The notion of form is, indeed, paramount in Benjamin's essay on translation. There, he tellingly employs terms like *Gebilde* or *Geformte*—which connote form and can best be rendered as formation—over that of *text*. It is also from a notion of form that Benjamin broaches the issue of translation: "*Übersetzung ist eine Form*," or "translation is a form," he insists, the key to which resides in how the original is itself translatable. That claim is substantiated by remarks on how translatability (*Übersetzbarkeit*) is an attribute of the original literary work which establishes the law (*Gesetz*) of the form concerned, to the degree that and on account of its essence, it claims or calls for translation: "*ob es seinem Wesen nach Übersetzung zulasse*," (AU, p. 9-10). The determinant role of the original does not, however, imply a philological or hermeneutic turn to the cultural conditions of its emergence. Upon translation, the language of the original performs a more complex gesture: on the one hand, and as a matter of course, it links its textual formation to the cultural conditions of its genesis; on the other, it disengages it from them and opens it onto what Benjamin calls its "overlife" or "survival" (*Überleben* or *Fortleben*). The different modes of conservation, reproduction and circulation of a literary formation, along with its eventual translations, do not constitute mere duplicates or copies of its original instance, more or less faithful or adequate as the case may be: they deploy different aspects of the corresponding linguistic entity, the essence of which remains necessarily incomplete and indeterminate or uncertain in time, quite independently from the cultural parameters of its emergence and initial cycle of life. This does not mean that the issue of history is effaced; on the contrary, it is reinstated via the critique of historicist modes of understanding the dynamics and stakes of historical temporality. Translation allows for crucial insights into historicity, to the precise extent that it highlights the partial disengagement of the idea of language from that of culture and stimulates an interplay between the two facets of the question of form raised with respect to literary texts—that of human-linguistic essence and that of cultural contingency.[26]

26. Tejaswini Niranjana has well presented the argument of why and how Benjamin's approach to translation should indeed be read as directly involving the claim of a non-

Benjamin explicitly privileges strategies of translation which do indeed remind us of "foreignizing" methods: close rendering of the syntax of the original, bringing isolated words to the fore, using literal interlinear translation as a model. But this is where the term "estranging" proves entirely more accurate: it would be erroneous to consider the techniques advocated by Benjamin as in any way complicit with notions of cultural identity and otherness, involving the dichotomy of domesticity and foreignness. We are, perhaps one could say, paradoxically closer, in a somehow reversed or transposed way, to Brechtian notions of distancing or estrangement. Benjaminian translation brings to the fore, not so much the relation between two languages culturally foreign to each other, but rather the tension, running through both languages, between their semiotic and their non-semiotic components, between their culturally determined identities and their modes of indexing pure language and suspending cultural affiliation. Through its estranging tonalities, Benjaminian translation exposes the fact that while philologically restored text, culturally deciphered meaning, and hermeneutic dialogue are important, indeed crucial, they do not exhaust the overall significance of a literary formation. The task of translation diverges significantly from that of culturally informed study: the writing techniques destabilise the original as a signifying construct, in order to effectively address the question, however aporetic, of purely linguistic form, over and above the one of culturally determined meaning. The disappearance of the language of the original, far from simply stimulating acknowledgement of cultural otherness, is precisely what allows the emergence of this aporia to act as a stimulus to theoretical quest and practical artistry addressing the undoing of cultural conditioning: "A real translation is transparent; it does not cover the original, does not block its light, but allows the pure language, as though reinforced by its own medium, to shine upon the original all the more fully." (TT, p. 260) There is little here to suggest that the language of the translation echoes with foreignness of any kind. If strangeness there is, it is not that of a foreign language, but of language as such. Language, literary language in particular, proves to be the medium that, however closely connected to culturally determined semiosis, is also what delivers humans

historicist understanding of and approach to history. She tends to overlook the role, in this respect, of Benjamin's metaphysics. See "Politics and Poetics: De Man, Benjamin and the Task of the Translator," in Tejaswini Niranjana, *Siting Translation: History, Poststructuralism and the Colonial Context*, Berkeley, University of California Press, 1992, p. 110-140.

from cultural determinants. Recall the words of Paul de Man, caught as was in the *aporia*:

> This movement of the original is a wandering, an *errance*, a kind of permanent exile if you wish, but it is not really an exile, for there is no homeland, nothing from which one has been exiled. Least of all is there a *reine Sprache*, a pure language, which does not exist except as a permanent disjunction which inhabits all languages as such, including and especially the language one calls one's own. What is to be one's own language is the most displaced, the most alienated of all.[27]

Benjamin's "The Task of the Translator" also provides a link between early texts (notably the "Prologue" to his study of the *Trauerspiel*[28]) and the unfinished labours of his *Passagen-Werk*—that is, between the metaphysics of form and more explicit problematics of history. Recall, in this regard, fragment N3.1 of the *Passagen*, which explicitly juxtaposes "*Bild*" (a notion which, here, comes very close not only to that of form but also to Breton's definition of the surrealist image) to categories of the human sciences (including, we may presume, the category of culture or *Bildung*). An image, with its historical index, could very well be the challenge presented by a given textual formation to the reader who ventures to discern and historically connect to its purely human-linguistic form:

> These images are to be thought of entirely apart from the categories of the "human sciences," from so-called habitus, from style, and the like. For the historical index of the images not only says that they belong to a particular time; it says, above all, that they attain to legibility only at a particular time. And, indeed, this acceding "to legibility" constitutes a specific critical point in the movement at their interior. Every present day is determined by the images that are synchronic with it: each "now" [*Jetzt*] is the now of a particular recognisability. [...] It is not that what is past casts its light on what is present, or what is present its light on what is past; rather, image [*Bild*] is that wherein what has been [*das Gewesene*] comes together in a flash with the now to form a constellation.[29]

27. Paul de Man, "Conclusions: Walter Benjamin's 'The Task of the Translator,'" in Paul de Man, *The Resistance to Theory*, Minneapolis, University of Minnesota Press, coll. "Theory and History of Literature" 1982, p. 92.

28. See Walter Benjamin, "Epistemo-Critical Prologue," in *The Origin of German Tragic Drama*, trans. John Osborne, London, NLB, 1977, p. 27-56.

29. Walter Benjamin, *The Arcades Project*, Rolf Tiedemann (ed.), trans. Howard Eiland and Kevin McLaughlin, Cambridge, MA and London, Belknap Press / Harvard University Press, 1999, p. 462-463. For the German original see *Gesammelte Schriften*, Vol. 1, p. 578.

"Das Gewesene," the presently perfected remains of what has been, does not comply with becoming and is incompatible with the temporality of narration. It means termination rather than ending, interruption rather than closure, eventual closeness rather than established distance: the enigma of disappearance rather than the certainty of death. It is more akin to amorphous ruins piling up than to recognisable monuments. There is no predetermined course leading from perfected modes of having been human and alive to the prospect of a natural or otherwise proper deployment, and no present moment can be sheltered from the claim of remembrance addressed to it by such remains: any *Jetzt* is liable to be confronted with the challenge of a *Gewesene* that may crucially suspend confines of a cultural nature. A kind of history at odds with historicist premises is thus at work: figurative rather than narrative, dialectically arrested rather than temporally evolving. Current life turns historic, not because the consummation of its own past provides it with the depth of cultural continuity and the awareness of its identity, but because all disappeared pasts, however distant or close, risk inhabiting its field and permeating its ongoing momentum. Translation is that activity which puts into words not the foreignness of the past, but the disquieting familiarity of its presence.

Fragment N3.1 begins by disclaiming the phenomenological concept of essence and, more explicitly, the Heideggerian attempt to connect history to phenomenology. It is, indeed, a different kind of pertinence that Benjamin claims for the basic notions of metaphysics through his own use of terms like *Gewesene* or *Bild*. Compared to Benjamin's metaphysics of form, the Heideggerian quest for the foundational moments of historically distinct modes of being remains, in many respects, an eccentric way of sustaining historicist premises and containing the insights of an effectively critical ontology. For Heidegger, the moment of *emergence* holds the key to forms of deployment and concealment in time. Could it be that, for Benjamin, *disappearance* is what counts, detaching phenomena from forms of temporal flow? But that is an issue to which my remarks here can do no more than point.[30]

30. My thanks to Brian Neville with whom I have discussed the text at length and who, though fearful of domesticating my English, helped to lessen its most estranging locutions.

Artiste invitée
Guest Artist

Dwelling in Mobility

Maria-Thalia Carras

It's June 2003, it's hot, and Athens is preparing for the 2004 Olympics—there is little more than one year to go. All eyes are on Athens, a booming city; corporate buildings rise over large boulevards, marble gleams, stadiums overpower. Maria Papadimitriou invites us to another part of town—it too is expanding, roads though here lead to nowhere, apart from what could best be described as a shanty town. DIY buildings in glorified impermanence surround a neat square. A former world champion wrestler and his kick ass girlfriend host a bar on the corner of the square. Nobody speaks Greek here, only Russian. Maria Papadimitriou has placed her *Luv Car (TransBonanza Platform for Public Events)*, in the centre of the square. Towards evening, when some respite from the heat comes, a strange camaraderie of unusual suspects made of art world hangers on, Gypsies and Vlach Romanians, a few Russians from Pontos, and other such like, sing karaoke to disco anthems and dance like crazy, together, in the square. Night comes and the wind becomes a bit chilly. Papadimitriou closes shop, the van drives off, and we all go home. Some people stay on drinking at the ex-wrestler's bar. Papadimitriou's project silently disappears; quickly and efficiently like a trickster's work of magic. Again and again Papadimitriou's projects vanish into thin air, one minute they're there, the next they're gone, transforming into memories of shared experiences.

It is the experiential nature of Maria Papadimitriou's work—open and generous, steeped in human generosity, time based and on the margins of what is normalized in society—that reflects her ideas about appearances and disappearances mostly. This is mainly because her work is un-iconic, based more on feelings that later transform into images, rather than images which generate feelings. Indeed if there is one artist who has been an influence on her work it is the Brazilian artist Helio Oiticica who, working in the 1960s, managed to linger on the periphery, in the favelas, configuring a romantically glamorous approach to art production and collaborating with the marginalized while his poetic social sculptures and "parangole" aimed to alter people's reality even if only momentarily.

Papadimitriou's projects are also social sculptures. Both because they raise questions about society and those excluded from it but also because they need people and society to exist. Her work is not based on commonplace interactions—instead, the very fabric of society becomes interlaced with Papadimitriou's projects, in which in turn they create small but crucial shifts. She creates parallel structures which are inclusive to everyone and anyone. Her seemingly utopian intersections seem close in spirit to the Situationists architectural and urban ideals, except that in Papadimitriou's case they are steeped in the sweat and toil of humanity. Papadimitriou's projects connect an architectural and social utopianism with reality, merging them into a sort of utopian realism. Her inability as an artist to actually recreate societal systems allows her the artistic freedom to create "illegal" para-systems that last but a few moments, hours, days—as long as the given exhibition lasts. These momentary shifts usually inhabit different time zones, alternative realities, rising spontaneously in stark contrast to the computed fast paced erosion of anything that stands out from the norm in late capitalist culture.

This is the case with *TAMA* (*Temporary Autonomous Museum for All*) located in the outskirts of Athens, in Avliza, one of Papadimitriou's longest standing collaborative projects. Her involvement with TAMA started in 1998 when she stumbled across it by accident and as she herself describes it,

> What I saw there is the concept of a makeshift settlement, a kind of mobile post-urban city which serves its inhabitants' temporary housing needs and economic activities. Everything forms part of this town. Landscape—clothes—interiors—unfinished buildings—streets—cars—the sky—the people. I started to visit Avliza every day—I became an addicted visitor... The nomadic way of living and the particularities of the community gave me the idea of setting up a system of communication and exchange among the inhabitants, myself, the art people and the public.[1]

TAMA, as the title and Papadimitriou herself hints, is both socially all-inclusive as well as ephemeral to the core. TAMA, however, is not only all-inclusive notionally but also in practice, due to the very materials that Maria Papadimitriou uses. As Jennifer Allen argues,

> her building materials—cheap, found, second-hand—are ready-mades that resist being hauled away, whether by thieves, vandals or municipal garbage collectors. With this choice of materials, Papadimitriou explores the strange category of rubbish: things that exist in a state of suspension because they are not quite being used, but they have not yet been thrown away.[2]

1. Maria Papadimitriou, "TAMA," Maria Papadimitriou (ed.), *T.A.M.A. (25th Bienal de Sao Paolo)*, Athens, Futura, 2002, p. 13.

2. Jennifer Allen, "Maria Papdimitriou," Babi Scardi (ed.), *Less: Alternative Living Strategies*, Five Continents Editions, Milano, 2006, p. 207.

Two abandoned one-armed chairs prove the best of company, whilst cardboard doors half-fitted into a makeshift construction seem singularly free compared to the closedeness of the coloured bird cage hanging off them. Maria Papadimitriou's projects hover like these leftover goods: ambivalently in a state of suspension, tantalizing the viewer as they drift between existing and not-existing, formation and deconstruction, appearing and disappearing.

TAMA was created in a distinctly ambivalent space, a blind spot among disparate communities, between the urban and the sub-urban. As a collaboration with the Vlach Romanian community as well as with the artistic and architectural community of Athens, TAMA is still constantly being formed and de-formed. It provides the structural basis for an interconnective rhizome of ideas and people who often live out of the norm, unrepresented or misrepresented. The uniconic element is again strongly felt: networking processes based on human relationships rather than images *per se* are indeed crucial in Maria Papadimitriou's work. Image practically disappears to make way for a more complex set of interrelationships, between communities as well as between individual people.

What is at stake here is the openness and accessibility of public space. Papadimitriou's project transforms architecture and public spaces into an open ended dialogue, a place for people to really meet, a forum for dialogue and ideas, a utopian democracy of forms. Yorghos Tzirtzilakis joins in the debate over these spontaneous Roma settlements and the interest they provoke in terms of city development:

> Of course, these people are associated with an almost primitive model of life and dwelling, always temporary and under a state of persecution. Yet this same state promotes the "otherness" and the mythologies of a population still accompanied by secrets and spirits. [...] Maria Papadimitriou processes these contradictory elements through discussions with her friends and associates. In Avlida the power of the metropolitan tornado most people today call "nomadism" defies all those who describe it as the dominant model of the future and asserts itself as a "vulgar" local peculiarity. [...] Above all, however, this transient town subverts all prefabricated images.[3]

As Tzirtzilakis text suggests, the marginalized populations that Papadimitriou collaborates with, along with the subtext of her relationship to them, constitute a distinctive critique of ungenerous capitalist practices.

3. Yorghos Tzirtzilakis, "Reality as a Strategy, Observation as Destiny", in Maria Papadimitriou (ed.), *T.A.M.A. (25th Bienal de Sao Paolo)*, Athens, Futura, 2002, p. 26. See also Yorghos Tzirtzilakis, « Social Topography and Collaborative Promiscuity: the Temporary Autonomous Museum for All in Athens », *o Monografias*, 3 (*Casa House*), Colexio oficial de Arquitectos de Galicia, Primavera 2005, p. 194-197.

TAMA negotiates a resurfacing of the otherwise unknown and invisible lives of the inhabitants of Avliza's shanty towns out of the depths of our social unconsciousness. Its pertinence resides in the fact that it is an investigation of an invisible city—a city on the outskirts, a city for which there is no room in our public imaginary apart from the one created by rare works such as Konstantinos Yannaris' film *From the Edge of the City* (2001) which presents the lives of marginalized young immigrants from Kazakhstan. The Vlach Romanians live on the edge of our city and consciousness.

Maria Papadimitriou's projects, both ephemeral and community-based, often entertain a paradox: they constantly disappear whilst making issues and social problems that society would happily ignore persistently reappear. In *Hotel Plug-Inn*, one of Papadimitriou's most recent works, at the Canary Islands Biennial, the materials of her project were literally the residues of a disappearance, potentially even of that final disappearance, death. In an ironic play with history, Papadimitriou transformed the Spanish San Gabriel castle, imposingly overlooking the Atlantic Ocean, into a figural welcoming zone for illegal immigrants, emotionally and physically exhausted from their voyage. Similar to theatrical plays where all the action happens off scene, in *Hotel Plug-Inn*, a whole story is narrated while the main characters are nowhere to be seen. Papadimitriou used the wooden boats that carry migrants jam-packed from Africa hoping for a more prosperous future as the basis for the castle's new furniture. She remodelled them into beds for a long dreamed-of sleep, into benches of rest in a memory room where music from their homelands could be listened to, and even installed a cloak room in which they could hang exhausted clothes. The emigrants' protective outer layers, their clothes and boats, are used as hosts to a fresh wave of less anguished art travellers, offering them solace and rest in the dreary run of a large scale art exhibition.

What marks Papadimitriou's work is the emigrants' absence and silence. For all we know, the people whose plight is exposed have disappeared, only to revitalise the places and spaces that we work and live in: they are the unknowns that surround us, whose histories and pained process of travel we can only imagine. Papadimitriou points at their disappearance whilst making us conscious of the void they leave behind: outer shells of transport, their boats.

It is a quite different voyage from one state to another that Maria Papadimitriou worked on for her project in Puerto Rico, *Hypotheses 2, The Soul Message Formula, Illumina tus Suenos, Amphiareion*, 2002. She created a healing center inspired by the Greek oracle and healer demigod Amphiaraos. People were invited to sleep on makeshift beds in the outdoor landscape as if these beds could gain them entry into some other world. They were surrounded by a tropical paradise and welcomed to rest, sleep and thus be transported and delve into a space of dreams, while venturing to revive Greek mythological practices—a magical world suppressed by everyday normality. The metaphor of departure was highlighted again by the constructions that visitors were invited to lie on: ready-made constructions built out of the doors of local rundown supermarkets. Personal dreams in this public space, Papadimitriou suggests, could tap into a deeper communal subconscious, unearthing hidden depths and illuminating dark messages from the soul.

It is these interrelationships between the conscious and the subconscious, between different kinds of past histories, communal and personal, that Papadimitriou's projects bring to the fore and work on. People, places and memories, and a constant movement between all three, give to Maria Papadimitriou's projects their peculiar human vitality. The projects may be constantly in the process of disappearing but as they do, they allow for other quite complex feelings to emerge.

In transit

T.A.M.A. (Temporary Autonomous Museum for All) : *Sans titre*, 1998.
Tirage Lambda, 1,26m × 1,80m, tiré à 5 exemplaires. Collection privée.

T.A.M.A. (Temporary Autonomous Museum for All) : *Luv Car (TransBonanza Platform for Public Events)*, 2003.
Sculpture publique, dimensions variables. Avec l'aimable permission de l'artiste.

T.A.M.A. (Temporary Autonomous Museum for All) : *Sans titre*, 1999.
Tirage Lambda, 1,26m × 1,80m, tiré à 5 exemplaires. Collection privée.

T.A.M.A. (Temporary Autonomous Museum for All) : *Sans titre*, 1999.
Tirage Lambda, 1,26m × 1,80m, tiré à 5 exemplaires. Collection privée.

T.A.M.A. (Temporary Autonomous Museum for All): *Sans titre*, 2000.
Tirage Lambda, 1,26m × 1,80m, tiré à 5 exemplaires. Collection privée.

T.A.M.A. (Temporary Autonomous Museum for All): *Sans titre*, 2000.
Tirage Lambda, 1,26m × 1,80m, tiré à 5 exemplaires. Collection privée.

T.A.M.A. (Temporary Autonomous Museum for All) : *Sans titre*, 2000.
Tirage Lambda, 1,26m × 1,80m, tiré à 5 exemplaires. Collection privée.

T.A.M.A. (Temporary Autonomous Museum for All) : *Sans titre*, 2000.
Tirage Lambda, 1,26m × 1,80m, tiré à 5 exemplaires. Collection privée.

T.A.M.A. (Temporary Autonomous Museum for All) : *Sans titre*, 1998.
Tirage Lambda, 1,26m × 1,80m, tiré à 5 exemplaires. Collection privée.

T.A.M.A. (Temporary Autonomous Museum for All) : *Sans titre*, 1999.
Tirage Lambda, 1,26m × 1,80 m, tiré à 5 exemplaires. Collection privée.

Hotel Plug-Inn: Reception, 2006. Morceaux en bois provenant de bateaux abandonnés par des immigrés illégaux, livres et extraits de journaux, photographies sur la migration illégale vers les Îles Canaries.
Avec l'aimable permission de la Biennale des Îles Canaries et de l'artiste.

Hotel Plug-Inn: Room to make a wish, 2006.
Morceaux de bateaux abandonnés, tissu blanc, pièces de monnaie.
Avec l'aimable permission de la Biennale des Îles Canaries et de l'artiste.

Hotel Plug-Inn: Single room, 2006.
Morceaux de bateaux abandonnés, caoutchouc mousse.
Avec l'aimable permission de la Biennale des Îles Canaries et de l'artiste.

Hotel Plug-Inn: Check-in Room, 2006.
Morceaux de bateaux abandonnés, vêtements, lampes à l'huile.
Avec l'aimable permission de la Biennale des Îles Canaries et de l'artiste.

Hotel Plug-Inn: The Sound Room, 2006. Matelas, écouteurs, simulation des bruits de la jungle.
Avec l'aimable permission de la Biennale des Îles Canaries et de l'artiste.

Hotel Plug-Inn: Exodos, 2006.
Morceaux de bateaux abandonnés, sacs en plastique remplis de vêtements, télévision (entrevues avec des immigrés africains illégaux).
Avec l'aimable permission de la Biennale des Îles Canaries et de l'artiste.

Résumés/*Abstracts*

Marx, Wittgenstein et l'amante du mage

VALERIA WAGNER

► Un mage fait disparaître la tour Eiffel devant une foule étonnée, mais son amante résiste à son charme, et s'inquiète de l'usage que l'on pourrait faire de ce pouvoir singulier. Comment, et pourquoi, l'amante voit-elle, alors que les autres ne voient pas? Comment, en définitive, résister comme elle au pouvoir trompe-l'œil, délocalisé et trans-personnel, qui agit par la perception plutôt que par la force, en changeant les contours du paraître ? Ces questions sont poursuivies d'après certaines lignes de réflexion parallèles de Marx et de Wittgenstein, qui s'étendent sur les dangers que l'amante du mage pressent dans cet art de la disparition. Les deux philosophes se posent comme les témoins qui « voient » à travers les actes d'illusionnisme qui déforment, pour l'un, notre perception des relations sociales et de leur lien aux rapports de production, et pour l'autre, notre compréhension des formes d'expression et de leur imbrication dans les formes de vie qui leur donnent sens. Et, comme l'amante du mage, ils « voient » dans ces disparitions et apparitions des enjeux considérables, autant pour le « public » que pour les acteurs de ces spectacles quotidiens, puisqu'ils impliquent le transfert du pouvoir des agents à des instances désincarnées ou mystérieusement animées.

► A magician makes the Eiffel Tower "disappear" under the eyes of a mystified crowd, but his lover resists the charm of his act, worrying about the use to which this singular display of power could be put. How, and why, does the lover see the Tower, while the others don't? How to resist the power of *trompe-l'œil*, delocalized and transpersonal as it is, and acting on our perception rather than by force? This paper pursues these questions through a reading of aspects of Marx's *Capital* and Wittgenstein's *Philosophical Investigations*, both of which expand the dangers the magician's lover guesses in his art of disappearance. Both philosophers position themselves as witnesses who "see" through the distorting illusions: for Marx, our perception of social relations and their connection to relations of production; for Wittgenstein, our understanding of forms of expressions and of their inscription in the forms of life that confer meaning on them. Just like the magician's lover, they think that the stakes of these disappearances and appearances are considerable for the "public" as much as for the actors of such daily shows, as they imply a transfer of power, from real agents to mysteriously animated and disembodied entities.

La perception du mouvement entre disparition et apparition

SYLVANO SANTINI

► Cet article propose de déplacer le point d'équilibre de la réflexion sur la disparition en n'en faisant plus l'objet du corps mais de l'esprit. Il prend la forme d'une brève, d'une très brève histoire des idées au XXe siècle qui retrace, de la disparition élocutoire du poète chez Mallarmé à celle de l'écart entre les mots et les choses chez Virilio et Baudrillard, deux figures du mouvement qui, dans leur opposition, déterminent actuellement les pôles philosophique et technologique de la construction dynamique du sens. Qu'est-ce qui provoque le charme de la chorégraphie des signes ? Qu'est-ce qui ravit l'écart entre deux termes ? La synthèse ou le « suspens » ? Cette brève histoire qui noue la question de la disparition à celle du mouvement tâchera dès lors de révéler la naissance de cette alternative et de l'emmener jusqu'à son expression contemporaine, au cœur de ce que l'on appelle l'intermédialité.

► This paper proposes to shift the usual reflexion about disappearance, in focusing on the spirit rather than on the body. It takes the form of a short, very short story of 20th century's ideas which retraces—from the mallarmean "disparition élocutoire" to the gap between words and things according to Virilio and Baudrillard—two figures of movement that nowadays set, in their very opposition, the philosophical and the technological views on the dynamic construction of meaning. What causes the charm of signs' choreography? What closes the gap between two terms? Synthesis or *suspens*? In connecting two issues, disappearance and movement, the short story here proposed will try to bring to light the birth of an alternative, then to bring it to its contemporary expression, in the heart of what we call intermediality.

Aspects philosophiques de la disparition

NICOLAS ZUFFEREY

► En Chine ancienne, le vocabulaire pour dire la disparition n'est pas celui de l'annihilation, c'est celui de l'éclipse, de l'oubli, du déplacement, éventuellement de la réduction ou de la transformation. La disparition est avant tout affaire de mouvement ou de déplacement : les choses disparaissent parce qu'elles sont passées dans une autre dimension, parce qu'elles ne coïncident plus dans l'espace, ou parce qu'elles sont cachées ; elles n'en continuent pas moins d'exister. La mort elle-même s'explique par le mouvement, plus précisément par un réagencement de matière ; le mort se transforme en autre chose, redevient matière brute — à proprement parler, il n'est pas anéanti. En Chine ancienne, la disparition n'est donc qu'un aspect de l'infinie variation des choses et du monde.

► In ancient China, the vocabulary for disappearance is not one of annihilation. Rather, it is one of the eclipse, of the oblivion, of the displacement, and possibly of reduction or transformation. Disappearance is above all a question of movement or displacement: things disappear because they move to another dimension, because they do not coincide anymore in space, or because they are hidden; however, they continue to exist. Death itself is explained by movement, and more precisely, by a recombination of matter: the dead are transformed into something else, become sheer matter again—they are not, properly speaking, wiped out. In ancient China, disappearance is therefore only one aspect of the infinite variation of things and the world.

Colonel Chabert ou le revenant intempestif

ALAIN BROSSAT

► En 1832, Balzac compose une longue nouvelle, *Le Colonel Chabert*. Il y imagine le destin peu commun de cet officier de l'armée impériale qui, enseveli sous un tas de cadavres à la bataille d'Eylau, passe pour mort auprès de ses compagnons et de ses proches. Il échoue ensuite sans fin à faire reconnaître ses titres, comme être vivant parmi les vivants, tout simplement — une personne humaine. Et si, donc, *Le Colonel Chabert* était le premier grand texte littéraire moderne consacré à la question de la *disparition* ?

► In 1832, Balzac wrote a short story entitled *Le Colonel Chabert* in which he pictured the extraordinary destiny of an officer of the Imperial Army, Chabert. Having been buried under a heap of dead bodies at the Battle in Eylau, Chabert is considered dead by his companions and relatives, and fails from this day on to be acknowledged as a living person. Could *Le Colonel Chabert* be considered the first modern literary work devoted to the issue of disappearance?

Illusions of Absence

SUSAN BRUCE

► Cet essai a pour sujet la disparition de personnages dans deux textes différents : Ruth et Sarah, les deux domestiques juives expulsés de Darlington Hall, dans *The Remains of the Day* de Kazuo Ishiguro ainsi que Mamillius, héritier de Léonte, roi de Sicile, qui meurt dans l'acte deux de *Winter's Tale* de Shakespeare. Ces personnages sont si définitivement effacés du texte (où ils n'apparaissent que brièvement), que c'est comme si celui-ci les faisait « disparaître ». Selon nous, par leur absence, ces personnages sont d'autant plus remarquables. Bien qu'on leur refuse la présence, ces personnages ne disparaissent pas simplement. Ils ne partent pas tout à fait : ils résident plutôt dans le regard du lecteur, et leur apparente absence perturbe l'illusoire complétude dans laquelle se terminent les deux textes. Ce déplacement, du texte au regard, entraîne selon nous des conséquences d'ordre éthique pour le lecteur ou le spectateur. Incapable de laisser reposer ces fantômes comme les protagonistes du texte semblent, eux, capable de le faire, le lecteur est forcé de penser au problème de la responsabilité, non par ce qui est présent dans le texte, mais plutôt par ce qui *n'y est plus*.

► This essay takes for its subject the disappearances of characters from two different texts: Ruth and Sarah, the Jewish servant girls expelled from Darlington Hall in Kazuo Ishiguro's *The Remains of the Day*, and Mamillius, the heir to Leontes, King of Sicilia, who dies in Act 2 of Shakespeare's *The Winter's Tale*. These characters are so absolutely erased from the texts in which they so briefly appear that it is as if they have been "disappeared" by them: they become, I argue, quite literally notable by their absence. Denied a presence in the texts, however, such personages do not, as might be expected, simply disappear. They won't quite go away; rather, they lodge instead in the mind of the reader, the pretence of their absence troubling the illusions of closure with which the texts both end. This displacement from textual to mental medium, I maintain, entails ethical consequences for the reader or audience. Unable to lay these ghosts to rest in the way in which the texts' protagonists appear to be able to do, the reader is forced to confront issues of responsibility not by what is present in the text, but by what is *not* there, or not there any longer.

La vidéo à l'épreuve de la disparition

JEAN-LOUIS DÉOTTE

► La disparition politique — qui n'est pas encore un concept pour les sciences dites politiques — est un événement paradoxal : par définition, il n'y aura pas de témoins et les perpétrateurs ne parleront pas. C'est un engloutissement sans traces. Les deux vidéos étudiées de J. Hanono et de F. Menini redoublent le paradoxe parce que l'appareil vidéo, à la différence du cinéma, permet difficilement que le spectateur enchaîne sur l'œuvre qui enkyste le maintenant d'une phrase-affect (Lyotard). Cette phrase-affect est ce qui subsiste d'un tel vécu traumatique, soit que la vidéaste ait vécu de l'intérieur sa propre disparition, soit qu'elle ait été témoin d'une destruction de masse. L'enjeu de ces vidéos est alors de rejoindre le maintenant passé du trauma, en luttant contre la répétition de la pulsion de mort (Freud) par la mise en place d'une représentation vidéographique.

► Political disappearance—which is not yet a concept for the so-called political sciences—is a paradoxical event: by definition, there will be no witnesses and the perpetrators will not speak up. It is an engulfment that leaves no traces. The two videos studied here, J. Hanono and F. Menini's, reinforce this paradox because the video device, in contrast to that of cinema, makes it difficult for the spectator to connect with a work that encysts the here and now of a phrase-affect (Lyotard). This phrase-affect is what subsists from a certain traumatic experience, whether the video artist has experienced his/her own disappearance from the inside, or (s)he has witnessed mass destruction. What is at stake in these videos is the attempt to reunite the past here and now of the trauma, while fighting against the repetition of the death drive (Freud) by means of the set-up of a videographic representation.

The Sounds of Disappearance

DAVID GUIMOND

► L'observation des micro-opérations des propriétés physiques du son permet de dépasser la temporalité qui a jusqu'ici servi à en distinguer l'apparition et la disparition en ce qui touche la « venue » et l'« estompement ». Caractérisé par une vive activité hétérogène au plan physique, le son est capable d'engendrer des registres simultanés d'apparition et de disparition dans lesquels ceux-ci ne peuvent ni s'exclure mutuellement ni se distinguer clairement, ce qui devrait nous inciter à éviter la simple dichotomie temporelle. Il semble plutôt que la puissance du son tienne dans l'entremêlement de l'apparition et de la disparition, simultanément, dans la création d'événements sonores selon un sujet à l'écoute.

► Examining the microoperations of sound's physical properties moves us beyond the temporality that has functioned to dichotomize its appearances and disappearances as solely an experience of a "coming to" and a "fading away." Characterized by a frenzy of heterogeneous activity at the physical level, sound has the ability to engender simultaneous registers of appearance and disappearance in which they are neither mutually exclusive nor can be clearly separated, inviting us to eschew the simplicity of their temporal dichotomization. Rather, the power of sound functions specifically because it forever intertwines its appearances and disappearances, simultaneously, in the creation of the sonic event with the listening subject.

Faire et contrefaire : les disparitions d'un auteur

CORINNE FASSBINDEN

► Par une analyse des « œuvres » d'un artiste-escroc chypriote, Prodromos Alethinos, nous voulons montrer comment, lors du parasitage d'œuvres déjà existantes (celles de Klein, de Manzoni, de Duchamp ou de Long), la disparition du créateur original répond en fait à la logique contemporaine de l'art et permet d'en saisir le rapport essentiel à l'originalité, à l'immatériel et au temps.

► Through the analysis of the "works" of a Cyprian forger, Prodromos Alethinos, I would like to demonstrate how, when misappropriating already existing works of art (those of Klein, Manzoni, Duchamp or Long), the disappearance of the original creator comply in fact with the contemporary logic of art, and this allows us in turn to think its essential relation to originality, immateriality and temporality.

Gardens of Things: The Vicissitudes of Disappearance

ANITA STAROSTA

► Cet article retrace la disparition de l'Union soviétique à partir d'objets esthétiques et quotidiens, en analysant l'organisation de valeurs éthiques et économiques qui marquent le prétendu monde post-soviétique. L'auteur propose une lecture du récit semi-biographique de Ryszard Kapuściński, *Imperium*, des poèmes de Zbigniew Herbert, « Élégie pour le départ de la plume, de l'encre, de la lampe » et « Message de Monsieur Cogito », ainsi que du film de Krzysztof Kieślowski, *Sans fin* (1984), en cherchant à interroger les médiations du changement historique et ses divers modes d'appréhension. L'auteure tente de montrer que les vicissitudes de la disparition remettent en question la notion de rupture historique, en rendant visibles les processus de renégociation et de reconstitution culturels.

► This essay traces the disappearance of the Soviet Union through aesthetical and everyday objects, and through an organization of the ethical and economic values that mark the so-called post-Soviet world. Looking through the different ways historical changes are mediated and made apprehensible, I propose to read Ryszard Kapuściński's non-fictional account *Imperium*, Zbigniew Herbert's poems "Elegy for the Departure of Pen, Ink and Lamp" and "The Envoy of Mr. Cogito," and Krzysztof Kieślowski's film *No End* (1984). I argue that the vicissitudes of disappearance question notions of historical rupture, making visible the processes of cultural renegotiation and reconstitution.

The Disappearing Medium

GEORGE VARSOS

► Le texte concerne les incidences de la disparition de la langue d'un texte original, dans le cas de la traduction littéraire. Il commence par un rappel de la problématique élaborée, à cet égard, par la critique actuelle de l'appropriation ethnocentrique de l'original par la langue d'arrivée. Il examine, par la suite, les présupposés théoriques de cette critique, en insistant sur les différentes manières dont les rapports entre langue et culture sont traités par la théorie de la traduction du romantisme allemand et par celle de Walter Benjamin.

► This essay discusses problems pertaining to the disappearance of the language of the original text in the case of literary translation. After a reminder of recent criticism directed against ethnocentric translation strategies, the question is raised of the theoretical promises of alternative strategies. The text examines the different ways in which the relations between language and culture are theorized, taking two lines of inquiry that have strongly influenced contemporary translation theory: that of German Romanticism and that of Walter Benjamin.

Notices biobibliographiques
Biobibliographical Notes

Alain Brossat enseigne la philosophie à l'Université Paris VIII – Vincennes-Saint-Denis. Il est membre des comités de rédaction des revues *Lignes* et *Drôle d'époque*. Ses derniers ouvrages parus sont : *La résistance infinie* (Paris, Éditions Lignes, 2006) et, sous sa direction, *Foucault dans tous ses éclats* (Paris, L'Harmattan, 2005).

Susan Bruce (BA Cantab, MA, PhD Cornell) est professeure à l'Université Keele. Elle est l'éditrice de *Three Early Modern Utopias* (Oxford University Press, 1999), de *Shakespeare : King Lear* (Palgrave, 1997), et corédactrice, avec Valeria Wagner, de *Fiction and Economy* (Palgrave, 2007). Elle a publié plusieurs articles, notamment sur l'enseignement des comédies de Shakespeare, sur Thomas More ainsi que sur le film contemporain.

Jean-Louis Déotte est professeur d'esthétique au département de philosophie de l'Université Paris VIII – Vincennes-Saint-Denis. Il a publié sur le thème de la disparition politique deux ouvrages collectifs, en collaboration avec Alain Brossat : *L'époque de la disparition*, Paris, L'Harmattan, 2000, et *La mort dissoute*, Paris, L'Harmattan, 2002.

Corinne Fassbinden est née au Lichtenstein. Elle a fait des études à la London School of Economics, puis a commencé un doctorat sous la direction de Louis Marin à l'École des Hautes études en sciences sociales à Paris. Depuis le début des années 1990, elle habite alternativement à Paris et à Chypre et poursuit une carrière de journaliste et de critique indépendante. Elle prépare un livre sur les faux et les contrefaçons.

David Guimond a récemment obtenu son doctorat au département d'histoire de l'art et de communication de l'Université McGill. Sa thèse intitulée

(Re)Sounding: Disintegrating Visual Space in Music explore les relations entre la théorie philosophique du son et les théories contemporaines de l'espace.

Sylvano Santini a réalisé une thèse de doctorat en cotutelle entre l'Université de Montréal et l'Université Bordeaux 3 qui s'intitule *La réception pragmatique de Gilles Deleuze dans la théorie littéraire américaine. Croire et agir en ce monde-ci* et qu'il s'affaire à transformer en manuscrit. Il poursuit actuellement une recherche postdoctorale sur la question des affects dans la critique littéraire à l'Université du Québec à Montréal. Il a publié plusieurs articles autour de la littérature et de la philosophie et il a édité récemment le dossier « *American Theory*: quelques penseurs à vue » dans la revue *Spirale*. Il a entrepris depuis un an des entretiens avec des penseurs contemporains influents, dont Toni Negri et Sylvère Lotringer, entrevues qui font partie de l'émission en ligne « Mondes contemporains » de *Radio Spirale*.

Anita Starosta est doctorante au département d'histoire de la conscience à l'University of California de Santa Cruz. Sa thèse de doctorat porte sur les problèmes de comparabilité interculturel et sur les relations entre littérature et histoire. Elle a publié dans *The Current: The Public Policy Journal of the Cornell Institute for Public Affairs*, ainsi que dans *Nowy Dziennik*, un quotidien polonais publié aux États-Unis.

George Varsos enseigne la traduction et l'histoire littéraire à l'Université d'Athènes et à l'Université Ouverte, en Grèce. Sa thèse de doctorat sur « la persistance de la question homérique » examine les présupposés théoriques de l'approche historico-philologique des textes littéraires ainsi que les incidences de la pensée de Walter Benjamin à cet égard. Il a traduit des textes littéraires et théoriques en grec (Ezra Pound, Walter Pater, Paul de Man) et a publié des articles sur la théorie de la littérature et de la traduction.

Valeria Wagner enseigne dans les programmes d'études hispaniques et de littérature comparée à l'Université de Genève. Ses recherches portent sur l'imaginaire politique et culturel des Amériques, l'exploration des modes d'action dans la littérature et le cinéma, et les nouvelles configurations identitaires issues des migrations contemporaines. Parmi ses publications: *Fiction and Economy* (coéditrice, Palgrave, 2007), *Literatura y vida cotidiana. Ficción e imaginario en las Américas* (Biblioteca Nueva, 2005), et *Bound to Act: Models of Action, Dramas of Inaction* (Stanford University Press, 1999).

Nicolas Zufferey est professeur de langue, littérature et culture chinoise à la faculté des lettres de l'Université de Genève (Suisse). Ses principaux domaines de recherche sont l'histoire intellectuelle ancienne et le confucianisme dans ses dimensions anciennes et contemporaines. Il est l'auteur de plusieurs ouvrages sur la pensée chinoise ancienne : *Wang Chong, Connaissance, politique et vérité en Chine ancienne* (1995), *To the Origins of Confucianism : The Ru in Pre-Qin Times and During the Early Han Dynasty* (2003), et de nombreux articles sur la culture chinoise ancienne et moderne.

Protocole de rédaction

Les auteurs sont priés:

a) de faire parvenir une copie de leur texte par courrier électronique à l'adresse intermedialites@umontreal.ca;
b) d'inscrire, sur la première page de leur manuscrit: 1) le titre de l'article; 2) leur nom;
c) de fournir un résumé (entre cinq et dix lignes) de l'article en français et en anglais;
d) d'annexer à leur texte une notice biobibliographique (environ cinq lignes) indiquant leur statut professionnel et leurs principales publications;
e) de présenter leur texte dactylographié à double interligne, en Times 12 points, justifié à gauche et à droite, à l'exception des citations qui doivent être placées en retrait de 1 cm à droite et des notes en bas de page (les éléments bibliographiques étant intégrés, au fur et à mesure, aux notes) qui devront être présentées en simple interligne;
f) de présenter les notes et les références textuelles selon le modèle adopté par la revue;
g) de limiter leur texte à un maximum d'une vingtaine de pages et à un minimum de dix pages.

Pour obtenir une version détaillée du protocole de rédaction, vous pouvez vous rapporter au site de la revue.

Orientation de la revue

Intermédialités est une revue issue du Centre de recherche sur l'intermédialité de l'Université de Montréal (CRI). Les textes qui y sont publiés portent sur l'histoire et la théorie des arts, des lettres et des techniques selon les lignes d'une interrogation intermédiale ou intermédiatique. Les articles regroupés embrassent une diversité d'objets, de supports, et traversent une variété d'axes théoriques et conceptuels.

Le concept d'intermédialité se présentera dans la revue selon trois niveaux d'analyse différents. Il peut désigner, d'abord, les relations entre divers médias (voire entre diverses pratiques artistiques associées à des média délimités). Ensuite, ce creuset de médias d'où émerge et s'institutionnalise peu à peu un média bien circonscrit. Enfin, le milieu en général dans lequel les médias prennent forme et sens: l'intermédialité est alors immédiatement présente à toute pratique d'un médium. L'intermédialité sera donc analysée en fonction de ce que sont des « milieux » et des « médiations », mais aussi des « effets d'immédiateté », des « fabrications de présence » ou des « modes de résistance ».

La revue, entendant mettre en valeur des pratiques intermédiales actuelles, accorde une place importante à la production artistique. Chaque numéro reçoit la collaboration d'un ou de plusieurs artistes dont une œuvre ou une série d'œuvres inédites sont regroupées dans un dossier qui informe à la fois le sujet spécifique du numéro et les axes de réflexion de la revue.

Politique éditoriale

La revue *Intermédialités* publie deux « numéros papier » et un « numéro électronique » par année. Chacun de ces numéros regroupe des textes inédits, en français ou en anglais, abordant un même sujet. Chaque article publié est accompagné d'un résumé en anglais et en français. Les auteurs qui soumettent un texte à la revue sont tenus de respecter le protocole de rédaction.

Les articles de la revue sont évalués de façon anonyme par deux membres compétents du comité de lecture, puis par le comité de rédaction, à qui revient la responsabilité finale en ce qui a trait à l'acceptation ou au rejet de l'article.

Déjà parus

n° 1 «Naître», printemps 2003
n° 2 «Raconter», automne 2003
n° 3 «Devenir-Bergson», printemps 2004
n° 4 «Aimer», automne 2004
n° 5 « Transmettre », printemps 2005
n° 6 « Remédier », automne 2005
n° 7 « Filer (Sophie Calle) », printemps 2006
n° 8 « Envisager », automne 2006
n° 9 « Jouer », printemps 2007
n° 10 « Disparaître », automne 2007

À paraître

n° 11 « Travailler (Harun Farocki) », printemps 2008
n° 12 « Mettre en scène », automne 2008

À lire également sur le site de la revue (www.intermedialites.ca):

Numéro électronique

Déjà paru

n° 1E « Téléphoner », printemps 2006
n° 2E « Réinventer l'histoire : l'uchronie », printemps 2007

Dossier de la revue Intermédialités

Vincent Bonin, Éric Legendre, *Trajectoires du concept d'archive dans le champ de l'art contemporain* (1986-2006), hiver 2007.

Viva Paci, *Ce qui reste des images du futur*, 2005, publication conjointe avec la Fondation Daniel Langlois pour l'art, la science et la technologie, http://www.fondation-langlois.org/flash/f/index.php?Url=CRD/futur.xml.

intermédialités

HISTOIRE ET THÉORIE DES ARTS, DES LETTRES ET DES TECHNIQUES

Déjà parus

n° 1 « Naître », printemps 2003
n° 2 « Raconter », automne 2003
n° 3 « Devenir-Bergson », printemps 2004
n° 4 « Aimer », automne 2004
n° 5 « Transmettre », printemps 2005
n° 6 « Remédier », automne 2005
n° 7 « Filer (Sophie Calle) », printemps 2006
n° 8 « Envisager », automne 2006
n° 9 « Jouer », printemps 2007
n° 10 « Disparaître », automne 2007

À paraître

n° 11 « Travailler (Harun Farocki) », printemps 2008
n° 12 « Mettre en scène », automne 2008

	Canada*	Étranger*
Numéro individuel	16 $ CAN	22 $ CAN
Abonnement (4 numéros)		
Étudiant	35 $ CAN	50 $ CAN
Individuel	50 $ CAN	65 $ CAN
Institutionnel	80 $ CAN	100 $ CAN

❑ Je désire obtenir le numéro __________ de la revue ***Intermédialités***.

❑ Je désire m'abonner à la revue ***Intermédialités*** pour deux ans à partir de l'année ______

Nom: ______________________________

Adresse: ______________________________

Institution: ______________ Téléphone: ______________

Adresse électronique: ______________ N° de l'étudiant: ______________

Paiement ci-joint ________________ $ CAN

Chèque** ❑ Mandat-poste** ❑

Carte de crédit: VISA ❑ Master Card ❑

N° de la carte: |_|_|_|_|_|_|_|_|_|_|_|_|_|_|_|_|

Date d'expiration: ______________________________

Signature: ______________________________

* Ces montants incluent les frais de transport.
** Chèque ou traite sur une banque canadienne, en dollars canadiens; mandat-poste en dollars canadiens. Veuillez établir chèques et mandats-poste à l'ordre de ***Revue Intermédialités***.

Prière d'envoyer le formulaire à: Fides – Service des abonnements 306, Saint-Zotique Est, Montréal, (Québec) Canada H2S 1L6 Tél.: (514) 745-4290 • Téléc.: (514) 745-4299 • Courriel: andres@fides.qc.ca

Pour toute autre information: CRI, Revue *Intermédialités*, Université de Montréal, C.P. 6128, succursale Centre-ville, Montréal (Québec), Canada H3C 3J7
Site: http://www.intermedialites.ca
Courriel: intermedialites@umontreal.ca • Tél.: (514) 343-2438 • Téléc.: (514) 343-2393

Cinémas est une revue universitaire essentiellement consacrée aux études cinématographiques. Elle entend diffuser des travaux théoriques ou analytiques visant à stimuler une réflexion pluridisciplinaire sur un objet protéiforme en croisant différentes approches, méthodes et disciplines (esthétique, sémiotique, histoire, communications, sciences humaines, histoire de l'art, etc.). Une attention particulière est accordée aux recherches visant à analyser les mutations en cours, tant au sein des pratiques créatrices que des discours théoriques.

La théorie du cinéma, enfin en crise

Volume 17, numéros 2-3, printemps 2007

Abonnement annuel :

Canada : individuel 30 $; étudiant* 20 $; institutionnel 65 $;
Autres pays : individuel 35 $; étudiant* 25 $; institutionnel 75 $

Chaque numéro simple :
Canada : 14 $; autres pays : 18 $
Chaque numéro double :
Canada : 21 $; autres pays : 25 $

*Joindre photocopie d'une pièce justificative

Revue **Cinémas**
Université de Montréal
C.P. 6128, succursale Centre-ville,
Montréal (Québec), Canada H3C 3J7.
Tél. : 343-6111 (poste 3684) et téléc. : 343-2393.
Adresse électronique : cinemas@histart.umontreal.ca

Marquis imprimeur inc.

Québec, Canada
2008